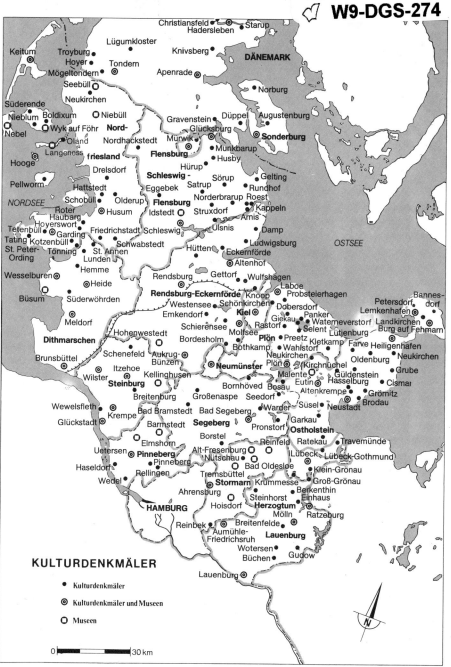

KULTURDENKMÄLER

- Kulturdenkmäler
- ⊙ Kulturdenkmäler und Museen
- O Museen

0 |▬▬▬▬▬| 30 km

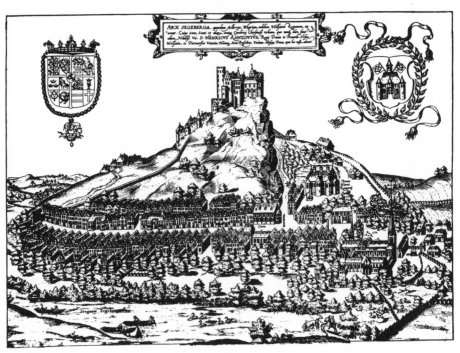

Segeberg 1588

Johannes Hugo Koch

Schleswig-Holstein

Zwischen Nordsee und Ostsee:

Kultur · Geschichte · Landschaft

DuMont Buchverlag Köln

Auf der Umschlagvorderseite: Eiderstedter Haubarg Hamkens
(Foto: Klaus Rohmeyer, Fischerhude)

Auf der vorderen Innenklappe: Landkarte Schleswig-Holstein

In der vorderen Umschlagklappe: Landkarte Schleswig-Holstein, 1650, aus der Landesbeschreibung von Dankwerth

Auf der Umschlagrückseite: Blick auf Holstentor, Salzspeicher, Petri- und Marienkirche in
Lübeck (Foto: Klaus Rohmeyer, Fischerhude)

Auf der hinteren Innenklappe: Das Landeswappen von Schleswig-Holstein

In der hinteren Umschlagklappe: Karte der Hansestädte im 15. Jahrhundert

Farbige Umschlagkarte und Karten S. 1, 14/15, 16, 17, 22, 52, 62, 290: Kartographisches Atelier
Milch, Lüdenscheid

CIP-Kurztitelaufnahme der Deutschen Bibliothek

Koch, Johannes Hugo
Schleswig-Holstein: zwischen Nordsee u. Ostsee;
Kultur, Geschichte, Landschaft. – 3. Aufl. –
Köln: DuMont, 1978.
 (DuMont-Dokumente: DuMont-Kunst-Reiseführer)
 ISBN 3-7701-0936-8

Druck: Boss-Druck, Kleve und J. P. Bachem, Köln
Buchbinderische Verarbeitung: Boss-Druck, Kleve

Printed in Germany   ISBN 3-7701-0936-8

Inhalt

Vorwort

Schleswig-Holstein ist ein beliebtes Ziel für Urlauber und Touristen geworden. 36 Millionen Übernachtungen im Jahr, fast 5 Millionen Gäste wurden gezählt, das ist beinahe das Doppelte der Einwohnerzahl.

Dieses Buch will Fremden und Einheimischen helfen, ihre Kenntnis von Land und Leuten zu vertiefen, es will auf die Kostbarkeiten aufmerksam machen, die vielfach abseits von den Urlaubs- und Aufenthaltsorten im Lande versteckt liegen und doch einen Besuch wert sind.

Der Text gibt in knapper, geraffter Form einen Gesamtüberblick über das Schicksal von Landschaft und Menschen von der Eiszeit bis zur Gegenwart. Bewährte Fachleute haben dankenswerterweise eigene Abhandlungen zu ihrem Sachgebiet beigesteuert.

Dank schulde ich besonders Herrn Klaus Gallas (München) für verständnisvollen Rat, Herrn Dr. Habich (Kiel) für Auswahl der zu behandelnden Kulturdenkmäler und der Textstellen, die darauf Bezug haben, Herrn Dr. Struve (Schleswig) für weitgehende Unterstützung auf dem Gebiet der Vor- und Frühgeschichte sowie Herrn Dr. Neugebauer (Lübeck) für wertvolle Ratschläge, die er mir in jahrelanger Zusammenarbeit geben konnte. Für kritische Durchsicht, Verbesserungen und Ergänzungen der Texte danke ich den Herren Prof. Degn (Kiel), Prof. Jankuhn (Göttingen), Prof. Scharff (Kiel), Dr. v. Bismarck (Kiel), Dr. Klüver (Ascheberg), Dr. Seifert (Kiel). Örtliche Hinweise erteilten mir die Herren Prof. Kamphausen (Kiel), Alfr. Peters (Flensburg), Chr. Radtke (Schleswig), Pastor Schau (Hoyer), Dr. Wilde (Lübeck), Dr. Wohlenberg (Husum) sowie der Fremdenverkehrsverband Schleswig-Holstein.

J. H. K.

»Schleswig-Holstein, meerumschlungen . . .«

»Schleswig-Holstein, meerumschlungen,
deutscher Sitte hohe Wacht . . .«

So beginnt die Landeshymne, die seit 1844 in Schleswig-Holstein gesungen wird; ein
meerumschlungenes Land, nördlicher Eckpfeiler deutscher Kultur, das die Eigenart
seiner Bewohner tiefgreifend geprägt hat. Dieses Buch will Interesse und Verständnis
für Geschichte und Kultur Schleswig-Holsteins wecken. Im Rückblick auf die wechselvollen Epochen eines mehrtausendjährigen Entwicklungsweges wird deutlich, welche
geologischen und klimatischen Bedingungen wie auch geschichtlichen Einflüsse auf das
Land und seine Bewohner eingewirkt haben; in besonderem Maße ist dabei der Blick
auf die vielfältigen Kunstwerke gerichtet, wie sie sich seit dem ersten Auftreten
des Menschen am Ende der letzten Eiszeit und insbesondere von der Bronzezeit bis zur
Gegenwart hin präsentieren.

Der Einfachheit halber wird der Name Schleswig-Holstein von Anfang an für den
geographischen Bereich verwendet, den das Land Schleswig-Holstein in seinen heutigen
Abgrenzungen innerhalb der Bundesrepublik Deutschland ausfüllt. Dies gilt also auch
für geschichtliche Zeiträume, in denen es ein Schleswig-Holstein noch nicht gab.

Das Land zwischen Ost- und Nordsee, Elbe und Dänemark weist unterschiedliche
Landschaftszonen auf. Der hier lebende Menschenschlag hat Vorväter aus verschiedenen
Volksstämmen. Die Geschichte ging vielfältige Wege. Von einer einheitlichen schleswig-
holsteinischen Kunst kann nicht gesprochen werden.

Absichtlich werden in den einzelnen Abschnitten des Buches Kriegs- und Notzeiten
nicht in dem Ausmaße behandelt, wie unsere Vorfahren sie durchstehen mußten. Man
schließe daraus nicht, daß hier im Lande immer tiefster Frieden geherrscht habe.

Die intensiven Bindungen Schleswig-Holsteins an den Nachbarn Dänemark wird
der aufmerksame Leser nicht übersehen können. Als Brückenland zwischen Nord und
Süd, Drehscheibe zwischen Ost und West ist das Land, vor allem in seinen äußeren
Bereichen, häufig fremden Einflüssen und Veränderungen mit anhaltenden Ein- und
Auswanderungen ausgesetzt gewesen. Nur das Kerngebiet Holsteins ist wohl als ein-
ziger Landstrich Deutschlands seit uralten Zeiten durchgehend vom gleichen Volks-
stamm bewohnt gewesen, der schon bei antiken Geschichtsschreibern mit dem Namen
Sachsen belegt ist.

Was wir heute vom Leben unserer Vorfahren in den Stein- und Metallzeiten wissen, haben Vor- und Frühgeschichtsforscher anhand zahlreicher Grabungsfunde ermittelt. Dabei ist vieles aufgedeckt worden, was der menschlichen Erinnerung verloren gegangen war, aber auch manches bestätigt, was wir aus Erzählungen und antiken Darstellungen kennen. Keine heimische Schrift berichtet aus dieser Zeit, nur germanische ›Sagen‹ überliefern Gedankengut aus nordischer Vorzeit. Erstaunlich aber ist, daß sich mündliche Überlieferungen durch ›Weitersagen‹ hierzulande über 3 000 Jahre halten konnten. So erzählt eine Volkssage, daß beim Grabhügel Dronninghoi (Königinhügel) Kreis Schleswig/Flensburg ein Krieger enthauptet wurde. Und tatsächlich fand man dann bei der Ausgrabung einen Schädel zu Füßen einer Leiche liegen. Eine andere alte Volkssage berichtet von einem Scheiterhaufen und mächtigen Feuern in Hünengrabhügeln bei Grünhof-Tesperhude in der Nähe Lauenburgs. Ein Doppelgrab der Bronzezeit wurde untersucht, in dem in Baumsärgen eine Frau und ein Kind beigesetzt waren; hiervon und von einem über den Särgen errichteten hölzernen Totenhaus, das in Brand gesetzt war, fanden sich die angekohlten Reste.

Römische Darstellung eines Germanen-
kopfes mit Haarknoten

Kopf mit ›suebischem Haarknoten‹ aus
dem Moor bei Osterby

In seiner ›Germania‹ berichtet der römische Geschichtsschreiber Tacitus (98 n.Chr.): Ein besonderes Merkmal des germanischen Stammes der Sueben und ihrer Verwandten sei es, das Haar nach der Seite zu einem Zopf zu flechten und in einem Knoten hochzubinden. Die Römer haben mehrfach Köpfe von Germanen mit Haarknoten dargestellt. Im Landesmuseum in Schleswig kann sich jeder Besucher beim Betrachten des im Moor bei Osterby gefundenen Schädels von der Richtigkeit der römischen Abbildungen überzeugen.

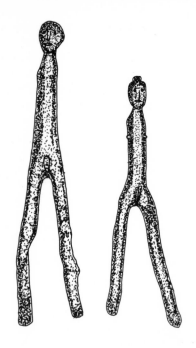

Götterfiguren der Eisenzeit, bei Braak gefunden

Die aus dem Braaker Moor bei Eutin geborgenen beiden überlebensgroßen Holz-figuren (der Mann ist 2,75 m groß), deren Datierung nicht sichergestellt ist, deuten die Wissenschaftler als germanisches Götterpaar, das hoch aufgerichtet in einem umzäunten Heiligtum gestanden haben mag. Spürt man nicht noch heute beim Anblick der wohl über 2000jährigen Götter das ihnen von einem germanischen Künstler eingehauchte Leben? Versuchen wir einmal aus den Zügen dieser stummen Zeugen germanischen Götterglaubens herauszulesen, was sie unseren Ahnen zu sagen hatten. Den Deutungen steht ein weites Feld offen; glücklicherweise sind noch nicht alle Geheimnisse der Ver-gangenheit enträtselt, so daß unsere Fantasie freien Lauf hat, wenn sie sich mit den germanischen ›Urgottheiten‹ beschäftigt.

Hochinteressant im Zusammenhang mit Schleswig-Holstein sind die Vorstellungen des Atlantisforschers Spanuth aus Nordfriesland, der die Ansicht vertritt, daß die auf den Wandbildern im Palasttempel Ramses' III. bei Theben (Medinet Habu/Ägyp-ten) dargestellten Krieger der »Nordmeervölker« mit unseren Vorfahren identisch seien: An den Palastwänden sind sie exakt so abgebildet (mit Schwertern, Hörner-helmen, Strahlenkronen aus Haarbüscheln usw.), wie sie im Fundgut des 13. Jh. v. Chr. im Norden und auf skandinavischen Felszeichnungen häufig auftreten. Des weiteren stimmen die Schiffsdarstellungen auf den ägyptischen Flachreliefs mit den Bootstypen überein, die auf germanischen Bronzerasiermessern und nordischen Felszeichnungen zu sehen sind. Die Papyrustexte und die durch den Griechen Solon von seiner Ägypten-reise (570–560 v. Chr.) überlieferten Berichte sagen aus, daß die »Nordmeervölker« »von den Inseln und Festländern am Weltmeer im fernsten Norden«, »von den Enden des Weltmeeres« kommen. Ägyptische Priester hatten genaue Kunde davon, daß vor der »Königsinsel« der Nordmeervölker ein steiler Fels aus rotem, weißem und schwarzem Gestein aus dem Meer aufstieg, Kupfererz dort gewonnen wurde (Helgo-land!) und auf der Königsinsel selbst Bernstein geborgen wurde, bis die Insel im Schlamm-Meer versank. Spanuth kommt zu der Überzeugung, daß dieses versunkene Land zwischen Helgoland und dem schleswig-holsteinischen Festland vor Eiderstedt lag; es gäbe auf unserem Planeten keine andere topographische Situation, zu der diese Angaben so exakt passen würden. Spanuth stellt in seiner Atlantisforschung die Theorie auf, daß Homers Berichte über die Irrfahrten Odysseus' ins Phäakenland sich nur auf die Inselwelt der Nordsee beziehen können und hier auch das versunkene Atlantis zu suchen sei.

Doch kehren wir zurück zu den in unserer Landschaft greif- und sichtbaren Beweisen, lassen wir die vielen Zeugen sprechen, seien es die Hünengräber und Ringwälle der Vorzeit, die prächtigen Fundstücke in unseren Museen und Privatsammlungen, die mittelalterlichen Bauten und Kunstschöpfungen bis hin zur modernen Kunst: mit alledem läßt sich das Vorurteil entkräften, Schleswig-Holstein sei von eh und je ein uninteressantes und kunstarmes Land gewesen. Freilich, wer dieses Land besucht in der Erwartung, einen gleichen Reichtum an Kunstschätzen zu finden wie etwa in süd-deutschen Landschaften, der wird enttäuscht werden. Außerhalb der großen Städte muß man schon weit übers Land fahren oder wandern, wenn man sich an den

›Nordmänner‹ mit
Hörnerhelmen im
ägyptischen Palast-
tempel

erhaltenen Werken der Baumeister, Bildhauer und Maler erfreuen will, deren schöpferisches Können trotz aller Verluste noch in einer reichen Fülle von Kunstwerken aufzuspüren ist. Gerade die Abgelegenheit mancher Orte jedoch und eine konservative Einstellung ihrer Bewohner haben der Nachwelt manch gelungene Schöpfung früherer Jahrhunderte erhalten; vielfach hat Geldknappheit Neuanschaffungen unterbunden und dadurch das Alte bewahren können. So finden sich in Schleswig-Holstein z. B. noch heute aus dem Jahrhundert des Kirchenbaues von 1150–1250 über 300 romanische und frühgotische Dorfkirchen mit vielen Stücken ihrer mittelalterlichen Ausstattung. Im ganzen Land gibt es 4000 eingetragene oder zur Eintragung ins Denkmalbuch vorgesehene Kulturdenkmäler. Das ist zwar nur 1% des gesamten Baubestandes (Bundesgebiet etwa 5%), aber diesen weiter zu erhalten, kostet viel Geld und große Mühe.

Aus dieser Vielzahl der Objekte sind in einem alphabetisch geordneten Verzeichnis die sehenswürdigsten Kulturdenkmäler zusammengestellt; oftmals wird auch eine Ortsbeschreibung angefügt, die den Rahmen des Bildes abgibt, das der Leser von der jeweiligen Zeitperiode erhalten soll, in dem die Werke entstanden sind.

Neben den Arbeiten begnadeter Künstler und begabter Meister werten wir, unter dem Begriff Volkskunst, künstlerische Erzeugnisse, die geschickte Hände für die Verwendung als Hausinventar, Volkstracht oder Volksschmuck fertigten. Da Volkskunst von den Eigenarten einer Landschaft, ihrer Bewohner, der einzelnen Berufe geprägt wird, weist sie schon in Schleswig-Holstein selbst Unterschiede auf und erst recht im Vergleich zu anderen deutschen Landschaften; es gibt hier keine landeseinheitliche Volkskunst.

Gegen Ende des 19. Jh. wuchs auch hier im Lande das Interesse, überkommene Dinge zu sammeln, um sie der Nachwelt zu erhalten. Der Kieler Universitätsprofessor Gustav Thaulow (1817–1883) schuf mit seiner Sammlung den Grundstein für die Bestände des Thaulow-Museums, die nach dessen Zerstörung in Kiel durch den Krieg im Schleswig-Holsteinischen Landesmuseum in Schloß Gottorf Aufnahme fanden, wo Herzog Friedrich III. schon im 17. Jh. eine ›Kunstkammer‹ unterhalten hatte. Neben den anderen größeren Museen in Altona, Flensburg und Meldorf sowie neuerdings das Freilichtmuseum Molfsee haben sich auch die kleineren Museen im Lande Verdienste erworben in der Sammlung und Bewahrung von Kunstschätzen sowie reichhaltigen Beständen handwerklicher Erzeugnisse der Volkskunst. Außerhalb des Landes besitzen das Germanische Nationalmuseum in Nürnberg, das Nordische Museum in Stockholm und das Nationalmuseum in Kopenhagen bedeutende Schätze aus Schleswig-Holstein.

Schleswig-Holstein hat sich schon seit langer Zeit als ein Schmelztiegel völkischer und kultureller Strömungen erwiesen. Die landschaftsgebundenen Eigenarten der Menschen wird der Besucher kaum unterscheiden können, so daß er schlechthin vom ›Schleswig-Holsteiner‹ sprechen kann. Als solcher gibt dieser sich auch immer dann zu erkennen, wenn er in der Fremde nach seiner Herkunft gefragt wird, wenngleich dem Einheimischen Unterschiede innerhalb des Landes noch sichtbar bleiben.

Wie Land und See entstanden

Erdgeschichtlich betrachtet, ist die Landschaft Schleswig-Holstein jung. Stärker als im deutschen Binnenlande bewirken hier die Kräfte der Natur fortdauernd Veränderungen. Die Küsten an Nord- und Ostsee wandeln sich nach wie vor. Unter der heutigen Erdoberfläche ruhen auf dem Grundgebirge die Ablagerungen aus den verschiedenen erdgeschichtlichen Zeitstufen. Vor rund 250 Millionen Jahren, in der Permzeit des Erdmittelalters, begann im heutigen Nordseeraum und in Nordwestdeutschland die Erdkruste sich einzusenken. Seitdem wurden in Schleswig-Holstein viele Schichten verschiedener Absatzgesteine in einer Mächtigkeit von einigen tausend Metern abgelagert, die bei Klimaveränderungen in einem ständigen Wechsel von Land- und Meerbildung entstanden. Besonders in der Zechsteinformation lagerten sich vornehmlich in Norddeutschland infolge Verdunstung gewaltiger Wassermengen im Zeitraum von etwa 20 Millionen Jahren *Salz*schichten und salzreiche Gesteine* ab, die mehrere hundert Meter mächtig wurden. Sie sind unter der Last sich darüber ablagernder jüngerer Gesteine so plastisch geworden, daß sie in bestimmten, durch Bewegungsvorgänge des Grundgebirges entstandenen Schwächezonen zu unterirdischen Salzdomen und Salzmauern hochgepreßt wurden. Geriet das Salz in die Nähe des Grundwassers, so wurde es ausgelaugt. Die dabei verbliebenen Reste durchstoßen als Gipshut sogar die Erdoberfläche wie z. B. beim Segeberger ›Kalkberg‹ (s. S. 2).

Die aufsteigenden Salzstrukturen haben die darüber liegenden jüngeren Schichten anderer Zeitalter mit angehoben; an den Flankengebieten dieser Salzhorste können sich oft *Erdöl*felder in den porösen Gesteinen des Juras, der Kreide und des Tertiärs befinden.

Anstehende voreiszeitliche Ablagerungen finden sich nur an wenigen Stellen der Oberfläche Schleswig-Holsteins:

Roter Tonmergel aus dem Rotliegenden der untersten Stufe der Permzeit (Lieth bei Elmshorn)
Zu Gips umgewandelter Anhydrit aus der Zechsteinperiode der Permzeit (Segeberger ›Kalkberg‹)

---

* nämlich von unten nach oben
Rotliegendes: Haselgebirge (Gemisch aus Steinsalz, roten Sanden und Tonen)
Zechstein: Kalk-Dolomit-Gips-Anhydrit-Steinsalz-Edelsalz

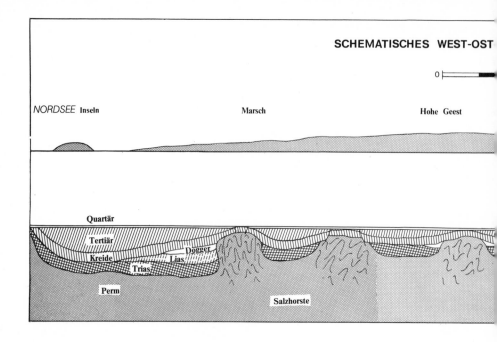

Buntsandstein aus der Triaszeit (Helgoland)
Kreide aus der Kreidezeit (Lägerdorf bei Itzehoe)
Tone und Sande aus der Tertiärzeit (Katharinenhof auf Fehmarn, Steilküste bei Heiligenhafen, Morsumkliff auf Sylt)

Die Vorkommen von Raseneisenerzen und Braunkohle sind unbedeutend. *Bernstein**, das Gold des Nordens, spielte während der Stein- und vor allem der Bronzezeit als wichtiger Tauschartikel für Bronze in Schleswig-Holstein eine große Rolle.

Ein Wechsel von wärmeren und kälteren Perioden führte in den letzten 2 Millionen Jahren zu einer Reihe von Kalt-(Eis-)zeiten und Warmzeiten (Zwischeneiszeiten). Entscheidend für die Kaltzeiten war ein Abfall der mittleren Jahresdurchschnittstemperatur um nur 2–6 Grad Celsius. In den durchschnittlich kühleren Sommermonaten schmolz erheblich weniger Schnee und Eis der vorhandenen Gletscher; in den durchschnittlich wärmeren Wintermonaten führten stärkere Schneefälle zu einem

---

* Bernstein: Fossiler Harzausfluß der Bernsteinkiefern, die im Gebiete der heutigen Ostsee, in Südschweden bis Südfinnland vor 55 bis 33 Millionen Jahren in großen Wäldern wuchsen. Die Hauptfundstellen befanden und befinden sich an der Samlandküste vor Ostpreußen und an der deutschen Nordseeküste. Bernsteinnester sind auch aus den eiszeitlichen Geschieben bekannt.

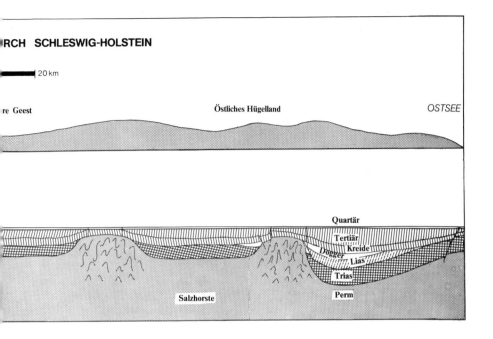

ständigen Anwachsen der Gletschermassen. So dehnten sich die über Skandinavien befindlichen *Gletscher* immer weiter nach Süden aus, bis schließlich ganz Norddeutschland von einer dicken Eisdecke überzogen war. Dabei führten die Eismassen auf ihrem Jahrtausende währenden Weg riesige, aus dem Untergrund gelöste Mengen an Gestein, Kies und Sand (Geschiebe) mit sich, die nach Einsetzen von Warmzeiten beim Abschmelzen des Eises als Schuttmassen liegen blieben. Entscheidend für die heutige Oberflächengestaltung und Landschaftsgliederung in Schleswig-Holstein waren die drei letzten Eiszeiten (Elster-Saale-Weichsel) der vergangenen 600 000 Jahre. Die Ablagerungen aus den früheren Eiszeiten sind fast überall überdeckt. In der ›Hohen Geest‹* im Westen Schleswig-Holsteins sind heute noch die Moränenzüge** als Reste damaliger Eisrandlager der vorletzten Eiszeit zu sehen, während die Gletscher der letzten Eiszeit lediglich bis zum Mittelrücken (in der Linie Flensburg–Rendsburg–Ahrensburg) vordrangen und hier ihre Spuren hinterließen.

*   Geest – von güst = öde, unfruchtbar
**   Moränen = Bodenformen aus eiszeitlichen Gletscherablagerungen bzw. -einwirkungen, unterschieden nach Entstehungsart (End-, Grund- und Stauchmoräne) und nach Alter (Alt- und Jungmoräne)

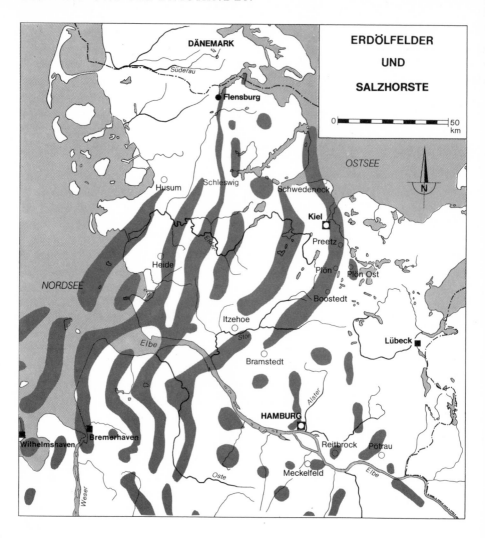

Während der letzten Eiszeit und nach deren Ende, als sich die Eisgrenze im Wechsel zwischen wärmeren und kälteren Perioden mehr und mehr nach Skandinavien zurück-verlagerte, formte sich die heutige Gestalt unserer Landschaft. Die ablaufenden Schmelzwasser gruben die Rinnen für Flüsse, Auen und Bäche. Mitgeführte Kies- und Sandmengen lagerten sich ab und bildeten die ›Niedere Geest‹ mit der ›Sanderland-schaft‹ im Mittelrücken Schleswig-Holsteins. Im Boden zunächst verbliebene und mit Schutt bedeckte Eisreste (Toteis) ließen nach ihrem Schmelzen Senken zurück, in welchen sich das Wasser ebenso wie in anderen Niederungen zu Binnenseen aufstaute. Nachdem in diese Schuttlandschaft, von Süden her die Pflanzen- und Tierwelt eingewandert war, folgte bald der Mensch. Die Kaltzeiten hatten große Wassermengen durch Eisbildung gebunden. Am Ende der letzten Eiszeit und noch einige tausend Jahre danach lagen daher das westliche Ostseebecken und die südliche Nordsee trocken. Durch das Abschmelzen der Eismassen

Veränderungen der Erdoberfläche zeigen sich deutlich bei Helgoland. Nach einem Riß wurden durch die Beweglichkeit des Salzes die über dem Zechstein liegenden Sandstein-, Kalk- und Kreideschichten so verworfen, daß sie in Schrägstellung an die Oberfläche gelangten. – In einer Buntsandsteinschicht sollen in vorgeschichtlicher Zeit Kupfererze geborgen worden sein. – Die Meeresbrandung hat im Laufe von Jahrhunderten dann die weniger widerstandsfähigen Schichten ausgewaschen, so daß die Insel kleiner wurde. Seit 1721 sind nach einer Sturmflut Insel und Düne getrennt.

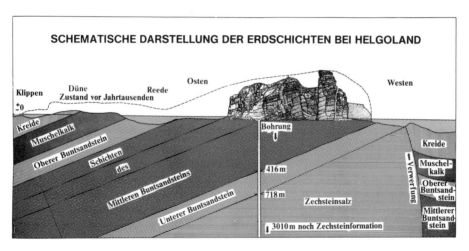

SCHEMATISCHE DARSTELLUNG DER ERDSCHICHTEN BEI HELGOLAND

stieg der Weltmeeresspiegel an, wodurch sich der *Wasserstand* in Ost- und Nordsee allmählich erhöhte. Landhebungen und -senkungen in Skandinavien und auf der jütischen Halbinsel veränderten ohnehin die Küstenlinien. Weite Teile des alten Landes wurden überschwemmt; die Überflutung (Transgression) überschritt die heutige 20-m-Tiefenlinie vor etwa 8000 Jahren. Um 4000 v. Chr. war die 4-m-Tiefenlinie erreicht. Aus ehemaligen Gletschertälern und -becken entstanden die Förden. Fehmarn verlor seinen Zusammenhang mit dem Festland und wurde Insel. Um 2000 v. Chr. erreichte

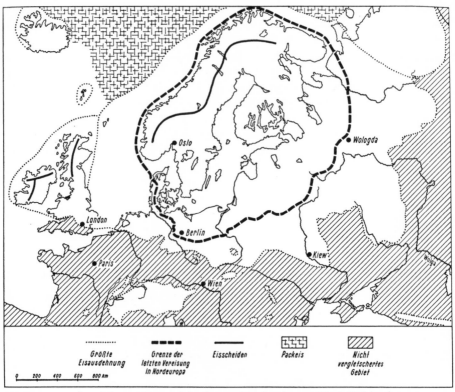

Nordeuropa während der größten und der letzten Vergletscherung. Nach Woldstedt, 1929

das Wasser die jetzige 2-m-Tiefenlinie; seitdem wurde der Anstieg zwar langsamer, ging aber – wenn auch mit Schwankungen des Wasserspiegels – bis zur heutigen Zeit weiter.

An der *Ostseeküste* führte der Abbruch von Hügeln und Höhenzügen, die von dem steigenden Wasser erreicht wurden, zur Entstehung der Steilufer (Farbt. IV). Dieser Vorgang ist auch heute noch zu beobachten. Es gehen an der Ostsee an bestimmten Stellen pro Jahr durchschnittlich bis zu 0,8 m breite Uferstreifen verloren, während an anderen Stellen das Land durch Anspülungen wieder größer wird.

Die Steilufer sind die Hauptsandlieferanten für die Anlandungsformen der Küste (Nehrung, Strandwarder, Haff). Vor den Steilküsten bleiben Findlinge und Gerölle als Auswaschungsreste liegen. Hier findet der geologisch Interessierte verschiedenartige Gesteine, teilweise sogar mit Versteinerungen aus der Tier- und Pflanzenwelt vieler erdgeschichtlicher Epochen.

Niedrig liegende Küstenflächen an der Ostsee sind im Verlaufe der letzten 100 Jahre nach Überflutungen durch Deiche geschützt worden (Hochwasserstand z. B. am 13. 11 1872 an der Lübecker Bucht 3,30 m über Normal).

Im Bereich der heutigen *Nordsee* wurde durch den ansteigenden Meeresspiegel um 5500 v. Chr. die Landverbindung zwischen England und Jütland überschwemmt, die vorher von Jägern und Sammlern durchstreift worden war, wie es heute noch hin und wieder Funde von frühgeschichtlichen Geräten vom Meeresboden beweisen. *Helgoland* (Abb. 1) wurde zur Insel. Vor *Eiderstedt* und *Dithmarschen* drang das Meer in die tiefliegenden Mündungstrichter von Eider- und Elbe-Urstromtal ein. Die Überflutung endete am höheren Geestrand. Die schon von den Schmelzwasserflüssen der letzten Eiszeit angelegten Steilufer wurden nun zum Teil zu Steilküsten (Klev oder Kliff). Heute liegen sie weit landeinwärts und davor erstreckt sich aus Sand, Ton und Moor aufgebautes Marschland. Nur die mit Dünen besetzten früheren Nehrungen und Strandwälle (Donns) lassen noch die ehemalige Küstenlinie erkennen. Vor den heutigen Deichen werden bei niedrigem Wasserstand die endlos erscheinenden Watt-

Küstenlinie auf dem Höhepunkt der letzten Eiszeit. Nach Weischet, 1954. (Die weißgelassenen Gebiete der südlichen Nordsee waren landfest)

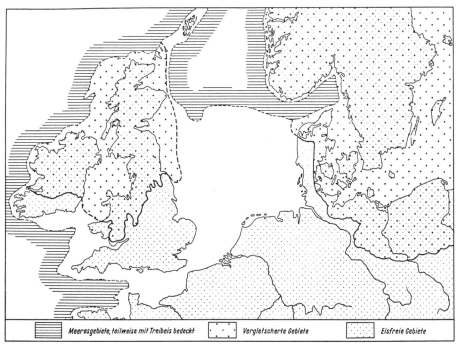

Meeresgebiete, teilweise mit Treibeis bedeckt | Vergletscherte Gebiete | Eisfreie Gebiete

flächen sichtbar, die beweisen, daß die Verlandung der inneren Deutschen Bucht noch längst nicht abgeschlossen ist.

Anders verlief die Entwicklung in *Nordfriesland*. Das Gebiet war seewärts durch höher gelegenes Geestland abgeschirmt, davon sind die heutigen Inseln Sylt, Föhr und Amrum noch Reste. Im Hinterland dieser Landbrücke bildeten sich zwischen der heutigen Inselkette und dem jetzigen Festland, ausgehend von den Flußniederungen, weite Sumpfgebiete mit Moor- und Schlickablagerungen. Später als in Dithmarschen kam es hier erst nach Auflösung der Landbrücke zur Seemarschbildung.

Deutlicher als in der Ostsee, wo die *Gezeiten* kaum meßbar sind, wirken sie in der Nordsee als Naturerscheinung täglich mit Ebbe und Flut* auf die Küste ein. Im Rhythmus von 12 Stunden, 25 Minuten steigt und fällt der Wasserspiegel. Der Tidehub** schwankt je nach Örtlichkeit um etwa 1,5 bis 3,5 m. Bei Sturmfluten kommt es zu erheblich höheren Wasserständen.

Durch abgesetzten Schlick und Schlamm, die von den täglichen Fluten und einmündenden Flüssen mitgebracht werden, erhöhen sich die bei Ebbe trocken liegenden Wattengebiete. Das neu entstehende Vorland wird von der Tier- und Pflanzenwelt in Besitz genommen. Bald kann es als Weide benutzt werden. Durch weitere Aufhöhung bei höheren Wasserständen wird es zur *Marsch*. Die ›Koog‹ genannten Flächen sind eingedeicht, flutgeschützt und können daher einer dauernden Bewirtschaftung zugeführt werden.

Eine Besiedlung der neu gebildeten Marsch setzte erst etwa um Christi Geburt ein. Die ältesten Siedlungen lagen noch in der unbedeichten Marsch. Gegen das Meer schützten sich die Bewohner durch ›Warften‹ oder ›Wurten‹ genannte künstliche Wohnhügel, die immer wieder aus Marschenklei, Sand, Viehdung und Abfällen erhöht werden mußten. Erst seit Beginn des jetzigen Jahrtausends baut man zum Schutz gegen Überflutungen Deiche. Diese waren zunächst nur Erdwälle, auf der Seeseite oft durch Holzspundwände abgestützt (Stackdeich); erst seit dem 18. Jh. gab man ihnen nach der Erfahrung der Holländer seeseitig ein flaches Böschungsprofil.

In *Nordfriesland* haben Sturmfluten in diesem Jahrtausend große Teile des niedrig gelegenen Marschlandes wieder zerstört. Hier war die Marsch stellenweise auf altem Moorboden gewachsen, was zu Absackungen führte. Außerdem brachte ein zur Salzgewinnung großräumig betriebener Salztorfabbau weitere Geländevertiefungen. Zu frühe Eindeichung von Kulturflächen hatte ein weiteres Höhenwachstum des Marschbodens unterbunden. Die unzureichenden Deiche waren größeren Sturmfluten nicht gewachsen. Bereits im 11. Jahrhundert ist es nach geologisch-botanischen Untersuchun-

---

*   Ebbe = der Zeitraum der Ablaufperiode des Wassers
    Flut = der Zeitraum des Auflaufens des Wassers
** Tidehub = die Differenz zwischen mittlerem Tidehochwasser (MTHW) und mittlerem Tideniedrigwasser (MTNW)

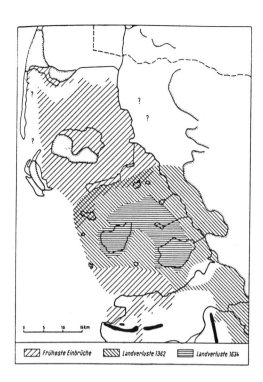

Die mittelalterlichen Landverluste in Nordfriesland. Nach Dittmer, 1954

Früheste Einbrüche Landverluste 1362 Landverluste 1634

gen zu erheblichen Überflutungen und Landverlusten gekommen. Die Chroniken berichten, erstmalig 1338 »begunden de Uthlande erstens entwey to brekende«; 1362 »do verdrenckede dat meiste volk uth den Uthlanden«; vierunddreißig Kirchen und Kapellen zerbarsten, neben vielen anderen Ortschaften ging das sagenumwobene Rungholt unter. Nach mehreren Flutkatastrophen im 15. Jahrhundert wurden 1570 20000 Tote beklagt, 1634 6000 Tote, neunzehn Kirchen wurden zerstört.

Die bedeichten Marschinseln Pellworm und Nordstrand wie auch Nordstrandischmoor (Abb. 3) sind Reste der alten Marschen, die das Meer in diesem Jahrtausend verschlungen hat. Die Halligen – kleine unbedeichte Inseln – sind jüngere Gebilde, die auf dem Sockel alten Marschbodens in ihrer heutigen Form erst nach den großen Sturmfluten entstanden und vergehen würden, wenn man sie nicht künstlich schützte. Sie besitzen als ›Wellenbrecher‹ große Bedeutung für den Schutz der heutigen Küste. So ist das nordfriesische Wattenmeer aus einem mittelalterlichen Kulturland entstanden, das heute zum großen Teil versunken und von tiefen Prielen und Wattströmen zerrissen ist.

Das Listland und die Hörnumer Halbinsel auf Sylt sowie der Kniepsand vor Amrum nähren sich vom Sandabbau an anderen Stellen der Inseln und vom nord-

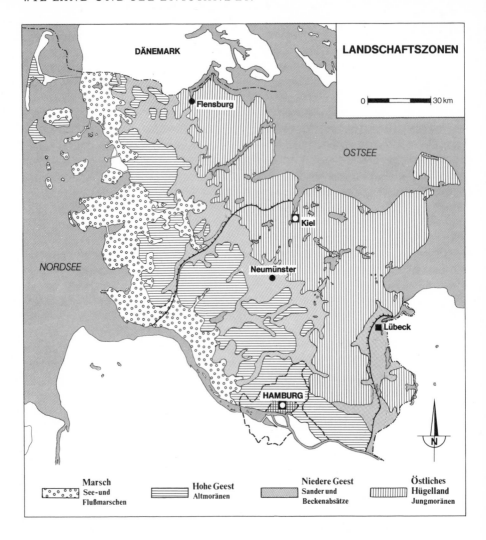

LANDSCHAFTSZONEN

0 |——————| 30 km

DÄNEMARK

● Flensburg

OSTSEE

NORDSEE

○ Kiel

Neumünster ●

■ Lübeck

HAMBURG ◉

N

Marsch
See- und
Flußmarschen

Hohe Geest
Altmoränen

Niedere Geest
Sander und
Beckenabsätze

Östliches
Hügelland
Jungmoränen

friesischen Meeresboden. Auf den Inseln trägt der Wind den Sand zu Dünen zusammen (Farbt. I).

Auch heute noch sind bei Deichbrüchen die tiefer liegenden Gebiete an der Nordseeküste besonders bedroht, wie die Sturmflutkatastrophen von 1962 im Hamburger Raum und 1976 in der Haseldorfer Marsch gezeigt haben. Deichlinienverkürzungen und Deichverstärkungen mit einer Erhöhung bis über 8,5 m sowie Flußabdämmungen, wie z. B. der Eider-Damm, sollen künftig Überschwemmungen verhindern helfen.

Zusammenfassend ergeben sich für Schleswig-Holstein drei nordsüdlich verlaufende Landschaftszonen:

1. das *östliche Hügelland* mit mehr als hundert Seen und stattlichen Buchenwäldern auf der landwirtschaftlich ergiebigen Moränenlandschaft der letzten Eiszeit (Abb. 5);

2. der weniger fruchtbare Mittelrücken der *Geest*, der sich gliedern läßt in
   a) die *Sanderebenen der Mitte* (Niedere Geest), durch die Schmelzwasser der letzten Vereisung gebildet, mit Moor, Heide und Nadelwald
   b) den unterbrochenen *Höhenzug der alten Geest* (Hohe Geest), der während der vorletzten Eiszeit entstanden ist;

3. die fruchtbaren *Marschen*, die sich von der Unterelbe (Strommarschen) bis nach Nordschleswig (Seemarschen) erstrecken als jüngstes erdgeschichtliches Gebilde (Farbt. II) sowie das Wattenmeer mit den nordfriesischen Inseln.

»In diesen groben Zügen betrachtet, ist der gegenwärtige Zustand unseres Landes nur ein Momentbild an der Grenze einer überaus wechselvollen erdgeschichtlichen Vergangenheit und einer unerforschlichen, von den gleichen fortwirkenden Kräften und Gesetzen beherrschenden Zukunft« (Wolff-Heck).

Aus der Vor- und Frühgeschichte des Landes

Steinzeitliche Bodenfunde als Zeugen menschlicher Entwicklung

Auch in der Menschheitsgeschichte kann Schleswig-Holstein nur im letzten Abschnitt mitreden.

Die vielen Eiszeiten haben mit der Hobelwirkung ihrer Gletscher Zeugnisse früherer Aufenthalte menschlicher Vorfahren in diesem Lande fast überall ausgelöscht. Nur an wenigen Plätzen sind bisher Spuren aus der *älteren Altsteinzeit* angetroffen worden. – Die bei Meiendorf entdeckten Zeugnisse menschlicher Anwesenheit aus der *Altsteinzeit* sind etwa 15 000 Jahre alt.

Zwei Menschenschädel, die bei Grube (Ostholstein) im Moor gefunden wurden, datiert man auf ein Alter von rund 7500 Jahren. Der ›Neandertaler‹ ist etwa 75 000 Jahre alt. Der ›Heidelberger Mensch‹, bislang das älteste Exemplar auf deutschem Boden, stammt aus der Zeit vor 500 000 Jahren. Die Knochenreste aus Südafrika, die man dem menschenähnlichen Affen als Vorfahren des Menschen zuordnet, werden auf 750 000 Jahre veranschlagt.

Setzen wir die Zeitspanne von ³/₄ Millionen Jahren einmal mit 24 Stunden gleich, so sehen wir beim Tagesablauf von Mitternacht an viele Stunden bis in den Tag hinein aus einem affenähnlichen Wesen sich den Menschen in verschiedenen Arten entwickeln. Gegen 8 Uhr vormittags stellt sich der ›Heidelberger Mensch‹ vor. Der ›Neandertalertyp‹, der in der ganzen letzten Zwischeneiszeit an verschiedenen Stellen in Europa, Asien und Afrika lebte, tritt in unserer Zeitbühne zwischen 19 und 20 Uhr auf und ward dann nicht mehr gesehen. Eine halbe Stunde vor Mitternacht nimmt unser Vorfahre die Gelegenheit wahr, dem abschmelzenden Eis zu folgen und Schleswig-Holstein zu betreten. Eine Viertelstunde später erkennen wir die Personen, deren Schädel man bei Grube fand. ›Fünf Minuten vor Zwölf‹ hat sich am Ende der Bronzezeit das Volk der Germanen gebildet. Die letzte Minute unseres Tagesablaufs rafft gut fünf Jahrhunderte schleswig-holsteinischer Geschichte seit dem Vertrag von Ripen (1460) zusammen.

Dieser Zeitvergleich macht deutlich, wie kurz in der Geschichte der Menschheit die Spanne ist, in der sich im Norden menschliches Leben nachforschen läßt.

Mit erstaunlichem Spürsinn haben Wissenschaftler in den letzten fünf Jahrzehnten durch Ausgrabungen nachweisen können, daß Schleswig-Holstein in der ausgehenden Eiszeit von *Rentierjägern* aufgesucht wurde. Eine Konzentration von Fundstellen im Hamburger Raum läßt vermuten, daß auch damals schon die Elbe an dieser Stelle überquert werden konnte. Unter der heutigen Erdoberfläche wurden eine ganze Reihe Lagerstätten aus verschiedenen altsteinzeitlichen Epochen entdeckt, die sich in der Art der angetroffenen Werkzeuge, Waffen und Knochenreste unterscheiden. Und wieviel mag die Erde uns noch verborgen halten! Große Mengen verschiedener Tierknochen, als Abfall der Jagdbeute in frühere Tümpel geworfen, daher im Schlamm konserviert und nun geborgen, verraten, was die Jäger erlegten und verzehrten: zunächst hauptsächlich Ren. Auf der baumlosen Kaltsteppe (Tundra) zogen die Rentiere in großen Herden im Sommer wegen der Mückenplage gen Norden auf Futtersuche in die Eisrandnähe; die Jäger ihnen nach.

Rekonstruktion eines
Rentierjägerzeltes

Unweit Meiendorf, bei Borneck, fanden sich die Überreste eines Zeltplatzes: Ovale Ringe von Steinen, die einst das Zelt aus Renfell beschwerten, dazu rundherum fünf große Steine für die Halteleinen aus Rensehnen. Vor dem Zelt lag die Werkstatt der Jäger mit 4000 Feuersteingeräten. Diese Zeltplätze waren zunächst Sommeraufenthaltsorte. Das ergibt sich eindeutig aus der Altersbestimmung der aufgefundenen Knochenreste, bei denen die im Frühjahr geborenen Renkälber überwiegen.

Der Mensch hat sich vom ersten Auftreten an in unserem Lande des Steinmaterials bedient, das der Boden ihm reichlich bescherte. Aus dem Feuerstein*, auch ›Flint‹ genannt, schuf er seine Werkzeuge und Waffen. ›Bergfeucht‹ in Knollenform geborgen, läßt sich der Stein durch sachgerechtes Schlagen mannigfaltig bearbeiten.

---

* Feuerstein = Flint – Sekundäres Gestein der Oberkreidezeit, durch Austausch von Kalk durch Kieselsäure im Sediment entstanden. – Die Funkenbildung beim Zusammenschlagen machte den Flint auch für die Feuererzeugung geeignet. Daher hat man ihn seit der Erfindung des Steinschloßgewehres im Jahre 1686 für die ›Flinten‹ als Zündstein verwendet.

Aus Rengeweihen schnitzte man geschickt mit Flintgeräten Nadeln, Pfriemen, Widerhakenharpunen und andere Dinge. Bei Meiendorf wurde u. a. eine mit Einritzungen versehene Bernsteinscheibe gefunden, auf der sich deutlich ein Wildpferdkopf hervorhebt (Farbt. VII). Solche Scheiben wurden offenbar von den Jägern als Amulett getragen. Diese Zeichnungen gibt es auch an vielen anderen Fundstellen Nordwesteuropas. Nach einem französischen Fundort ist diese eiszeitliche Zeitstufe ›Magdelénien‹ benannt. Ihre naturalistischen Darstellungen in den Felshöhlen Westeuropas heben sich deutlich ab von der mehr zur Stilisierung und Schematisierung neigenden Kunst des Ostens und Südostens, zu der im Hamburger Raum gefundene Knochengeräte gerechnet werden, die mit geometrischen Ornamenten verziert sind.

Bei zunehmender Erwärmung des Klimas bedeckte sich die Tundra mit Birken- und Kiefernwäldern, Waldtiere zogen ein. Neben dem Ren gibt es nun Elch, Hirsch und Bär zu jagen. In wärmeren Zeitspannen konnten die Jäger im Lande bleiben; Kälterückschläge zwangen Mensch und Tier wieder zur Abwanderung in den Süden.

Um 8000 v. Chr. war die Eiszeit endgültig zu Ende. Eiche, Hasel und schließlich Ulme und Linde wuchsen im Lande. Das Ren war in nördliche Breiten abgewandert. Mit Pfeil und Bogen wurden jetzt Elch, Hirsch, Reh, Wildschwein und Urrind gejagt. Die Seen boten ertragreiche Jagdreviere für Fische und Wasservögel. Man sammelte Muscheln, Nüsse, Pilze, Beeren und Wildgetreide. Der Jäger, Fischer und Sammler dieser ›mittleren Steinzeit‹ (Mesolithikum 8000 bis 4000 v. Chr.) beginnt bodenständiger zu werden. Der Hund wird sein Begleiter. Mit Hilfe rohbeschlagener Flintbeile konnte der Mensch das im Walde nun reichlich vorhandene Holz bearbeiten. Er errichtet damit seine Hütten und haust nicht mehr in Zelten.

Geweihgerät mit Mäanderornamenten aus der späten Alt-Steinzeit vom Fundort Poggenwisch bei Meiendorf. Länge 15 cm

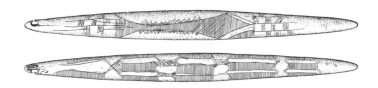

Verziertes Knochengerät der mittleren Steinzeit aus Travenort. Länge 24 cm

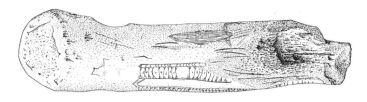
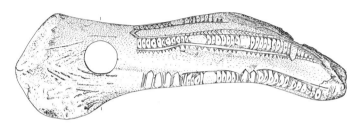

*Verzierte mittelstein-
zeitliche Knochenaxt,
Baggerfund aus der
Trave. Länge 22 cm*

Am Pinnberg bei Ahrensburg fand A. Rust die ältesten Steinbeile Deutschlands und die ältesten Hütten Nordeuropas aus der Zeit zwischen 8000 bis 7000 v. Chr. Zwischen den deutlich erkennbaren bis zu 80 cm tiefen Pfostenlöchern lag die Asche vom Flechtwerk der Wände. – Die ältesten Gräber des Nordens wurden dort angetroffen: Flache Erdhügel von 40 bis 50 cm Höhe, an den Seiten von mehreren faustgroßen Steinen umfaßt. Die Lage der Skelette konnte nur an Erdverfärbungen erkannt werden.

Unsere Neugierde nach dem Aussehen der damaligen Menschen können wir kaum befriedigen. Bei den Gruber Schädeln handelt es sich um Kurzköpfe mit abgeplattetem Hinterhaupt, ein Typ, der in Europa erst seit der mittleren Steinzeit auftritt. Alle bislang bekannten altsteinzeitlichen Menschen sind durch lange Schädel charakterisiert.

Das älteste Paddel des Landes, aus Kiefernholz etwa 7000 v. Chr. gefertigt, bei Duvensee (Kreis Herzogtum Lauenburg) gefunden, zwingt zur Annahme, daß man damals schon verstand, mit Hilfe des Steinbeiles Einbäume zum Überqueren von Wasserflächen herzustellen.

Bernstein wird schon zu Schmuckstücken verarbeitet. Geschnitzte und geritzte Knochen sowie Geweihäxte mit eingeschnittenen Bildern sind Beispiele einer stilisierten Kunst, wie sie für die mittlere Steinzeit einheitlich im ganzen nordischen Raum typisch ist. In Norddeutschland, Dänemark und Südskandinavien läßt sich schon ein einheitliches Kulturgebiet nachweisen.

Aus der Zeit um 4000 v. Chr. sind von der Ostseeküste viele Fundstätten bekannt, an denen Fischer und Jäger wohnten. Vermoorung und spätere Überflutung haben den guten Erhaltungszustand der Funde bewirkt. Die Werkzeuge aus Stein und Knochen weisen einen fortgeschrittenen Fertigungsstand auf. Die feuerfesten Kochtöpfe dieser ›Ellerbeker Kulturstufe‹ sind Spitzbodengefäße; sie stellen die älteste Keramik des Landes dar (Abb. 9).

Mit der Einführung des Ackerbaues wird der Mensch seßhaft. Diese neue Wirtschaftsform breitet sich vom 8. oder 7. vorchristlichen Jahrtausend vom Vorderen Orient her über Südosteuropa nach Mitteleuropa aus und erreicht den Norden am Anfang des 4. Jahrtausends. Die Viehzucht beginnt mit der Zähmung von Schwein und Rind. Getreide wird angebaut. Feste Häuser werden zum Wohnen und zum Lagern der Vorräte errichtet. Steingeräte sind nun verfeinert, geschliffen und durchbohrt. Man kann weben und töpfern.

Spätestens seit 3000 v. Chr. sind die Bewohner Schleswig-Holsteins reine Bauern, die von Ackerbau und Viehzucht leben. Mehr als 90% der Knochen in den Speiseabfällen stammen von Haustieren.

Während die Menschen bis dahin ihre Toten in einfachen Erdgräbern beisetzten und ihnen Tongefäße – sogenannte Trichterbecher – als Beigabe ins Grab legten, beginnt man nun, für die Toten aufwendige Grabdenkmäler zu errichten, Großsteingräber oder Megalithgräber genannt (Farbt. VI; Abb. 11, 12, 14). Neben der älteren Form des Dolmens in seinen verschiedenen Arten entwickelte sich das Ganggrab, bei dem man die eigentliche Kammer durch einen Gang erreicht. Eine Besonderheit stellen die Hünen- oder Langbetten dar, die mit oder ohne Grabkammern aus langen Erdhügeln bestehen; seitwärts sind sie mit großen Steinen abgedeckt, ihre Länge beträgt zum Teil mehr als 100 m. Die Groß- oder Riesensteingräber dienten als Familiengräber; sie sind als die »Pyramiden des Nordens« in Norddeutschland »älteste Zeugen

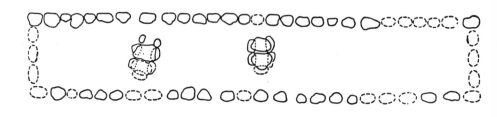

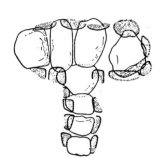

Grundrisse von Hünenbett, Dolmen und Ganggrab

einer monumentalen Architektur«. Die Gräber finden sich hauptsächlich im Bereich der Küsten. Der Volksmund nennt sie Hünengräber, weil man ihre Errichtung riesenhaften Menschen (Hünen) zusprach.

Im Laufe der Zeit sind die meisten Grabstätten zerstört worden, man verwendete die Steine beim Häuser-, Kirchen- und Straßenbau. In Schleswig-Holstein gibt es heute nur noch etwa 200 Megalithgräber in unterschiedlichem Erhaltungszustand. Die aufgefundene Keramik weist die Zugehörigkeit zu einem größeren Kulturkreis, der Trichterbecherkultur aus. Erstaunlich bei der Keramikherstellung sind Formempfinden, Reichtum der Verzierung sowie technische Fertigkeit (Abb. 10).

»Das Kennzeichnende in der ornamentalen Entwicklung dieser Megalithkultur ist das Streben nach Stilisierung und die strenge tektonische Bindung zwischen dem Ornament und seinem Träger, die diesen Kreis in einen starken Gegensatz stellt zu einem anderen älteren großen bäuerlichen Kulturkreis der Jungsteinzeit, der Bandkeramik im Donauraum und in großen Teilen Deutschlands. Die religiösen Vorstellungen der Megalithkultur sind fast nur für den Totenkult zu erschließen, wo der monumentale Grabbau dafür spricht, daß man sich die Toten im Grabe körperlich weiterlebend dachte« (Jankuhn).

Für das Leben im Jenseits legte man Proviant, Waffen und Schmuck bei. So finden sich in den Grabbeigaben: Verzierte Tongefäße, Feuersteinbeile, Feldsteinäxte, Scheibenkeulen sowie Bernsteinschmuck. – Verständlich werden diese Grabanlagen durch Untersuchungen über das in den nordischen Sagas überlieferte religiöse Brauchtum der Germanen: Hünengräber sind Sippengräber (in Dänemark sind in einem Grab 200 Skelette gefunden worden). Nach Meinung der Germanen leben die Ahnen in den Grabanlagen. Sie essen, trinken, kommen zum väterlichen Hof, sie helfen und strafen. Der Steinkranz symbolisiert den Friedensbezirk ähnlich wie die Steinsetzungen auf Thingplätzen. An Hünengräbern wird häufig Thing abgehalten (Denghoog auf Sylt = Thinghof). Ähnlich wie an bronzezeitlichen Gräbern werden an den Hügeln nach volkstümlicher Überlieferung Verlobungsversprechen oder auch Hochzeitszeremonien durchgeführt (Brutkamp in Albersdorf, Brautkamp in Bordesholm).

»Sinnbildhaft verwandte Äxte und Steine mit kleinen, schalenartigen Vertiefungen bezeugen wohl die Verehrung einer Himmelsgottheit, der die Axt heilig war« (Jankuhn). Solche ›Schalensteine‹ sind vielfach im Lande aufgefunden worden (Abb. 13). In reichem Maße wird Bernstein bei der Anfertigung einfacher und mehrreihiger Ketten verwendet.

Seit etwa 2500 v. Chr. – so weisen die Fundergebnisse aus – wirken verschiedene Einflüsse aus südwestlicher und südöstlicher Richtung auf die kulturelle Entwicklung Norddeutschlands und damit auch Schleswig-Holsteins ein. Kugelamphoren und Glockenbecher sind äußere Zeichen des Auftretens fremder Gruppen.

Um 2300 v. Chr. ist zunächst auf den leichteren Böden des Landinneren, später auch im Osten des Landes die Zuwanderung eines von Südosten kommenden Hirtenvolkes nachweisbar. Nach ihrer Grabsitte nennt man die Zuwanderer mangels eines

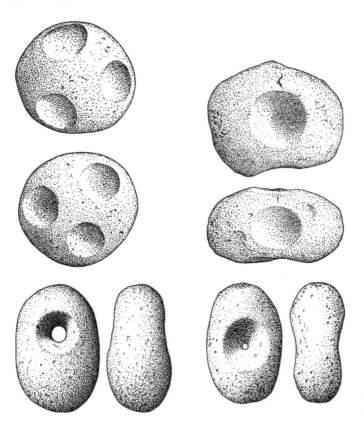

Kleine Schalensteine
für kultische Zwecke

anderen Namens ›Einzelgrableute‹. Die Toten werden einzeln in Holzsärgen unter flachen Erdhügeln bestattet; man legte Tonbecher mit den typischen Kennzeichen der Schnurkeramiker und charakteristische Streitäxte aus körnigem Gestein hinzu (Abb. 15). Die Äxte haben auf der einen Seite die Schneide und auf der anderen die Hammerfläche.

Mit einiger Wahrscheinlichkeit darf man das Erscheinen der Einzelgrableute mit der Ausbreitung der Indogermanen gleichsetzen.

Die Zähmung des Pferdes in den Steppen Osteuropas und Mittelasiens zum Reit- und Zugtier brachte den dortigen Bewohnern entscheidende Vorteile. In gewaltigen Wanderungszügen drangen sie in andere Gebiete ein. So entstanden durch die Vereinigung indogermanischer Eroberer mit der älteren Bevölkerung der Länder ›von Indien bis Germanien‹ die verschiedenen Völker der neueren Zeit. Hier im Norden vermischten sich die beiden Bevölkerungsgruppen – Großsteingrab- und Einzelgrableute –, so daß am Ende der jüngeren Steinzeit im Übergang zur Bronzezeit ein einheitliches Volk in Erscheinung tritt, dessen Kulturentwicklung nachweisbar während der ganzen Bronzezeit ohne entscheidenden Bruch oder maßgebliche Einwirkung fremder Bevölkerungselemente verläuft. Im Vorgriff auf eine spätere Namensgebung bezeichnen wir diese Bewohner unseres Landes als Urgermanen.

»So betrachtet, ist das Studium unserer Steinzeit keineswegs ein müßiges Treiben. Oder ist die Erkundung der Wurzeln einer der großartigsten Erscheinungen der Weltgeschichte nur ein vergebliches Spiel? Man darf vielmehr behaupten, daß die der sogenannten ›historischen Zeit‹ schon so naheliegende Bronze- und Eisenzeit mit gewissem Recht als ›Frühgeschichte‹ aufgefaßt werden könnte gegenüber den unermeßlich langen Zeiträumen des Steinzeitalters, dessen Anfänge sich in unergründlichen Tiefen verlieren. In der Steinzeit wurden nicht nur die Voraussetzungen zu den menschlichen Gesittungen der Metallzeit im Laufe von Erfahrung zu Erfahrung mühsam errungen, sondern vor allem auch die menschlichen Arten und Rassen entwickelt mit ihren für alles andere maßgebenden Veranlagungen« (Schwantes).

Metall statt Flint

Die überaus vielfältige und geschickte Verwendung von Flint in der Steinzeit war in seinem ausreichenden natürlichen Vorkommen im Lande begründet. In der Jungsteinzeit sind hierzulande aber auch schon kupferne Gegenstände verwendet worden (Abb. 18). Es bleibt fraglich, ob es nur Importe waren oder ob man sich zu ihrer Herstellung auch eines natürlichen Vorkommens auf Helgoland bedient hat, denn an anderen Stellen in Norddeutschland gab es sonst weder Kupfer noch Kupfererze. Die Erfindung von Bronze, einer Legierung von Kupfer und Zinn, ergab einen idealen Werkstoff, dem auf Dauer der einheimische Flint nicht gewachsen war. Auf dem Handelswege kamen aus anderen Teilen Europas, in denen sich an Erzlagerstätten bedeutende Werkstätten entwickelt hatten, bronzene Beile, Sicheln und Dolche ins Land. Vor allem wohl Bernstein, der hier an der Nordseeküste reichlich vorhanden und auch anderweitig beliebt war, gab man zum Tausch. Unsere Flintmeister verstanden sich bald darauf, die Bronzedolche in Flint nachzuahmen. Das erkennen wir aus den Grabbeilagen: statt der Flintbeile und durchlochten Äxte gibt man dem Toten nun die neue Waffe, den kunstvoll aus Flint gefertigten Dolch mit ins Grab. Bronzedolche blieben Luxusware (Abb. 16).

Flintdolch.
Länge 29 cm

Im 16. Jahrhundert v. Chr. wurden im ungarischen Raum erstmalig Bronzeschwerter gefertigt. Der überlegene Vorteil dieser Waffe machte sie schnell überall begehrt. Der Versuch, Schwerter in Flint nachzuarbeiten, mußte scheitern, da das Steinmaterial dafür zu spröde und zerbrechlich war. Nur wenige solcher Flintschwerter sind auf uns gekommen. So ging man bald dazu über, nicht nur die bronzene Fertigware, sondern auch das Metall als Rohmaterial zur Eigenverarbeitung einzuführen. »Das Schwert brachte

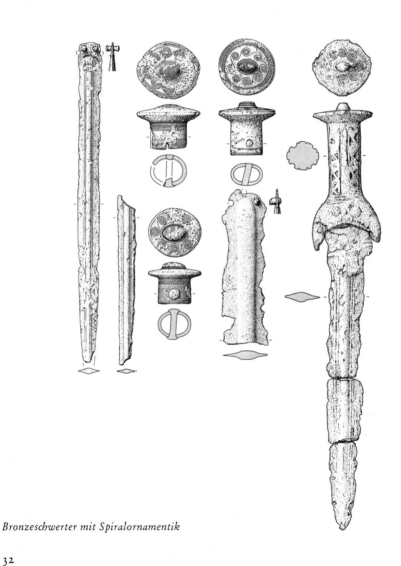

Bronzeschwerter mit Spiralornamentik

Felseninsel Helgoland

Eiszeitliche Steinablagerungen in einer ostholsteinischen Kiesgrube

Segelnde Silbermöwe über der Nordseebrandung

3 Insel Nordstrandischmoor

Moränenlandschaft bei Kirchnüchel in Ostholstein

7   Am Westensee bei Wrohe

◁ 6   Knicklandschaft am Aschberg in den Hüttener Bergen

8   Alter Heerweg bei Sorgbrück

Mittelsteinzeitliches
Spitzboden-Tongefäß (Ellerbek)

Keramik der Trichterbecherkultur

11 Großsteingrab bei Birkenmoor

12 Großsteingrab Waldhusen bei Lübeck

Schalenstein innerhalb eines Hünengrabes bei Bunsoh

Großsteingrab Dellbrück in Dithmarschen

15   Tonbecher und Streitaxt der Einzelgrabkultur   16   Flintdolche

17   Jungsteinzeitliche Flintbeile und Felsgesteinäxte aus Ostholstein

Kupferhortfund vom Riesebusch bei Schwartau

19 Hortfund der älteren Bronzezeit von Scharstorf, Kreis Plön

Hortfund der älteren Bronzezeit aus einem Moor bei Seth, Kreis Segeberg

21 Bronzezeitliche Grabhügel bei Grabau, Kreis Stormarn

23 Götterfiguren von Braak

22 Bronzezeitlicher Grabhügel bei Sierhagen/Neustadt

24 Filigranverzierte goldene Kettenanhänger (Berlocken), 1. Jh. n. Chr.

25 Silberne Gesichtsmaske und Kopfschmuck aus dem Thorsberger Moor

26 Schwertscheidenbeschlag aus dem Thorsberger Moor

27 Ortband aus dem Opferfund von Nydam, 5. Jh. n. Chr.

28 Silberne Scheibenfibel der Wikingerzeit aus Bienebek

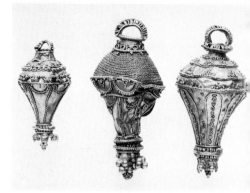

24

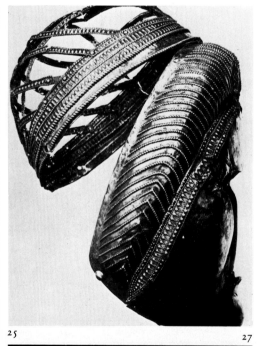

25

27

26

Nydam-Boot im Gottorfer Museum

31 Runenstein (Skarthestein) mit Grabhügel der Wikingerzeit bei Busdorf ▷
Ausgrabungen in Haithabu

den entscheidenden Anstoß, fremde Metallurgen als Lehrmeister ins Land zu rufen. Bald entstanden in Nordwestdeutschland und in Südskandinavien eigene Gießereien, in denen Schwerter, Beile und Lanzen gegossen wurden. Das war zwischen 1600 und 1500 v. Chr., zur Blütezeit von Mykene. In Norddeutschland und Skandinavien begann eine neue Epoche: die Bronzezeit.

Erstaunlich, wie in ein bis zwei Jahrhunderten der südskandinavisch-schleswig-holsteinische Raum trotz seines verspäteten Eintritts in das Metallzeitalter nicht nur den technologischen Anschluß an das übrige Europa gewann, sondern auch die übrigen Gebiete vielfach durch seine künstlerisch und qualitativ wertvollen Erzeugnisse ausstach. Zunächst lehnte man sich ziemlich eng an fremde Vorbilder an, aber schon um 1400 hatten die Vollgriffschwerter und Absatzbeile, die Lanzen und Äxte, die Rasiermesser und Haarpinzetten der Männer sowie die bronzenen Halskragen, Armringe und Gürtelzierscheiben der Frauen von Hamburg im Süden bis hin nach Schweden im Norden ein solches Eigengepräge und eine solche Ähnlichkeit der Formen untereinander erreicht, daß man von einer eigenen nordischen Formenprovinz sprechen kann. Viele Waffen und Schmuckstücke unterscheiden sich durch ein Signum von anderen Bronzeprovinzen Nord-, Mittel- und Süddeutschlands: Es ist die reiche, häufig flächendeckende Schlingband- und Spiralornamentik. Der Norden hat die fortlaufende Spirale nicht erfunden. Sie ist eine Anleihe aus der mykenischen Kultur« (Struve).

In der Tat, es müssen in der Bronzezeit Handelsbeziehungen bis zur Ägäis bestanden haben. Die in Mykene und Pylos ausgegrabenen Bernsteingeschmeide wurden aus Nordseebernstein geschliffen. Glasperlenschmuck in hiesigen Gräbern ist ägyptisches Fabrikat, das über die minoisch-mykenische Welt des Mittelmeeres hierher gelangte. Klappstühle aus Holz mit verzierten bronzenen Endbeschlägen, wie man sie vorwiegend von Bilddarstellungen aus Griechenland und aus ägyptischen Gräbern kennt, sind allein in Westholstein an sechs Stellen gefunden worden. »Wenngleich alle nordischen Stühle (bislang achtzehn gefunden) als Erzeugnisse heimischer Handwerker angesehen werden müssen, so verdanken sie ihre Entstehung wohl doch südlichen Kultureinflüssen aus dem Mittelmeerraum.« Das Gold des Nordens, der Bernstein, wurde als ältestes Zahlungsmittel auch in Gold eingetauscht, das hier in großem Umfange zu Ringschmuck und dünn gehämmerten Gefäßen verarbeitet wurde. Entlang den Handelswegen zum Süden und Südosten zeugen Depotfunde mit vielen Zentnern nordischen Rohbernsteins von der Gewichtigkeit der Beziehungen.

»Viele Metallarbeiten der jüngeren und jüngsten Bronzezeit, namentlich Hängebecken, Fibeln, gedrehte Halsringe, Armmanschetten, Arm- und Beinspiralen, aber auch Helme, Schilde, Schwerter und Lanzen verdanken wir einem religiösen Brauch, der schon in der Steinzeit üblich war. Die Bevölkerung opferte ihren Göttern einen großen Teil des Besitzstandes. In der ältesten Bronzezeit wurden vorzugsweise ganze Sätze von Beilen in heiligen Mooren und Gewässern versenkt oder unter einem großen Stein vergraben. In der jüngeren Bronzezeit dominieren weibliche Schmuckgarnituren.

Mykenische Darstellung aus Tiryns mit Klappstuhl

Zu den bemerkenswertesten Opfergaben gehören dünne, in Treibarbeit hergestellte Goldschalen (Farbt. VIII). Die ziemlich einheitlichen Verzierungsmotive mit konzentrischen Kreisen, Strahlen und Buckelchen stellen die Sonne dar. Solche Kultschalen werden bei religiösen Anlässen benutzt worden sein.«

Als Verkehrsmittel waren schon Wagen mit Scheiben- und Speichenrädern in Gebrauch; aber auch die Schiffahrt muß schon weit entwickelt gewesen sein. Ein anhaltend warmes Wetter begünstigte nun das Leben, so daß Ackerbau und Viehwirtschaft den Menschen Wohlstand brachte. Mit Hakenpflügen wurde der Boden zum Anbau von Weizen, Gerste, Hafer und Hirse bearbeitet. Gezüchtet wurden Rind, Schwein, Schaf und Pferd.

Der Flint wurde weiterhin für den alltäglichen Hausgebrauch an Schabern, Messern, Meißeln und Äxten verwendet, aber nachlässiger bearbeitet als in der vorhergehenden Steinzeitperiode. Auch die Gefäße sind schlicht und schmucklos. Holzarbeiten haben sich so gut wie nicht erhalten, so daß wir keine Wertungen treffen können. Die künstlerischen Fähigkeiten wendet man dem neuen Werkstoff Bronze zu, meisterhaft wird die ornamentale Kunst beherrscht. Naturgetreue Wiedergaben lagen auch dem Bronzezeitkünstler nicht.

Rekonstruktion eines Klappstuhls nach norddeutschen Fundstücken

»Von Süddeutschland bis Skandinavien herrschte zur Bronzezeit ein ziemlich einheitlicher Bestattungsritus vor. Man begrub die Toten in Bohlen- oder Baumsärgen und überwölbte diese mit einem Hügel. Ein Steinkreis umgab den Hügelrand. Auch wurden die Hügel durch neue Begräbnisse verbreitet und aufgehöht. Die stattlichsten Hügel gibt es im nordischen Kreis; sie enthalten eine oder mehrere Bestattungen, auf den nordfriesischen Inseln gelegentlich bis zu dreißig. Ihre Höhe schwankt zwischen zwei und drei Metern, es gibt auch etliche höhere. Die größten in Schleswig-Holstein erreichen eine Höhe von sieben bis acht Metern. Die meisten sind ganz und gar aus Rasen- oder Heideplaggen (Heidesoden) aufgeschichtet. Zum Bau eines einzelnen Hügels mußte man 1–1,5 ha Gras- oder Heidefläche abplaggen. Der Baumsarg stand in einer ausgepflasterten Mulde. Häufig war der ganze Baumsarg von einer mächtigen Rollsteinschicht umpackt. Selten blieb der Sarg im Boden erhalten.«

In Schleswig-Holstein sind heute noch über 4000 bronzezeitliche Grabhügel erfaßt (Abb. 21,22), aber das mehrfache davon ist schon im Laufe der Jahrhunderte zerstört worden. »Durchweg jede vierte bis fünfte Bestattung enthält Beigaben. In der älteren Bronzezeit (1400 bis 1200 v. Chr.) gehörte das Schwert zur Standardausrüstung des Mannes, ferner ein Beil. Reichere Gräber enthalten zusätzlich eine Lanze oder einen Dolch. Goldschmuck war dem Manne vorbehalten, und zwar in Form eines massiven oder dünneren Armreifs oder Fingerringes. Auch der reiche Frauenschmuck, den wir aus Gräbern kennen, entsprach einer bestimmten Trachtensitte.

Schon zwischen 1250 und 1100 v. Chr. hatte sich die Grabsitte geändert. Vom südöstlichen Mitteleuropa her breitete sich die *Leichenverbrennung* aus. Der Übergang vollzog sich im Norden zögernd. Zunächst streute man den Leichenbrand in einem Baumsarg aus. Erst zwischen 1100 und 1000 begann sich auch im Norden unter mitteleuropäischem Einfluß die Benutzung von Tongefäßen als Leichenbrandbehälter durchzusetzen. Die Urnen wurden im Mantel der alten Hügel oder zur ebenen Erde eingegraben. Man umgab sie weiterhin mit einem Steinschutz. Schlagartig aber verringerte man die Beigaben und beschränkte sich beim verstorbenen Mann auf Toilettengerät wie Rasiermesser und Pinzette und auf kleine Schmuck- und Gebrauchsgegenstände bei der Frau. Ein Schwert fand in der Urne nun keinen Platz mehr.«

In der Bronzezeit hat sich nach Ausweis der Funde (Abb. 19, 20) ein artverwandter Formenkreis herausgebildet, der sich um die westliche Ostsee erstreckt, Südschweden, die jütische Halbinsel sowie Teile von Niedersachsen und Mecklenburg umfaßt. Die hier nachweisliche einheitliche Kultur des ›Nordischen Kreises‹ hebt sich deutlich gegen

Bronzerasiermesser mit Schiffsdarstellung

NORDISCHER KULTURKREIS

0 ⊨⊨⊨⊨ 300km

Nachbargebiete ab. Ihr Einfluß hat sich am Ende der jüngeren Bronzezeit auf das ganze norddeutsche Flachland verbreitet, offensichtlich auch durch Auswanderungen aus dem Kerngebiet bewirkt. In der folgenden Eisenzeit verstärken sich die Vorstöße nach Süden hin, vermutlich wegen fortlaufender Klimaverschlechterungen.

Zwischen 900 und 800 v. Chr. kündigt sich im Norden zaghaft in einzelnen Grabbeilagen das nächste Zeitalter, die *Eisenzeit*, an. Zunächst war man hier noch auf die Einfuhr der Rohstoffe und der Fertigprodukte angewiesen. Nachdem aber die Kenntnisse der Eisenverarbeitung vorlagen, wurde das einheimische Sumpf- und Raseneisenerz gewonnen und verwertet. In Nähe der Lagerstätten der Geest wurde das Eisen in Brennöfen verhüttet und das gewonnene Roheisen zur Weiterverwendung als Schmiedeeisen im ganzen Lande benutzt.

Das neue Metall bot, weil es nicht geschmolzen werden konnte und man die Schmiedetechnik erst allmählich zu vervollkommnen lernte, geringere Möglichkeiten zu künstlerischer Entfaltung, so daß die frühe Eisenzeit (ab 500 v. Chr.) eine in künstlerischer Hinsicht unproduktive Epoche blieb. Aber auch das muß mit dem Vorbehalt ausgesprochen werden, daß Produkte aus vergänglichem Material sich kaum bis in unsere Tage haben retten können. Von einer charakteristischen Tracht, die in den beiden letzten Jahrhunderten v. Chr. verbreitet war, haben sich z. B. nur die prachtvollen, mit einfachen geometrischen Mustern verzierten Bronzeblechstreifen erhalten, die auf den sogenannten ›Holsteiner Gürteln‹ aufgenietet waren.

Aus dem Moor bei Braak/Eutin geborgene Holzfiguren (Abb. 23) reihen sich ein in ähnliche Kultfunde; man darf darin die Darstellung eines germanischen Götterpaares sehen (500 bis 400 v. Chr.).

Vereinzelte Leichenfunde in Mooren gaben aufgrund der konservierenden Wirkung der Huminsäure die Möglichkeit, Haartracht, Aussehen und Kleidung des Menschen

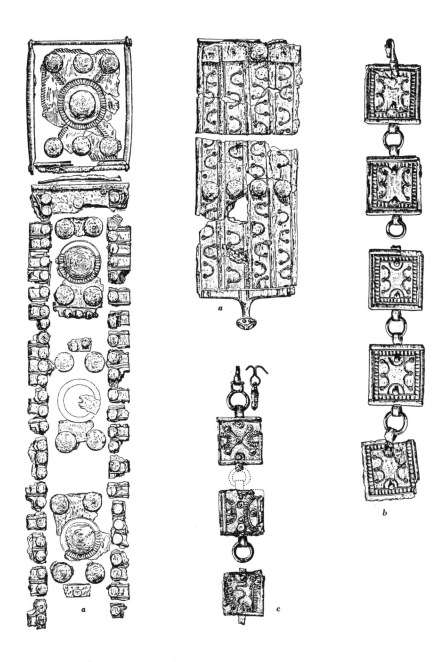

›Holsteiner Gürtel‹. (a aus Malente, b aus Güldenstein, c aus Hornbek)

Urne der Eisenzeit

kennenzulernen. Ja, indem man Magen- und Darminhalt untersuchte, konnte man sogar noch die verzehrten Speisen feststellen. Das Textilmuseum in Neumünster hat durch Nachbildungen der Originalfunde das Aussehen unserer Vorfahren veranschaulicht.

In den Jahrhunderten nach Christi Geburt erhielt das germanische Kunsthandwerk durch die Berührung mit fremden Völkern und durch das Kennenlernen römischer Importware neue Anregungen, wobei es auch zu eigenen neuen Schöpfungen in der Töpferkunst und der Herstellung der Metallarbeiten kam (Abb. 24).

»Das Fortleben der mit dem alteuropäischen Bauerntum verknüpften Sonnensymbolik zeigt sich in der Ornamentierung der Kultgegenstände.« Mit den Weihegaben von Thorsberg (bei Süderbrarup/Angeln), die von etwa 100 v. Chr. bis 400 n. Chr. im Moor niedergelegt wurden (Farbt. X; Abb. 25, 26) und den bei Nydam geborgenen (Abb. 27, 29) besitzen wir prächtige Kunstgewerbearbeiten aus dieser Zeit.

Die Zeiträume der großen Völkerwanderungen vom Ende des 4. Jh. an lassen die Zahl der Bodenfunde stark absinken, für eine geschichtliche Darstellung stehen aber jetzt schon die ersten Schriftquellen zur Verfügung.

Schriftliche Zeugnisse zur Frühzeit Schleswig-Holsteins

Erst kurz vor Beginn unserer Zeitrechnung gerät unser Land zusammen mit dem Norden Europas in das Blickfeld der Völker der Antike. Neben die kultur- und siedlungsgeschichtlich so aufschlußreichen, letztlich aber ›stummen‹ Bodenfunde treten nunmehr die Zeugnisse griechischer und römischer Schriftsteller über Völkernamen des Nordens, über Sitten, Religion und das Land der Germanen.

Zunächst gab griechisches Handelsinteresse den Anstoß dazu: von Massilia aus, der griechischen Kolonialgründung auf dem Boden des heutigen Marseille, unternahm – wohl im Auftrage von Kaufleuten – der griechische Gelehrte Pytheas eine ausgedehnte Exkursion zu den Ursprungsländern des begehrten Zinns in Britannien und des ebenfalls hochgeschätzten Bernsteins an der Nordseeküste. Etwa um 325 v. Chr. erkundete er durch Umsegeln die Inselnatur Britanniens und fuhr – allem Anschein nach auf einem alten Segelkurs – hinüber zur norwegischen Küste, wo er, wie man annimmt, in der Trondheimer Bucht landete. Für sie überliefert er den seitdem in Forschung und Dichtung eingegangenen klangvollen Namen Thule. Seine Angaben aber über die kurze Dauer der Nächte dort, über den Bernstein und über die fließende Grenze von Land, Wasser und nebliger Luft in dem von ihm besuchten Wattenmeer an der Westküste Schleswig-Holsteins hatten ihm, ganz zu Unrecht, den Ruf eines »ganz großen Lügenmauls« eingetragen (so Strabo). In Wirklichkeit war Pytheas ein scharfblickender Beobachter: Der Verlust seiner Handschriften wiegt gerade für unser Land besonders schwer.

Hatte der Pytheas-Bericht nur eine geringe Auswirkung auf die Wissenschaft der Antike, so wurde das rauhe Land des Nordens erneut ins Bewußtsein gebracht durch den Einfall der germanischen Kimbern und Teutonen (113 v. Chr.), denn vielfach sind die Hinweise darauf, daß diese Stämme durch schwere Landverluste und Sturmfluten zur Auswanderung gezwungen worden seien. Vermutlich kamen die Kimbern aus Nord-Jütland, wo der Landschaftsname ›Himbersyssel‹ (Himmerland) an sie noch erinnert, während man die Teutonen mit der Landschaft Thythesyssel zusammenstellt; im Namen der sie begleitenden Ambronen klingt der Inselname Amrum (früher Ambrum) an. Zwar gelang es den Römern, durch Siege bei Aquae Sextiae (102 v. Chr.) und Vercellae (101 v. Chr.) dieser Bedrohung Herr zu werden, aber die Sorge über die Unruhe an der Nordgrenze Roms hielt an.

Seit Caesar vermochte Rom sich dann vom »kimbrischen Schrecken« zu befreien und nördlich der Alpen im gallisch-germanischen Grenzraum eine Ordnung nach römischer Art durchzusetzen. Aus diesen Berührungen zweier Welten ergab sich die Kenntnis von der Vielzahl der Stämme, dem Volksreichtum, der Größe des Landes und den Eigenheiten der Natur im »freien Germanien«. Berichte über den Höhepunkt römischer Macht knüpfen sich an die Namen der kaiserlichen Heerführer Drusus, Tiberius und Germanicus. Stolz meldet Kaiser Augustus im ›Monumentum Ancyranum‹, seinem steinernen Rechenschaftsbericht:

Meine Flotte ist durch den Ozean von der Rheinmündung gegen Sonnenaufgang bis zum Gebiet der Kimbern gesegelt, wohin weder zu Lande noch zu Wasser jemals ein Römer vor dieser Zeit gekommen ist, und die Kimbern, Haruden, Semnonen und andere germanische Völkerschaften dieser Gegend haben sich um meine Freundschaft und um die des römischen Volkes beworben.

Ergänzend zu diesem von Tiberius geleiteten Vorstoß des Jahres 5 n. Chr. meldet Velleius Paterculus, der als römischer Stabsoffizier am Feldzug teilnahm, daß die Flotte die Elbmündung aufwärts fuhr, um sich hier mit dem Landheer zu treffen, vielleicht an der uralten Übergangsstelle beim heutigen Artlenburg zwischen Geesthacht und Lauenburg. Immerhin brachte die Flottenführung eine erste Ahnung vom Vorhandensein der Ostsee mit, Kunde von einem jenseits des »Kimbrischen Vorgebirges« (Kap Skagen) sich erstreckenden »unermeßlichen Meeres«, und berichtete auch über die »von allzuviel Feuchtigkeit strotzenden Gebiete«.

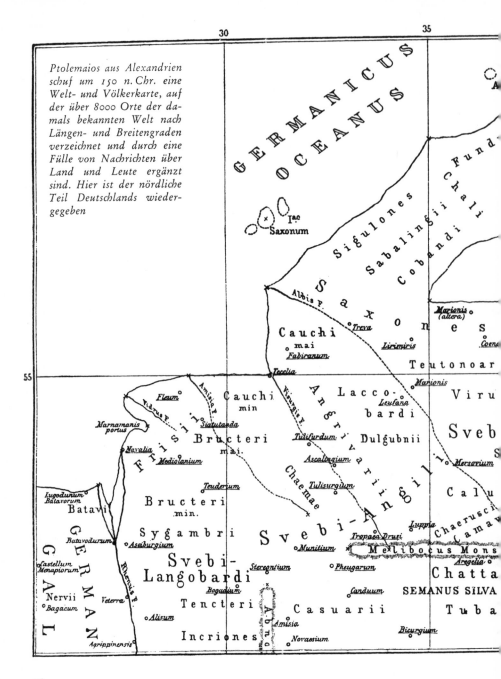

Ptolemaios aus Alexandrien schuf um 150 n. Chr. eine Welt- und Völkerkarte, auf der über 8000 Orte der damals bekannten Welt nach Längen- und Breitengraden verzeichnet und durch eine Fülle von Nachrichten über Land und Leute ergänzt sind. Hier ist der nördliche Teil Deutschlands wiedergegeben

m b r i

d e s

Scandiae

Scandiae minores

Chaedini Finni

Levoni Favonae Firaesi

Gautae Dauciones

S C A N D I A

‹a›aiburgium

odini

Bunitium

Suebus fl.

S i d i n i

Trubar fl.

Bugium

R u t i c l i i

Vistula fl.

V e n e d a e

Virunum   Scurgum

Venedici Ms.

utones

A e l v a e o n e s

G y t h o n e s

A u a r p i

Viritium

Ascaucalis

F i n n i

nones

B u r g u n t e s

Surudatu

Asciburgius Mons

L u g i - O m a n i

SARMATIA

Colancorum

Lirnis lucus

Setidava

Corconti Lugi Buri

L u g i - D i d u n i

S u l o n e s

B a t i n i

Lugidunum

Budorigum

Calisia

P h r u g u n d i o n e s

Leucaristus

Arsonum

A v a r i n i

Stragona

Coch aemae

S i d o n e s

O m b r o n e s

Iupfurdum

Carrodunum

C o t i n i

A n a r t o p h r a c t i

Die gesamte römische Kenntnis des Landes und der Menschen in Germanien wurde dann von dem römischen Historiker Tacitus zusammengefaßt, der in seiner ›Germania‹ (98 n. Chr.) eine großartige Übersicht des Landes vom Rhein bis in die Weite des Ostens gegeben hat. An der unteren Elbe nennt er die kampfkräftigen Langobarden und nördlich von ihnen Reudigner, Avionen, Angeln, Variner, Eudosen, Suardonen und Nuithonen, die sich freilich nur schwer mit den archäologisch erschlossenen Siedlungsgebieten identifizieren lassen. Immerhin dürften die Eudosen als Vorläufer der späteren Jüten und die Avionen als Inselbewohner anzusprechen sein, während sich wohl im Namen der Reudigner die germanische Grundform ›roden‹ verbirgt; es liegt deshalb nahe, diesen im Walde wohnenden Stamm mit den frühmittelalterlichen Holtsati, den ›Waldsassen‹ oder Holsten in Zusammenhang zu bringen. Ein tatsächlich historischer Bestandteil der Namensliste des Tacitus sind die Angeln, deren Stammlandschaft den Namen bis auf den heutigen Tag bewahrt hat. In Kapitel 40 der ›Germania‹ berichtet Tacitus ausführlich, daß diese Stämme kultisch besonders eng verbunden seien, da sie die Nerthus, eine Mutter-Erde-Gottheit, gemeinsam verehrten. Auf einer Insel im Ozean liege der heilige Hain der Göttin; von dort zöge sie feierlich durch die Lande, um sich huldigen zu lassen. Die Lage des heiligen Haines und des heiligen Sees, von dem die bedienenden Sklaven nach Rückkehr vom Umzug verschlungen würden, ist unbekannt; letzte Deutungen zielen auf Alsen.

Ein etwas anderes Bild von der Kimbrischen Halbinsel vermittelt der alexandrinische Astronom und Geograph Klaudios Ptolemaios (Ptolemäus) in seiner ›Geographie‹ (um 150 n. Chr.). Erstmals berechnet er in exakten Daten die Ausdehnung der Halbinsel, die er – wenn auch etwas nach Nordosten verschoben – richtig als nördlichen Ausläufer des Festlandes erkennt. Seine Angaben über die Nordseebucht vor der Elbmündung und die als »Umbiegung der Küste« bezeichnete Küstenstrecke an der Lübecker Bucht sind als großartige Leistung antiker Kartographie zu werten.

Die Stammesnamen, die Ptolemaios für die Halbinsel überliefert, decken sich nicht mit denen des Tacitus. Zwar setzt auch Ptolemaios die Kimbern in den Nordteil und südlich von ihnen die Fundusii, wohl ein Schreibfehler für die Eudosen des Tacitus, aber die übrigen Namen lauten erheblich anders und sind vielleicht ein Beleg für eine zu dieser Zeit noch stark fluktuierende Stammesbildung. Erstmals aber erwähnt Ptolemaios die Sachsen (Saxones), die er »auf dem Nacken der kimbrischen Halbinsel« ansetzt. Der hier entstehende Stammesname wanderte dann in späteren Jahrhunderten in das Gebiet südlich der Elbe ab, ohne daß die nördlich der Elbe siedelnden Stämme den Zusammenhalt mit dem Gesamtverband verloren (Nordalbingische Sachsen).

Ptolemaios nennt schließlich auch erstmals Städte im »freien Germanien«, allein vier mit den Namen Treva, Leuphana, Lirimiris und Marionis im Gebiet der unteren Elbe und Holstein. Sie sind sonst nicht überliefert und auch nicht mit späteren historischen Orten gleichzusetzen. Möglicherweise handelt es sich auch nur um Treffpunkte römischer Händler mit der einheimischen Bevölkerung. Mit Ptolemaios schließt die antike Überlieferung. Weiterführende Erkenntnisse wurden nicht mehr hinzugewonnen. Der

Entschluß des Tiberius, das »freie Germanien« sich selbst zu überlassen, hat dann lediglich noch Handelskontakte ergeben; Forschungsfahrten nach der Art des Pytheas oder wissenschaftliche Studien, wie sie Tacitus und Ptolemaios für Germanien vorlegten, unterblieben. Die Römer behielten die Vorstellung eines unermeßlich großen, unheimlichen Landes, dessen Menschen hinter und in riesigen Urwäldern lebten oder an den Küsten ein kärglich-rauhes Dasein fristeten, wie es Pomponius Mela im 1. Jahrhundert n. Chr. fast dramatisch beschrieb. In der Völkerwanderungszeit rissen überdies die Verbindungen ganz und gar ab, so daß sich keine auf eigenen Studien beruhende wissenschaftliche Erkenntnis in den spätrömischen Schriften findet.

Die dadurch entstehende Lücke läßt sich auch nur schwer mit Hilfe der jetzt allmählich faßbar werdenden germanischen Eigenüberlieferung füllen, da diese nicht aus chronikalischer oder geographisch-ethnologischer Sicht erwuchs, sondern aus den Wurzeln der germanischen Heldensage und der Dichtung. Als Angeln und Sachsen im 5. Jahrhundert nach Britannien übersetzten und dort die römische Herrschaft ablösten, führten sie auch einen dichterischen Fundus mit sich, der wenige Jahrhunderte später schriftlich fixiert wurde. So sind im angelsächsischen Beowulflied, im Lied des Sängers Widsith (›Weitfahrt‹) und in der Hilde-Sage, dem ältesten Kern des Gudrun-Epos, Zustände, Personen und Ereignisse im völkerwanderungszeitlichen Ostseeraum erkennbar geworden, die freilich mühsam genug durch germanistische Forschungen erschlossen werden mußten. Hinzu kommt die frühe dänische Königssage, die zwar spät – erst in der zweiten Hälfte des 13. Jh. – von Saxo Grammaticus aufgezeichnet wurde, aber sehr alte Kerne erkennen läßt.

In diese etwas nebelhaft wirkenden Belege anglischer Dichtung gehört auch das Lied von Offa, dem jungen Königssohn, der sein Land gegen die Schwaben (Sueben, Swaefe) verteidigt. Ludwig Uhland hat in seiner Ballade ›Der blinde König‹ die uns geläufige Fassung dieser anglischen Sage gegeben. Ihre Urfassung im Widsithlied der Völkerwanderungszeit lautet:

> Offa waltete über Angeln, Alewich über die Dänen,
> der war unter jenen Männern der mutigste von allen,
> doch keineswegs hat er Offa an Adel überragt.
> Und Offa erkämpfte, der erste der Männer,
> als Knabe noch, das größte Königreich.
> Kein Gleichaltriger zeigte mehr Heldenart
> im Kampfe; mit einem Schwerte
> die Grenze zog er gegen die Myrginge
> am Fifeldor; es hielten sie seitdem
> Angeln und Schwaben, wie sie Offa erkämpfte.

Das historische Ereignis, das hier besungen wird – ein mit nur einem Schwerte ausgetragener entscheidender Kampf – reiht sich ein in eine ganze Anzahl ähnlicher aus der germanischen Welt überlieferter Zweikämpfe. Die Örtlichkeit ›Fifeldor‹ wird im allgemeinen auf die Eider bezogen, von einigen Forschern sogar auf die Eiderinsel im

Gebiet des heutigen Rendsburg. Wenn sich auch die Myrginge nicht gut in die Völkerlisten des 4. und 5. nachchristlichen Jahrhunderts einordnen lassen, so sind sie sicherlich doch ein Teil jener südlich der Eider wohnenden langobardisch-suebischen Stämme gewesen, deren Ausgriff nach Norden durch den Kampf Offas verhindert worden ist.

Reichlicher fließen die Nachrichten über Völker und Ereignisse in Schleswig-Holstein erst wieder, als das Land in die karolingische Politik einbezogen wird. Vor allem ist es Adam von Bremen, der als Domherr um 1075 die ›Geschichte des Hamburger Erzbistums‹ schrieb. Ihm folgte rund einhundert Jahre später der Bosauer Pfarrherr Helmold, der in seiner ›Slawenchronik‹ das Werden der Mission und die Entstehung des Oldenburg-Lübecker Bistums beschrieb. Beide Chroniken zeichnen sich durch scharfe Beobachtung aus und bringen eine Fülle von Nachrichten aus einer Zeit, in der die Lande nördlich der Elbe in Auswirkung der Völkerwanderungszeit zum Teil von anderen Stämmen besetzt worden waren.

Schleswig und Holstein »up ewig ungedeelt«*

Um 800 n. Chr., zur Zeit Karls des Großen, sind in ›Schleswig-Holstein‹ als Bevölkerungsgruppen nachweisbar:

Sachsen, seit eh und je in Mittel- und Westholstein als Holsten – Dithmarscher – Stormaren;

Wenden, slawische Abotriten, in den Osten des Landes allmählich eingewandert, nachdem die wohl ursprünglich suebische Vorbevölkerung im 5. Jahrhundert ihre Heimat verlassen hatte. Als Wagrier in Ostholstein, Polaben südlich davon im Lauenburgischen;

Jüten und Dänen im Schleswigschen, wobei letztere die von den Angeln weitgehend verlassene Landschaft besetzten;

Friesen auf den Inseln und im westlichen Schleswig mit starken Bindungen nach dem Westen (Friesland) und wohl auch seit dem 7. oder 8. Jh. von dorther zugewandert.

Beim Kampf gegen die südlich der Elbe wohnhaften Sachsen, die von ihren nordelbischen Stammesgenossen unterstützt wurden, bediente Karl sich der Hilfe der slawischen Abotriten, die unter einem fränkischen Heerführer 798 auf dem Swentanafeld bei Bornhöved die nordelbischen Sachsen besiegten. Anfängliche Pläne, den Slawen das nordelbische Gebiet ganz zu überlassen, gab Karl bald auf, als er erkennen mußte, daß der dänische König Göttrik seinerseits seinen Machtbereich nach Süden ausdehnte. Göttrik zerstörte 808 den im Abotritenreich liegenden Handelsort Reric und zwang die dort wohnenden Kaufleute zur Umsiedlung nach dem neuen Handelsort Haithabu an der Schlei (Abb. 30); hierhin fand der friesisch-fränkische Handel von der Nordsee über Eider und Treene einen günstigen Weg und einen Umschlagplatz für den Ostseebereich. Göttrik sicherte sein Reich nach Süden durch den Ausbau des ›Danewerkes‹, einer Befestigungslinie zwischen Schlei und Treene. Karl einigte sich mit den Wenden auf einen Grenzbezirk (Limes Saxoniae) in der Linie Kieler Förde – Trave – Elbe in der Gegend Lauenburg. Die sächsischen und slawischen Siedlungsräume

---

* »Up ewig ungedeelt«: 1841 im Text des Schlei-Liedes als zugkräftiges Schlagwort aus dem Wortlaut des Ripener Vertrages von 1460 entnommen, in dem es heißt »dat se bliwen ewich tosamende ungedelt«.

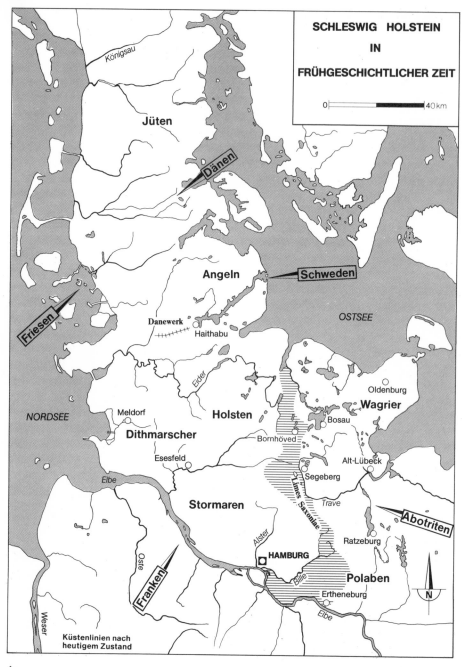

waren durch ein breites Niemandsland und beiderseitige Anlage von Burgwällen gesichert. Das westlich davon liegende sächsische Nordelbingen ließ Karl besetzen; an der Elbe wurde 810 die ›Hammaburg‹ und an der Stör bei Itzehoe ein fränkisches Kastell Esesfelde zur Sicherung des Landes errichtet. Bis zur Eider war Nordelbingen nun dem Frankenreich angegliedert.

Da nunmehr der Weg für die christliche Mission nördlich der Elbe frei war, wurden Kirchen in Hamburg, Heiligenstedten, Schenefeld und Meldorf erbaut. Ansgar wurde 831 Erzbischof der neu gegründeten Erzdiözese Hamburg. Nach der Zerstörung Hamburgs 845 durch dänische Wikinger* (vgl. Farbt. IX; Abb. 28, 31) wurde nach Vereinigung mit dem Bistum Bremen der Sitz des Erzbischofs nach Bremen verlegt.

Den Zerfall des Karolingerreiches nutzten Wikinger und wendische Fürsten zu immer neuen Angriffen, die zu deutschen Gegenmaßnahmen führten. Heinrich I., seit 919 deutscher König, besiegte auf einem Zug über die Eider 934 den aus einer schwedischen Dynastie stammenden Wikingerfürsten in Haithabu und festigte die Nordgrenze durch die Anlage einer Grenzmark zwischen Eider und Schlei. 947/48 wurden die neu gegründeten Bistümer Schleswig, Ripen und Aarhus Hamburg zugeteilt. Heinrichs Sohn, Otto I., unterstellte 961 Holstein und Stormarn unmittelbar dem Herzogtum Sachsen. 968 wurde im slawischen Wagrien das Bistum Oldenburg gegründet.

Doch mit dem Anstieg dänischer Macht unter Knud dem Großen (1018–1035) verzichtete der deutsche Kaiser Konrad II. auf seine Rechte in dem schwach besiedelten Bereich zwischen Eider und Schlei; damit wurde die Eider wieder und auf lange Zeit Südgrenze des dänischen Reiches. Auch auf kirchlichem Gebiet bedeutete die Eingliederung Schleswigs in das neu geschaffene Erzbistum Lund (Schonen) eine Abgrenzung an der Eiderlinie, die bis zur Einführung der Reformation bestand.

Während in der Karolingerzeit die Friesen nur die Geestinseln und das südliche Eiderstedt bewohnten, wurden nach 1000 auch die nördlich der Eider liegenden Marschgebiete (Utlande = [unbesiedeltes] Außenland) besiedelt.

Nach mehreren bedrohlichen Vorstößen, 1032 bis Dithmarschen, 1043 bis Jütland, fielen die Slawen 1066 in einem großen Aufstand vom Christentum ab, eroberten ganz Nordelbingen und Jütland, verwüsteten Hamburg und Haithabu. Innere Streitigkeiten schwächten aber die slawische Vormacht. Der Wendenfürst Heinrich, der sich zum Christentum bekannte, besiegte 1093 seine Widersacher und beherrschte von Alt-Lübeck, einer von seinem Vater Gottschalk an der Trave und Schwartau angelegten Burg, aus ein slawisches Reich, das sich bis nach Mecklenburg und Vorpommern erstreckte.

Der dauernden Bedrohung durch die Wenden begegneten die Dänen durch Einrichtung einer Statthalterschaft im schleswigschen Raum und der Sachsenherzog Lothar 1111 durch Einsetzung der Schauenburger in das Grafenamt in Holstein und Stormarn.

---

* Wikinger, von nord. Wik = Bucht; seefahrende Nordmannen, Bewohner Skandinaviens und Dänemarks, die teils als Seeräuber oder Kaufleute, teils als Eroberer und Staatengründer die Küsten Europas heimsuchten.

1134 wurde auf dem Segeberger Kalkberg mit dem Bau der ›Siegesburg‹ begonnen zum Schutze der deutschen Besiedlung und der einsetzenden Missionstätigkeit des ›Apostels der Wenden‹, Vicelin. – An der Schlei war mit der Aufgabe von Haithabu ein neuer Ort Sliasvic am geschützten Nordufer angelegt und der Bau des Domes eingeleitet worden. Im schleswigschen Raum entstanden eine Reihe romanischer Dorfkirchen im Granitquaderbau (Abb. 33–36).

Polabien, das Land zwischen Elbe und Trave, wurde durch Heinrich von Badewide germanisiert und ging als Herzogtum Ratzeburg/Lauenburg seinen eigenen geschichtlichen Weg.

Nachdem die Holsten und Stormaren 1138/39 in einem siegreichen Feldzug die Macht der Wenden in Ostholstein gebrochen hatten, begann Graf Adolf II. von Schauenburg 1143 die Kolonisation Wagriens. Dabei wurde an Trave und Wakenitz die Stadt Lübeck angelegt. Siedler aus Flandern, Holland, Friesland, Westfalen und dem westlichen Holstein wurden ins Land gerufen. Für den Bau der ersten Kirchen in Ostholstein benutzte man den einheimischen Feldstein in unbehauener Form (Farbt. XI; Abb. 32). Aufwendiger entstanden mit rotem Backstein, aus heimischem Ton gebrannt, die nächsten kirchlichen Bauwerke (Abb. 37–42).

Lübeck wurde 1159 vom Landesherrn Heinrich dem Löwen beansprucht, da es seinem Handelsplatz Bardowick bei Lüneburg Abbruch tat. Der Bischofssitz wurde 1160 von Oldenburg nach Lübeck verlegt. Durch die Ansiedlung westfälischer Fernhändler entwickelte sich Lübeck bald zur bedeutenden Kaufmannsstadt, die in Nachfolge von Haithabu/Schleswig den Ostseehandel an sich zog. Dabei spielte das in Lüneburg gewonnene Salz, von Lübeck aus verschickt, eine erhebliche Rolle.

Die schwelenden Auseinandersetzungen zwischen Welfen und Staufen führten nach dem Tode des Sachsenherzogs Heinrich des Löwen und Kaiser Friedrich Barbarossas zur Schwächung des deutschen Reiches. Das nutzten die Dänen aus. Unter starken Königen hatte sich Dänemark Mecklenburg und Pommern angeeignet und besetzte 1200 bis 1203 Holstein, Stormarn, Hamburg, Lübeck und Ratzeburg. Der besiegte Adolf III. von Schauenburg mußte sein Land verlassen. Der Dänenkönig Waldemar II. erhielt 1214 vom jungen Kaiser Friedrich II. alle eroberten Lande zugesprochen.

Nach der Schlacht von Bornhöved 1227, die Adolf IV. (Abb. 44) siegreich beendete, mußte Dänemark den gesamten eroberten Festlandsbesitz zurückgeben. Die Eider wurde nun wieder südliche Grenze Dänemarks. Adolf IV. konnte als Graf von Holstein und Stormarn die deutsche Kolonisation im ehemaligen Wendenland durch Anlage neuer Städte und Dörfer fortsetzen. Lübeck ging ihm verloren, die Stadt hatte sich 1226 vom Kaiser die Reichsfreiheit bestätigen lassen. Lübeck ging fortan, gestützt durch die hervorragende Verkehrslage und die Verflechtung mit der nordeuropäischen Wirtschaft sowie bereichert durch die Erfahrungen der Kaufmannsgenerationen seit der 1143 erfolgten Gründung, eigene Wege. Die in der Stadt entwickelten Rechtsformen wurden als ›Lübisches Recht‹ Vorbild für alle neuen Stadtgründungen an der gesamten Ostseeküste.

Die von Dänemark in Schleswig eingesetzten Statthalter bemühten sich bald, eine vom dänischen Königshaus möglichst unabhängige selbständige Politik zu betreiben. Durch die Heirat Herzog Abels, Sohn von Waldemar II., mit der Tochter Adolfs IV. knüpften sich verwandtschaftliche Beziehungen. »Die holsteinischen Grafen haben während des ganzen 13. Jahrhunderts die Herzöge aus Abels Haus in ihren Bemühungen, die Verbindung mit Dänemark zu lockern, tatkräftig unterstützt, da sie in Schleswig eigene und mit dem Herzoghaus gemeinsame Interessen wahrzunehmen hatten und in dem Herzogtum (Schleswig) eine Pufferzone gegen eine Wiederaufnahme der südwärts gerichteten dänischen Expansionspolitik sahen« (A. Scharff).

In den schwach besiedelten Raum zwischen Eider und Schlei wanderten deutsche Adlige und Bauern ein, nachdem den Holsteiner Grafen umfangreiche herzogliche und königliche Güter verpfändet worden waren.

Vom 13.–15. Jahrhundert wechselten für Schleswig aufgrund der verwandtschaftlichen Bindungen die Besitz- und Lehnsrechte zwischen den Holsteiner Grafen und den dänischen Königen. Mit dem Herzogtum Schleswig wurde zuerst der Schauenburger Graf Gerhard III. belehnt (1326); damit begann die jahrzehntelange Auseinandersetzung zwischen den dänischen Königen und dem holsteinischen Grafengeschlecht um den Besitz des Landes nördlich der Eider. Nachdem als letzter Schauenburger Adolf VIII. ohne Erben gestorben war, wählten die schleswig-holsteinischen Räte 1460 in Ripen den dänischen König Christian I., als Neffe des verstorbenen Herzogs aus dem Oldenburger Grafenhaus stammend, zum gemeinsamen Landesherrn unter der Verpflichtung des Gewählten und seiner Erben, dafür zu sorgen, daß Schleswig und Holstein »bliven ewich tosamende ungedelt« und ihnen innerhalb der Personalunion ihre Freiheiten und Rechte gewahrt blieben. Schleswig blieb dänisches, Holstein deutsches Lehen. Auf Betreiben von Christian wurde Holstein/Stormarn 1474 vom Kaiser Friedrich III. zum reichsunmittelbaren Herzogtum erhoben.

Dithmarschen, das im 11. und 12. Jahrhundert zunächst mit der Grafschaft Stade vereinigt war, blieb – trotz Zugehörigkeit zum Erzbistum Bremen – nach wie vor ein freier Bauernstaat, der sich mehrfach, so 1404 und 1500 (bei Hemmingstedt) erfolgreich gegen Angriffe der holsteinischen und dänischen Landesherren wehrte, bis er 1559 nach der »letzten Fehde« unterworfen und aufgeteilt wurde.

Nordfriesland nahm aufgrund seiner eigenen Kultur auch eine ähnliche Sonderstellung ein, hatte sich aber kein politisch unabhängiges Gemeinwesen wie Dithmarschen schaffen können. Der Westteil von Föhr, Amrum und die Lister Nordspitze von Sylt gehörten staatsrechtlich seit dem hohen Mittelalter zu Dänemark und bestanden als Enklaven bis 1864.

Stapelholm (zwischen Treene und Eider) und die Insel *Fehmarn* unterstanden als freie Landschaften mit eigener Gerichtsbarkeit der Landesherrschaft und zählten bis 1864/67 zum Herzogtum Schleswig.

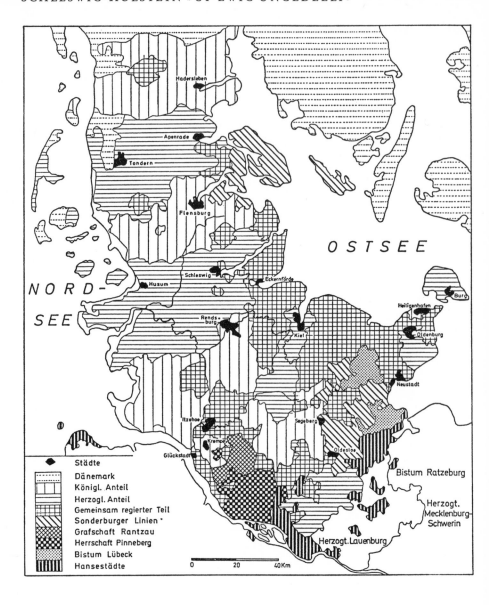

Städte
Dänemark
Königl. Anteil
Herzogl. Anteil
Gemeinsam regierter Teil
Sonderburger Linien
Grafschaft Rantzau
Herrschaft Pinneberg
Bistum Lübeck
Hansestädte

Politische Einteilung Schleswig-Holsteins am Ende des 17. Jahrhunderts. (Die weißen Flächen an der Westküste sind später eingedeichte Köge)

Lauenburg, nach der dänischen Herrschaft von 1202 bis 1225 wieder im Besitz der sächsischen Herzöge, seit 1296 der Askanier, bildete ein selbständiges Herzogtum bis 1689, gehörte dann den Welfen. 1815 wurde der dänische König Landesherr, doch war das Herzogtum wie Holstein Teil des Deutschen Bundes und schloß sich 1865 dem preußischen Staat an.

Trotz dem in Ripen gefaßten Vorsatz, ungeteilt zu bleiben, kam es infolge der Uneinigkeit der Erben zu einigen Landesteilungen in Schleswig und Holstein, so insbesondere 1490, 1544 und 1581, bei denen beide Herzogtümer, quer durchs Land, in verschiedene Anteile zerfielen. Außer den Herrschaftsgebieten einiger Nebenlinien teilte sich das Land in drei große Verwaltungsdistrikte:

a) den königlichen Anteil,
b) den herzoglichen (Gottorfer) Anteil,
c) den gemeinschaftlich regierten Teil, der sich im wesentlichen aus den adligen Gutsbezirken und den Klosterbereichen zusammensetzte.

Die Rivalität zwischen den Königen von Dänemark und den Herzögen von Gottorf führte im 17. und 18. Jahrhundert zu wachsenden Spannungen, die sich sogar auf die nordeuropäische Politik auswirkten. Im Nordischen Krieg (1700–1720) verlor Gottorf, das sich erfolglos an Schweden als Gegner Dänemarks angelehnt hatte, seine Besitzungen in Schleswig.

Herzog Karl Friedrich von Gottorf, seit 1725 mit einer Tochter des Zaren Peter des Großen verheiratet und ein unversöhnlicher Gegner Dänemarks, blieb auf die restlichen Gottorfer Besitzungen in Holstein beschränkt. Sein Sohn Karl Peter Ulrich, seit 1742 Thronfolger in Rußland, bestieg im Januar 1762 als Peter III. den Zarenthron; als Großfürstentum wurden die Gottorfer Besitzungen nun von Petersburg aus verwaltet. Nach der Ermordung des Zaren im Juli 1762 machte seine Gemahlin, Katharina II., den Weg zu Verhandlungen frei. Mit der Mündigkeitserklärung ihres Sohnes, des Großfürsten Paul, kam schließlich 1773 ein Tauschvertrag zustande: Das Zarenhaus verzichtete auf alle früheren Gottorfer Ansprüche in Schleswig und auf seine Anteile in Holstein. Dänemark mußte dafür die mit seinem Königshaus durch Personalunion verbundenen Grafschaften Oldenburg und Delmenhorst abtreten, die der Fürstbischof von Lübeck – aus dem Oldenburg-Gottorfer Hause stammend – zur Abgeltung seiner Ansprüche als Angehöriger einer Gottorfer Nebenlinie zugesprochen erhielt.

Hamburg, einst Burgsitz der Schauenburger und Hauptort Stormarns, hatte schon frühzeitig begonnen, sich von Holstein-Stormarn zu lösen, es erhielt 1510 vom Reichstag die Reichsunmittelbarkeit zugesprochen. Gegen Erlaß beträchtlicher Geldsummen, welche die königliche und die herzogliche Linie der Stadt schuldeten, wurde Hamburg im Gottorfer Vergleich von 1768 von den Herzögen als Kaiserliche Freie Reichsstadt anerkannt und damit auch rechtlich die schon lockere Verbindung gelöst.

Dem dänischen Königshaus gelang es, auch andere durch Erbteilung abgesplitterte Teilgebiete nach und nach zu erwerben. Dadurch wurden nach den jahrhundertelangen Teilungen die Herzogtümer nun wieder unter einem einzigen Landesherrn, dem dänischen König, vereinigt und ein Glied des dänischen Gesamtstaates.

Der Versuch, 1806 beim Ende des Kaiserreiches Holstein als »unzertrennlichen Teil« Dänemark einzugliedern, scheiterte am Widerspruch des Herzogs von Augustenburg, der als Verwandter das Erbrecht seines Hauses verteidigte. Mit dem Ende der napoleonischen Epoche mußte Dänemark im Kieler Frieden von 1814 zwar Norwegen abgeben, konnte aber 1815 durch einen Vertrag mit Preußen das Herzogtum Lauenburg erwerben. Weil Holstein und Lauenburg wie vor 1806 dem Deutschen Reich, nun dem 1815 gegründeten Deutschen Bund angehörten, war der dänische König nunmehr als Herzog dieser beiden Länder Mitglied des Deutschen Bundes geworden.

Die allgemeine Auseinandersetzung zwischen den Nationalitäten und das Streben nach Nationalstaaten mit freiheitlichen Verfassungen verdichtete sich in der dänischen Monarchie zu einem Streit zwischen Deutsch und Dänisch, der dadurch besonders verschärft wurde, daß sich die dänischsprachigen Nordschleswiger dem dänischen Volksbewußtsein erschlossen. Auf beiden Seiten festigte sich das nationale Bewußtsein und führte zu unterschiedlichen politischen Zielen. Die dänischen Liberalen wünschten Verfassungsgemeinschaft für Dänemark und Schleswig, unter Auflösung der Verbindung zwischen Schleswig und Holstein (Eiderpolitik). Die Schleswig-Holsteiner erstrebten, aus den Herzogtümern einen eigenen Staat in enger Gemeinschaft mit Deutschland zu bilden. Die in Europa seit den Befreiungskriegen ständig angewachsene Bewegung für Volksfreiheit, Verfassung und nationalen Zusammenschluß führte 1848 zu revolutionären Vorgängen in Italien, Frankreich, Deutschland und dem österreichischen Vielvölkerstaat, aber auch im Norden Europas. Auf die Nachricht, daß in Kopenhagen am 21. März das alte Ministerium gestürzt sei, und in berechtigter Sorge, daß in der neuen Regierung die Eiderdänen maßgebend sein würden, bildete sich am 24. März in Kiel eine »provisorische Regierung« zur Aufrechterhaltung der Rechte des Landes, die sich den »Einheits- und Freiheitsbestrebungen Deutschlands« mit aller Kraft anschließen wollte; der Deutsche Bundestag in Frankfurt erkannte die Provisorische Regierung an. Preußen und andere deutsche Bundestruppen unterstützten die Schleswig-Holsteiner mit Waffenhilfe, mußten sich aber auf Betreiben der europäischen Großmächte zurückziehen. Auf sich allein gestellt, unterlagen die Schleswig-Holsteiner 1850 in der Schlacht bei Idstedt durch einen voreilig gefaßten Rückzugsbefehl ihres Befehlshabers, so daß der Krieg zum Abschluß kam. In einem internationalen Vertrag (London 1852) wurden die Unverletzbarkeit des dänischen Gesamtstaates, aber auch die Rechte des Deutschen Bundes in Holstein und Lauenburg bestätigt. In diplomatischen Absprachen mit Österreich und Preußen hatte Dänemark vorher die Einführung einer alle Landesteile gleichstellenden Gesamtstaatsverfassung zugesagt und erklärt, daß »keine Inkorporation des Herzogtums Schleswig ins Königreich« erfolgen sollte. In den folgenden Jahren Jahren gelang es jedoch der Kopenhagener Regierung nicht, einen den deutschen

Schleswig-Holsteinern und dem Frankfurter Bundestag annehmbaren »Konstitutionellen Gesamtstaat« zu schaffen und die nationalen Gegensätze auszugleichen. Sie legte im November 1863 eine Verfassung vor, die praktisch die Einverleibung Schleswigs zur Folge gehabt hätte. Das stand nicht im Einklang mit den dänischen Verpflichtungen von 1851/52. Der deutsche Bundestag beschloß zur Sicherung seiner Rechte die Besetzung Holsteins und Lauenburgs durch hannoversche und sächsische Truppen. Preußen und Österreich verlangten 1864 ultimativ von Dänemark die Aufhebung der »eiderdänischen« Verfassung. Nach Ablehnung überschritten preußische und österreichische Truppen die Eider, bezwangen die Dänen durch Erstürmung der Düppeler Schanzen, setzten nach der Insel Alsen über und erreichten im Wiener Frieden den Verzicht Dänemarks auf alle drei Herzogtümer. Dabei wurden an der deutsch-dänischen Grenze einige Bereinigungen vorgenommen; die Insel Arrö (Ärø) blieb bei Dänemark.

Die schon länger bestehende Rivalität zwischen Österreich und Preußen wurde durch den kurzen Feldzug von 1866 entschieden: Im Prager Friedensvertrag überließ Österreich Preußen die Herzogtümer Holstein und Schleswig mit dem Vorbehalt, daß die nördlichen Distrikte Schleswigs ein Recht auf Volksabstimmung zum Anschluß an Dänemark erhalten sollten. Verhandlungen über Erfüllung des ›Vorbehalts‹ zwischen Dänemark und Preußen, insbesondere über Begrenzung des Abstimmungsgebietes und über Minderheitenschutz, führten 1867 und 1868 nicht zum Ziele. Diese Nordschleswig-Klausel wurde daher 1878 vertraglich von Österreich und Preußen wieder aufgehoben. – Das Miteigentumsrecht an Lauenburg trat Österreich gegen eine Entschädigungssumme schon 1865 an Preußen ab; 1876 wurde das ›Herzogtum Lauenburg‹ als Kreis der Provinz Schleswig-Holstein angeschlossen.

Mit dem 12. 1. 1867 wurden die Herzogtümer Schleswig und Holstein in eine preußische Provinz umgewandelt. Die Schleswig-Holsteiner, dazu nicht befragt, wären in ihrer Mehrheit lieber als ein selbständiges Herzogtum unter dem Herzog von Augustenburg Teil des deutschen Staatsverbandes geworden. Erst nach der Gründung des deutschen Kaiserreiches und durch die einsetzende wirtschaftliche Belebung fand eine allmähliche Annäherung statt. Versöhnend wirkte 1881 die Vermählung des zukünftigen deutschen Kaisers Wilhelm mit Auguste Viktoria, der Tochter des Augustenburger Herzogs.

1890 kam *Helgoland* im Austausch gegen Sansibar zu Deutschland. Es wurde 1891 Schleswig-Holstein zugeteilt. Bis 1814 hatte es zum Herzogtum Schleswig gehört, war aber nach der 1807 erfolgten britischen Besetzung an England abgetreten worden.

Den in Nordschleswig wohnenden Dänen wurde durch die rücksichtslose preußische Personal- und Sprachpolitik ein schwerer Kampf um ihre Selbstbehauptung aufgezwungen. Nachdem sich im November 1918 die deutsche Reichsregierung mit einer Lösung der Nordschleswigfrage auf der Grundlage des Selbstbestimmungsrechts der Völker einverstanden erklärt hatte, wurde im Versailler Vertrag 1919 auf Verlangen Dänemarks für 1920 eine Volksabstimmung in zwei Zonen festgelegt. In der nördlichen Zone stimmten rund 75% für Dänemark. Da aber in ihr ›en bloc‹ abgestimmt

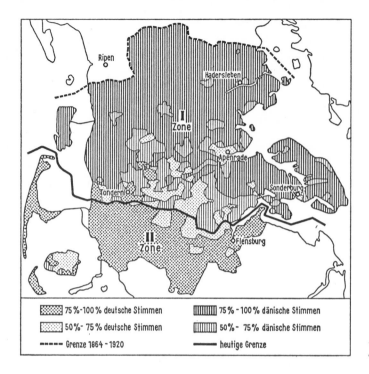

75%-100% deutsche Stimmen | *75% - 100% dänische Stimmen*
50%- 75% deutsche Stimmen | *50%- 75% dänische Stimmen*
------- *Grenze 1864 - 1920* | ——— *heutige Grenze*

Grenzziehung 1864
und 1920 – Volks-
abstimmung 1920

wurde, mußten auch Städte mit deutscher Mehrheit (Tondern, Sonderburg und Apenrade) mit an Dänemark abgetreten werden. Die südliche zweite Zone mit Flensburg
und Nordfriesland verblieb mit rund 80% deutscher Stimmen bei Deutschland.
Schleswig-Holstein verlor rund 1/5 seiner Fläche. Von Flensburg bis Sylt wurde eine
neue Grenze zwischen Dänemark und Deutschland gezogen. Ungefähr 30 000 deutsche
Nordschleswiger zählte man auf dänischer Seite, etwa 10 000 Dänen südlich der Grenze
auf deutscher Seite, der größere Teil davon in Flensburg.

Seitdem gibt es eine
deutsche Minderheit in Nordschleswig (Südjütland) und eine
dänische Minderheit in Schleswig (Südschleswig).

13 000 Nordfriesen, die in Südschleswig wohnen, bekannten sich 1926 durch Unter-
schrift unter die ›Bohmstedter Richtlinien‹ fest zum Deuschtum.

In Schleswig-Holstein ergaben sich durch das ›Groß-Hamburg-Gesetz‹ 1937 weitere
erhebliche territoriale Veränderungen: Altona und Wandsbek sowie dreizehn Gemeinden der südlichen Kreise wurden an Hamburg abgetreten. Die Freie Hansestadt Lübeck,
einige Landgemeinden und der zum ehemaligen Großherzogtum Oldenburg gehörende
Landesteil Lübeck, nunmehr Landkreis Eutin, wurden mit der Provinz verbunden. –

1866 hatte der Großherzog von Oldenburg mit dem Erwerb des holsteinischen Amtes Ahrensbök die beiden Teile des früheren Fürstentums Lübeck, die Ämter Eutin und Schwartau, zu einem zusammenhängenden Gebiet erweitern können. Das Kriegsende 1945 brachte lediglich an der Zonengrenze am Ratzeburger See und Schaalsee geringe Gebietsveränderungen. Während hier an der innerdeutschen Grenze unheilvolle Zustände herrschen, nachbarschaftliche Beziehungen unterbrochen wurden, Lübeck sein natürliches Hinterland in Mecklenburg verloren hat, sind an der deutsch-dänischen Grenze nach Jahrzehnten harten Volkstumskampfes befriedigende Verhältnisse eingetreten. Politisch wird die dänische Minderheit im Schleswig-Holsteinischen Landtag durch den SSW (Südschleswiger Wählerverband, 1975: 20 703 Wählerstimmen) vertreten; sie ist von der Anwendung der 5⁰/₀-Klausel bei Wahlen ausgenommen. Zur Zeit ist die deutsche Minderheit (ca. 23 000 Personen) im dänischen Folketing nur mit Hilfe der dänischen Zentrumsdemokraten aufgrund einer Wahlabsprache durch einen deutschen Abgeordneten vertreten.

»In den Jahrzehnten nach dem Zweiten Weltkrieg ist der nationale Streit um Schleswig durch friedlichen Wettbewerb zwischen Deutsch und Dänisch abgelöst worden. Schleswig-Holstein sucht seine Zukunftsaufgaben in Deutschland und Europa im Geiste der Partnerschaft durch Verständigung mit seinem Nachbarn im Norden zu lösen. Mit den zwischen der Bundesrepublik und Dänemark vereinbarten ›Bonner-Kopenhagener Erklärungen‹ vom März 1955 über die Rechte und Freiheiten der beiderseitigen Minderheiten ist der Weg zu einem friedlichen Ausgleich der Gegensätze beschritten worden« (Scharff).

Durch die Auswirkungen des letzten Krieges hat sich die Zusammensetzung der Bevölkerung des Landes stark verändert.

Die Gesamtbevölkerungszahl stieg

von 1939 mit   1 588 994 Einwohnern
auf 1950 mit   2 680 510 Einwohnern um 68,7⁰/₀ an.
Davon waren   1 151 396 Flüchtlinge und Evakuierte.
Dabei stammten aus Ostpommern 385 000 Personen
                   Ostpreußen   329 000 Personen
                   Polen   80 900 Personen
                   Danzig   78 000 Personen
                   Schlesien   59 700 Personen

Die gemeinsame niederdeutsche Wesensart hat den meisten Hinzugekommenen ein Einleben in Schleswig-Holstein erleichtert. Patenschaftsverhältnisse von Kreisen und Städten halten die geistige Verbindung zur alten Heimat aufrecht.

Die niederdeutsche Muttersprache (Plattdeutsch) mit ihren landschaftlich bedingten Abtönungen ist trotz allen anderen Prognosen in vielen Bevölkerungskreisen nach wie vor lebendig; viele identifizieren sich mit ihrer urwüchsigen, schlichten, aber herzlichen Ausdrucksform. Sie ist auch im friesischen Sprachraum gebräuchlich.

Nach der von den Besatzungsmächten vorgenommenen Auflösung Preußens am 23. 8. 1946 – auf den Tag genau achtzig Jahre nach dem Prager Frieden – wurde das Land Schleswig-Holstein gebildet. Was einst 1848 mit der Erhebung angestrebt wurde, war nun, freilich mit gewissen territorialen Veränderungen, eingetreten: Schleswig-Holstein war ein deutsches Land mit eigener Regierung und eigenem Parlament geworden.

Im Verlauf der jahrhundertelangen Geschichte ist somit aus mehreren Bevölkerungsgruppen und nach vielfachen staatlichen Verflechtungen ein selbständiges Bundesland geworden, das im Rahmen der Bundesrepublik Deutschland und mit dessen Hilfe »seine historische Funktion als Brücke zum Norden und zu den Ostseeländern weiterhin erfüllen und den Erfordernissen einer sich anbahnenden europäischen Friedensordnung genügen kann« (Wilh. Klüver).

Lübeck, die Königin der Hanse

Die Hansestadt Lübeck
Von Antjekathrin Graßmann

Von welcher Seite man sich der Hansestadt auch nähert, die siebentürmige Stadtsilhouette erscheint märchenhaft in der Ferne (Farbt. XIV). Dem Menschen des Mittelalters aber bedeutete sie eine Demonstration von Einfluß, Reichtum und in sich selbst ruhender Kraft, einmalig im Nordeuropa der damaligen Zeit.

Die Entwicklung Lübecks war in vieler Hinsicht begünstigt verlaufen. Im südwestlichen Winkel der Ostsee gelegen, stellte die Stadt die Drehscheibe für den Warenaustausch dar: Die Güter des westdeutschen und westeuropäischen Raumes, Tuche, Fertigwaren, Salz, Bier und Wein, wurden von Lübeck aus in die Gebiete rund um die Ostsee, aber auch nach Norwegen und nach Rußland hinein verschifft, von dort kamen wieder die Naturprodukte wie Fisch, Pelze, Holz, Erze, Pech, Wachs. Der Siedlung selbst bot der von Wakenitz und Trave fast ganz umflossene ovale Hügel etwa 17 km von der Ostseeküste entfernt an der schiffbaren Trave einen denkbar vorteilhaften und geschützten Platz.

Um die Mitte des 12. Jh., als die Welle der Ostkolonisation anschwoll, war die Zeit reif, diese Möglichkeiten angemessen zu nutzen. Die Eroberung des ostholsteinischen Raumes und die Christianisierung der wendischen Bewohner war so weit fortgeschritten, daß Graf Adolf II. v. Schauenburg 1143 zur Stadtgründung auf dem Stadthügel schreiten konnte, indem er – wie der Chronist Helmold von Bosau in seiner Slawenchronik sehr anschaulich beschreibt – aus Westfalen, Friesland, aber auch aus Holstein Siedler heranrief, um das wendische Gebiet zu bevölkern. Die neue Siedlung erhielt den Namen Lübeck und sollte damit an die 5 km flußabwärts an der Mündung der Schwartau in die Trave gelegene und 1138 zerstörte spätslawische Königsresidenz (Alt)Lübeck anknüpfen. Bodenfunde deuten auf deren schon weitreichende Handelsbeziehungen hin.

Die Siedlung auf der Stadtinsel, wahrscheinlich etwa an der Stelle des heutigen Marktes, entwickelte sich erstaunlich gut und stieg bald zur Konkurrentin des von

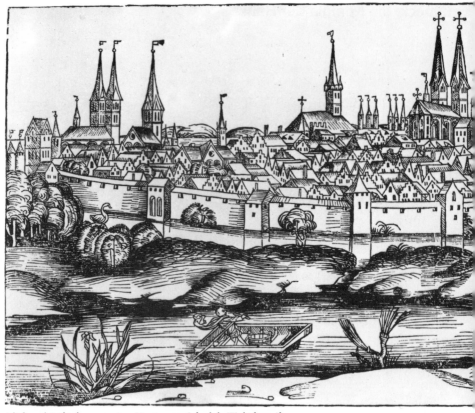

Blick auf Lübeck 1493. Aus Hartmann Schedels Weltchronik

Herzog Heinrich dem Löwen geförderten Bardowick auf. Der Herzog befahl dem Grafen Adolf II., seinem Lehnsmann, ihm die Stadt Lübeck zu überlassen, damit seine Einkünfte gesichert blieben. Aber erst nach einem Brand, der die Einwohner einem von Herzog Heinrich angewiesenen, aber ungünstig gelegenen Siedlungsplatz zugeführt hatte, und nach dem Einlenken des Grafen war der Weg 1159 frei für eine herzogliche Gründung an der alten Stelle. Dem Handel förderliche Rechtsverhältnisse und eine passende, am Kölner und Soester Recht orientierte Stadtverfassung gestatteten den von Unternehmungsgeist beseelten Ankömmlingen, sich binnen kurzem als Fernhändler eine Existenz aufzubauen. Wir finden sie um 1160 in Wisby auf Gotland, wo sie eine eigene Gemeinschaft bilden. Von dort aus fahren sie nach Nowgorod, wo gegen Ende des Jahrhunderts eine deutsche Kaufmannssiedlung entsteht. Sie sind in Schweden nachzuweisen und segeln, um Stockfisch zu holen, nach Bergen. Um die gleiche Zeit, zu An-

fang des 13. Jh., wenden sie sich auch nach Brügge und London, womit sie in die alte Domäne der Kölner Kaufleute eindringen.

Dabei war die junge Siedlung selbst noch nicht gefestigt und hatte 1181 ihre Feuerprobe bestehen müssen, als Kaiser Barbarossa sie im Kampf gegen den unbotmäßigen Herzog Heinrich den Löwen belagerte. Nach Rücksprache mit dem herzoglichen Stadtherrn öffnete man dem Kaiser die Tore und ließ sich einige Jahre später – diplomatisch sehr geschickt – ein territoriales Vorfeld rings um die Stadt, die Rechte an den wichtigen Flußläufen und Handelsfreiheiten urkundlich bestätigen (1188). Eine Generation später erkannten die Lübecker wiederum die Gunst der Stunde. Als Nordelbien nach 1223 die ca. zwanzigjährige Herrschaft des dänischen Königs Waldemar II. abschütteln konnte und eine politische Neuordnung zu erwarten stand, waren schon lübeckische Sendboten über die Alpen zum Kaiser unterwegs, um sich von dem Enkel Barbarossas,

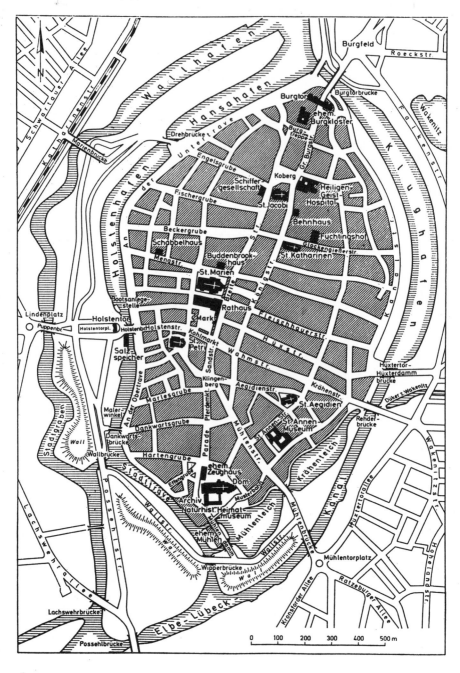

Friedrich II., die Privilegien seines Großvaters bestätigen und, nicht genug damit, sich beurkunden zu lassen, daß Lübeck eine Stadt des Reiches und nur dem Kaiser untertan sein sollte.

Damit waren die äußeren Voraussetzungen für eine besondere Entwicklung der Travestadt gegeben. Sie zu nutzen, politische Konstellationen geschickt zugunsten der Stadt zu wenden und die wirtschaftlichen Möglichkeiten des damaligen nördlichen Europa zu erkennen, das war nun die Aufgabe der Lübecker. Noch harrten die Bestimmungen der kaiserlichen Urkunden der Durchführung. Die holsteinischen Grafen, die mecklenburgischen und lauenburgischen Fürsten, vor allem aber die dänischen Könige waren Mächte, zwischen denen man geschickt zu lavieren hatte – und noch bedeckte die Stadt nicht einmal ganz die geräumige Insel. Der Dom (Grundsteinlegung 1173) (Farbt. XII; Abb. 38) und die romanischen Vorläufer der vier Pfarrkirchen waren vorhanden, an den Straßen zum Travehafen und auf den Kammstraßen des Stadthügels hatten sich die großen Kaufleute angesiedelt, in den Niederungsgebieten am Hafen wohnten die mit dem Schiffahrts- und Ladebetrieb Beschäftigten. Die durch die 1230 und 1290 aufgestaute Wakenitz geschützte Ostseite der Stadt trug noch Ackerbürgercharakter.

Der Süden der Stadt war seit 1160 dem Bischof eingeräumt. Der planvolle Grundriß der Stadt, der sich dem Relief geschickt anpaßt, lag schon fest und ist bis auf den heutigen Tag, abgesehen von unwesentlichen Korrekturen, nicht verändert worden. Ebenso sind bis auf eine Ausnahme die Straßennamen, die damals allmählich aufkamen, noch immer in Gebrauch. Was aber Lübeck seit der zweiten Hälfte des 13. Jh. vor den anderen Städten des Ostseeraumes auszeichnete, die als seine Tochterstädte und durch die Initiative seiner Bürger gegründet wurden, war die steinerne Bauweise seiner Privathäuser; eine brandverhütende Ratsverordnung von 1276 hatte den Weg für die Entstehung eines städtebaulichen Kunstwerks geebnet, das erst im 19. Jh. drastische Einbrüche hinnehmen mußte.

Als Reichsstadt zwar dem rechtlichen Zugriff der fürstlichen Nachbarn entzogen, mußte sich die Stadt jedoch räuberischer Überfälle erwehren und ihre Kaufleute zu Lande und zu Wasser gegen Gefahren schützen. Sie erreichte dies durch Bündnisse, zuerst mit Hamburg 1241 zum Schutz der Straße, die beide Städte verbindet, dann auch durch Verträge mit den sogenannten wendischen Städten (Hamburg, Lüneburg, Wismar, Rostock, Stralsund) und mit den Fürsten, was vor dem Hintergrund der Landfriedensbewegung zu sehen ist, und weiter, indem sie planmäßig ihr Territorium abrundete. Verpfändete Gebiete fielen ihr zu, andere erwarb sie käuflich, wie z. B. das den Hafenfluß kontrollierende Travemünde 1320/29. So hatten Lübeck, seine Bürger und Klöster eine große Zahl von Dörfern in Mecklenburg. Lauenburg und Holstein inne, von denen im 19. Jh. allerdings nur noch neunzehn geblieben waren. Pfänder, wie die Stadt Kiel und die dänische Insel Bornholm, mußten nach Ablauf der Pfandzeit wie-

Stadtplan von Lübeck

der zurückgegeben werden, aber auch Mölln mit einer Reihe von lauenburgischen Dörfern, die immerhin seit 1359 lübeckisch gewesen waren, mußten 1683 bzw. 1747 abgetreten werden.

Dem Kaufmann, der bis etwa um 1250 seine Waren zu Schiff – seit dem Ende des 12. Jh. kamen die seetüchtigen und geräumigen Koggen auf – oder zu Wagen begleitet hatte, boten im fremden Land einerseits die Privilegien des jeweiligen Machthabers Vorteile und Sicherheit, andererseits fanden sich aber auch die Kaufleute untereinander zusammen und bildeten Gruppen, ›Hansen‹. Die fortschreitende Verdichtung des nordeuropäischen Handelsnetzes und die etwa um 1300 einsetzende schriftliche Abwicklung von Handelsgeschäften bewirkten, daß der Handelsherr Kauf und Verkauf von seiner Schreibstube aus dirigierte und seine Geschäftsfreunde oder Mitarbeiter dann in der Ferne seine Weisungen ausführten. Hatten bisher Kaufleute den Handel allein getragen, so identifizierten sich seit dem Anfang des 14. Jh. mehr und mehr die Städte, deren Regierungen ja von den Großkaufleuten gestellt wurden, mit der Sache des Kaufmanns, und so ist es nicht verwunderlich, daß um 1358 zum ersten Mal der Ausdruck »Stede van der dudeschen Hanse« auftritt. Schon wenige Jahre später fand diese Gruppe von Städten in der sogenannten Kölner Konföderation, zu der Köln ebenso wie niederländische Städte, die Orte Westfalens, Niedersachsens und die Ostseestädte gehörten, ihre erste konsolidierende Bestätigung im Vorgehen gegen den dänischen

Bremer Hansekogge von 1380. (Wiederaufbau im Deutschen Schiffahrtsmuseum in Bremerhaven durch Werner Lahn)

König Waldemar IV. Atterdag, der 1361 Wisby überfallen und geplündert hatte. Die Städte konnten den König in die Knie zwingen und ihm 1370 in Stralsund den Frieden diktieren, der ihnen vor allem das Recht, bei der Nachfolge des Königs mitzureden, zusprach. Die Städte – insgesamt haben wohl etwa 200 zeitweilig der Hanse angehört – befanden sich damit auf dem Gipfel ihrer Macht (siehe Karte im hinteren Buchumschlag).

Lübeck war ihr Vorort: Der Lübecker Rat war oberste Instanz für alle Streitfragen des lübschen Rechts, das fast alle Tochterstädte rund um die Ostsee angenommen hatten. Lübeck vertrat die Hansestädte nach außen in Verhandlungen mit fremden Fürsten und Machthabern. An der Trave wurden die meisten Hansetage abgehalten, Zusammenkünfte, bei denen, man kann wohl sagen, die Richtlinien der nordeuropäischen Wirtschaftspolitik bestimmt wurden. Das Niederdeutsch der Lübecker Kanzlei wurde Verhandlungssprache im gesamten hansischen Raum. Sinnfälligen Ausdruck fand diese Machtfülle im August 1375 in dem Besuch Karls IV., dessen prunkvoller Einzug in die geschmückte und nachts mit unzähligen Lichtern illuminierte Stadt die Chronisten nicht versäumt haben, ausführlich zu schildern. Sie vergaßen vor allem nicht zu betonen, daß der Kaiser die Lübecker Ratsherren mit »Ihr Herren von Lübeck« angeredet habe. Der Luxemburger, der das politische Potential Lübecks in Nordeuropa nicht verkannte, schmeichelte den Herren auch, indem er ihre Stadt mit den Städten Venedig, Florenz, Pisa und Rom verglich, »die in des Kaisers Rat kommen mögen, wenn sie bei Hofe sind«.

Lübeck war um diese Zeit nach Köln die volksreichste und blühendste Stadt in Nordeuropa. Mit unnachahmlichem Sinn für städtebauliche Proportionen hatte man die ragenden Gotteshäuser auf dem Grat des Stadthügels errichtet. Vor allem ließ man die Baugruppe Ratskirche St. Marien und Rathaus zu einer großartigen Manifestation von Bürger- und Handelsmacht geraten (Farbt. XVII), – bauliche Vorbilder für viele andere Ostseestädte.

Die fünf Kirchen, von denen St. Jacobi (Farbt. XIII) und St. Aegidien, die kleinste, noch ihre alte Einrichtung, vor allem auch ihre berühmten Orgeln, über den Krieg haben retten können, sind alle bis etwa Anfang des 14. Jh. fertiggestellt worden. Von den vier Klöstern der Stadt sind noch erhalten das Burgkloster (gegr. 1227) (Abb. 46) und St. Annen (1504), das heute den stimmungsvollen Rahmen für das Museum für Kunst- und Kulturgeschichte abgibt. Das ehrwürdige Heiligen-Geist-Hospital am Koberg (1286), der Sage nach nur von einem einzigen reichen Bürger errichtet und noch heute seinem ursprünglichen wohltätigen Zweck dienend, hat seinesgleichen nur in Flandern und Burgund (Abb. 45). Stiftungshöfe wie der Füchtingshof (Abb. 98) und der Hasenhof u. a. sind heute noch sichtbare Zeugen großzügiger Wohltätigkeit der Lübecker Bürger. Von den Stiftungsgängen sind zu unterscheiden die Wohngänge, mit denen man in die hinter den Häuserzeilen liegenden Areale vorstieß, da das weitmaschige Straßennetz der Gründungsperiode seit dem 14. Jh. nicht mehr ausreichte, um allen Einwohnern eine Heimstatt zu geben. Diese für Lübeck typischen

Gänge, von denen man um 1900 noch an die hundert zählte, sind heute vielfach sanierungsbedürftig, in ihrer Eigenart aber doch erhaltenswert. Umgeben wurde die Stadt schon seit dem Ende des 13. Jh. von einer Mauer mit drei Haupttoren, dem Burgtor, dem Holstentor und dem Mühlentor, die ihre Gestalt gegen Ende des 15. Jh. bekamen und bis auf das Mühlentor (abgerissen 1855) heute noch vorhanden sind (Umschlagrückseite). Die Verbindung zur Elbe und damit die Heranführung des Lüneburger Salzes zu Schiff erleichterte der auf Kosten Lübecks erbaute erste Wasserscheidenkanal Nordeuropas, der Stecknitzkanal (1398).

Noch über hundert Jahre nach dem Stralsunder Frieden hat die Stadt ihre Stellung mit Erfolg zu halten gewußt. Dennoch waren die Zeichen einer neuen Zeit nicht zu verkennen, einer Zeit, in der die Territorialstaaten erstarkten und den Handel in eigene Regie nahmen. Die Städte fühlten mehr und mehr das beengende Regiment ihrer Landesherren. Die Zeit freien privilegierten Handels der Städte war vorüber, dagegen halfen auch restriktive, den Handel steuernde Maßnahmen nichts. Holländer und Engländer gewannen mehr und mehr Einfluß in der Ostsee. Im Zuge der durch die Reformation hervorgerufenen Umwälzungen wurde in den dreißiger Jahren des 16. Jh. der Revolutionär und Demagoge Jürgen Wullenweber emporgetragen. Seine gewaltigen, die Realitäten mißachtenden Anstrengungen, das Rad der Geschichte zurückzudrehen und Lübeck seine Vormachtstellung wieder zu erringen, schlugen fehl und beschleunigten im Gegenteil den Abgang der Stadt von der politischen Bühne.

Der Hansebund bestand noch hundert Jahre länger, und wenn man Lübeck auch noch als Haupt uneingeschränkt anerkannte, so wurde es doch von Hamburg und in der Ostsee von Danzig überflügelt. Sein eigenes Handelsvolumen vergrößerte sich allerdings und neue Märkte im Frankreich- und Spanienhandel wurden erschlossen. Die noch immer reiche Handelsstadt repräsentierte sich auch weiterhin durch Bauten wie den Renaissance-Vorbau und die Treppe am Rathaus, das Zeughaus am Dom und die mächtigen Befestigungsbauten im Dreißigjährigen Krieg. Damals wie auch im 18. Jh. hat Lübeck mit Erfolg dem Grundsatz der Neutralität gehuldigt.

Die bis dahin schlimmste Katastrophe brachte die Franzosenherrschaft. 1811–1813 gehörte die Travestadt dem französischen Kaiserreich an. Zwei Jahre lang lag der Schiffsverkehr still. Die Lebensader der Handelsstadt war durchschnitten. An den Schulden hat man noch bis 1883 bezahlt. Erst im Laufe des 19. Jh. hat sich die freie und Hansestadt Lübeck – ihre Eigenstaatlichkeit behielt sie bis 1937 – erholt und gegen Ende des Jahrhunderts mit Riesenschritten versucht, Anschluß an die Entwicklung anderer deutscher Großstädte zu gewinnen durch Ansiedlung von Industrie, Vertiefung des Hafenflusses und den Bau des Elbe-Lübeck-Kanals. Die Bevölkerungszahl von etwa 25 000, die seit dem Mittelalter ziemlich konstant geblieben war, vervierfachte sich zwischen 1850 und 1910.

Der Bombenangriff im März 1942 traf Lübeck schwer, und die Folgen des Krieges nahmen ihm das mecklenburgische und mitteldeutsche Hinterland und die weitreichenden Handelsbeziehungen nach Osteuropa. Heute ist Lübeck eine Stadt von 230 000 Ein-

33　Reiterrelief an der Außenwand der Kirche von Satrup

◁ 32　Feldsteinkirche in Süsel/Ostholstein, nach 1156

34　Granitquaderkirche Sörup/Angeln, um 1200

36　Romanische Granittaufe in Sörup/Angeln

35　Norderportal der Kirche Sörup, Ende 12. Jh.

Dom in Lübeck, Langhaus nach Osten

39 Marienkirche in Lübeck, Mittelschiff gegen Osten

37 Dom in Ratzeburg, Blick in den Chor, ab 1160

Kirche in Segeberg, nach 1156, südl. Seitenschiff

41 Mittelschiff der Kirche in Altenkrempe

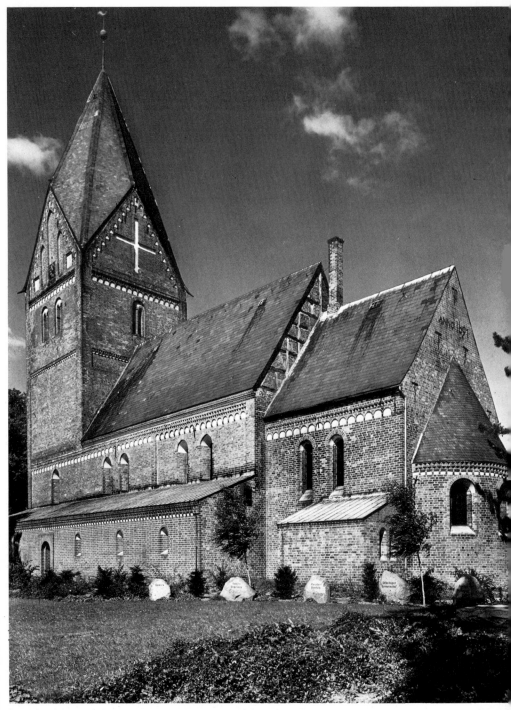

42   Kirche in Altenkrempe, um 1200, Gesamtansicht

43   Hölzerner Glockenturm Kirche Norderbrarup, 13. Jh.(?)

44 Graf Adolf IV. von Schauenburg
(† 1261)

Heiligengeist-Hospital, Fassade

Burgkloster in Lübeck, Nordflügel, 13. Jh.

47 Neukirchen bei Oldenburg, Kirche, Wandmalerei,
2. Viertel 13. Jh.

Schleswig, Dom, Kreuzgang, Anfang 14. Jh. 50 Klosterkirche in Preetz, Mittelschiff nach Osten

48 Hürup/Angeln, Kirche, Schnitzrelief, Kreuzabnahme

Nikolaikirche in Kiel, Bronzetaufe von 1344 52 Lübeck, Dom, Grabmal Bischof Bocholt († 1341)

Nieblum/Föhr, Johanniskirche, Altar, 1487

53   Bernt Notke: Maria vom Triumphkreuz, Lübeck, Dom

55 Morsum/Sylt, Kirche, Altar (Ausschnitt), Gnadenstuhl, um 1500

56 Pellworm, Alte Kirche, Altar (Ausschnitt), um 1470/80

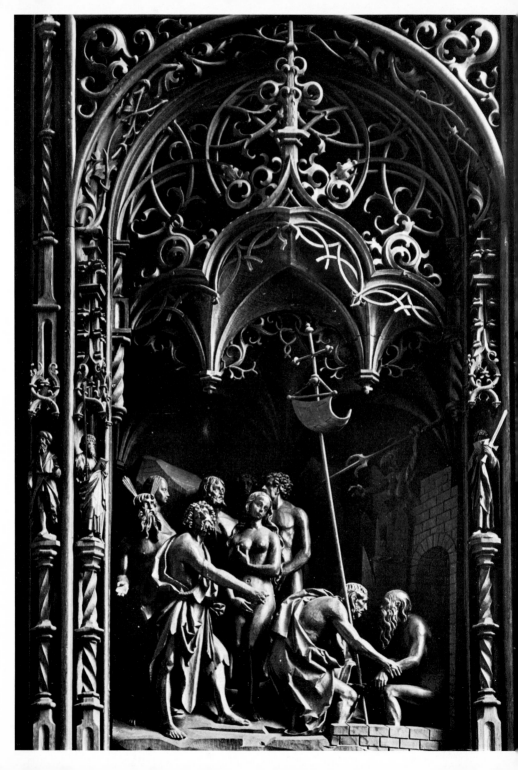

wohnern, die sich mit diesen Problemen arrangieren muß und immerhin als größter Ostseefährhafen an seine geschichtliche Aufgabe anknüpft. Der ungeheure Flüchtlingsstrom (etwa 100 000 Menschen), der nach dem Zweiten Weltkrieg die Travestadt überschwemmte, hat dazu geführt, daß die Stadt von einem Kranz großer Vorstadtsiedlungen umgeben ist, die Innenstadt aber wie eh und je von der Klammer der Gewässer geschützt und gehalten wird. Sie hat noch heute, nicht zuletzt wegen der zögernden wirtschaftlichen Entwicklung im 19. Jh., einen reichen Fundus von historischen Bauwerken, die auch nach fünfhundert Jahren noch von Lübecks bedeutender geschichtlicher Rolle zeugen (Abb. 63–65, 99).

Die Kunst in Lübeck
Von Wulf Schadendorf

Lübeck ist von grandioser künstlerischer Einheitlichkeit. Andere Städte sind geprägt vom Anteil aller Stile und Jahrhunderte, hier bestimmen die roten Backsteinflächen des 15./16. Jahrhunderts und die hellen Fassaden des Klassizismus das Bild. Nur an wenigen Stellen noch sind romanische Anfänge sichtbar, nur langsam erschließen sich dem suchenden Blick Renaissancefassaden und barocke Ensembles, sie ordnen sich unter das künstlerische Diktat einer Stadt von seltener Strenge und Herbheit.

Die Reihe der Kirchen setzt mit dem romanischen Dom ein (Farbt. XII; Abb. 38), der mit dem Ratzeburger (Abb. 37) und der Segeberger Stiftskirche (Abb. 40) zu den ersten Zeugen großer Backsteinbaukunst in Niederdeutschland zählt. Die hohe dreischiffige Halle besitzt noch das Mittelschiff der romanischen Basilika, die mächtige Doppelturmfront gehört zu den größten des Ostseegebietes. Im 14. Jh. fügte Bischof Bocholt den langen Hallenumgangschor an, um die Konkurrenz zur Ratskirche St. Marien (Farbt. XIII, XVII; Abb. 39) zu bestehen, die in der zweiten Hälfte des 13. Jh. ihren hochgotischen, basilikalen Kathedralchor erhalten hatte, der im 14. Jh. den Umbau des Langhauses zur hohen und steil proportionierten Basilika nach sich zog. Der geniale Baumeister des Marienchores übersetzte das System nordfranzösischer Hausteinarchitektur in den Backstein, so daß ein Stück Baukunst entstand, das wegweisend für die hansischen Kirchen des Ostseegebietes wurde. In Malmö, Doberan, Schwerin, Stralsund, Lüneburg und Wismar stehen die Tochterkirchen des Marienchores.

Ähnlich haben die Anfänge mittelalterlicher Plastik im westlichen Deutschland ihre Wurzeln. Die Stuckapostel der ehemaligen Chorschranken von St. Marien sind westfälischer Plastik entlehnt, die Bauplastik des Domparadieses ist spätstaufisch-rheinischen Ursprungs. Auf westeuropäisch-westdeutscher Kunst fußend, entwickelt die Hanse-

◁ 57 Schleswig, Dom, Relief vom Bordesholmer Altar von H. Brüggemann, 1521 vollendet

stadt seit dem Ende des 13. Jh. ihr eigenes künstlerisches Gesicht. Bis zum Ende des
14. Jh. sind die Pfarrkirchen der Stadt als weite und hohe Hallen vollendet, sind die
drei Klosterkomplexe der Benediktiner und der Bettelorden emporgewachsen. Zu den
eindrucksvollsten Kirchenbauten gehört St. Katharinen, die Franziskanerkirche, die
sich durch ihre »eigenwillige Raumgestalt und edle Formgebung« seit jeher aus den
Bettelordenskirchen der Hochgotik heraushob, die Westfassade ist von sonst unbekann-
tem Formenreichtum. Seit dem Ausgang des 13. Jh. entstand mit dem Heiligen-Geist-
Hospital eine der eindrucksvollsten Bauschöpfungen (Abb. 45). Die breit gelagerte
Schaufront der Kirche und das lange Haus der Hospitaliten machen die Anlage zu
einer der am besten erhaltenen mittelalterlichen Spitalanlagen Europas. Gleichzeitig
bildet sich das Gesicht des steinernen lübischen Bürgerhauses: über dem horizontal gegliederten hohen Dielengeschoß erhebt sich der schmuckarme, allein durch hohe Spitz-
bogenblenden gegliederte Stufengiebel der Speichergeschosse.

Von verwandter Einfachheit und Größe ist die frühe gotische Kunst. Mit überlebensgroßen Abmessungen, schweren Körpern und verhaltener Gestik suchen die Figuren aus
St. Jacobi nach eindringlicher, hieratischer Wirkung. Eingebunden in den Kirchenraum werden die Plastiken durch monumentale Ausmalungen, wie sie sich in St. Jacobi
und in der Heiligen-Geist-Kirche erhalten haben.

Neben solch stadteigener Kunstproduktion aber steht stets der Import von bedeutenden Kunstwerken. Die Gesetze des Handels gelten in der Hansestadt auch für die
Kunst. Aus den Niederlanden kamen für die Grabmäler die gravierten Messingplatten,
von denen sich die der Bischöfe von Serken und Mul erhalten hat. Eine überragende
eigene Leistung hingegen ist die vollrunde Bronzefigur des 1341 gestorbenen Bischofs
Bocholt (Abb. 52). Nunmehr ist die hansestädtische Kunst auf einem ersten Höhepunkt:
scharfe Charakteristik und schwere Körperlichkeit zeichnen das lübische Bildwerk aus.

Im 14. Jh. begann die Entwicklung des Flügelaltares, dessen frühe Beispiele in Doberan und Cismar (Farbt. XV) erhalten blieben, Lübeck wurde ein Zentrum hansischer
Altarkunst, das im Verlaufe zweier Jahrhunderte die Kunstproduktion des Ostseeraumes bestimmte und belieferte. Niederländische und westfälische Importe und Anregungen gehen in diese Entwicklung ein, die auch auf andere Kunstbereiche ausstrahlt,
so daß Teile der lübischen Kunst um 1400 fast der westfälischen zuzurechnen sind. In
den ersten Jahrzehnten des 15. Jh. entsteht in der Stadt, die ohne anstehenden Naturstein ist und ihre Plastik fast ausschließlich aus Eichenholz schnitzt, eine Gruppe westfälischer Steinplastik von großer Schönheit. Johannes Junge war der fähigste Meister
dieser Steinbildhauer, seine Niendorfer Madonna bezeichnet in Gewandfülle und Lieb-
reiz den Höhepunkt des weichen Stils in Lübeck. Die Stadt steht fremden Kunstein-
flüssen weit offen, wenige Jahrzehnte später trägt der Meister der Darsowmadonna
sein Figurenideal vor, das von der kräftigen Körperlichkeit der burgundischen Plastik
beeindruckt ist, zugleich setzt der spätgotische Realismus seine ersten Züge in das Bild
der sakralen Bildschnitzerei.

Ihre Krönung erlebt diese Bildhauerkunst nach fast zweihundertjähriger Tradition in den großen Schnitzern und Altarmeistern der Jahrzehnte zwischen 1450 und 1530. Der überragende Meister war Bernt Notke, der Schöpfer der Triumphkreuzgruppe im Dom (Abb. 53). Sein zweites Hauptwerk, die St. Jürgen-Gruppe, steht in der Stockholmer Storkyrkan, ein Abguß befindet sich in der Katharinenkirche. Spätgotischer Realismus, an der umgebenden Architektur und der Kraft der Symbole orientierte Monumentalität, strenge Formen und eindringliche Charakterisierung haben hier ihren lübischen Höhepunkt gefunden. Der Dombrand von 1942 hat die Oberflächen des Triumphkreuzes weitgehend zerstört, die einstige Farbenpracht der Fassung muß der Betrachter ergänzen. Aus der Schule Notkes stammt der wichtigste Bildhauer der nächsten Generation. Henning van der Heides Bildwerke werden ruhiger und natürlicher, das Gewaltsame des Großmeisters wird gemildert (Abb. 59). Der künstlerische Boden wurde vorbereitet für die Aufnahme süddeutscher Anregungen, die Claus Berg und zumal Benedikt Dreyer, wohl aus der Werkstatt Tilman Riemenschneiders, nach Lübeck tragen, lyrische Töne, ehe die Reformation Bugenhagens 1530/31 die Altarkunst zum Erliegen bringt. Spät erst waren die Maler mit eigenständigen Werken gegenüber den Bildschnitzern zum Zuge gekommen. Der 1491 entstandene, niederländische Passionsaltar Hans Memlings, den die Brüder Greverade dem Dom stifteten, zeigte die Kraft der darstellenden Malerei (Farbt. XVI); große Kunst europäischer Qualität stand nun in der Hansestadt maßstabsetzend vor Augen. Doch eine eigenständige lübische Malerei konnte sich trotz des Vorangangs von Hermen Rode und Bernt Notke nicht mehr entwickeln, Erhart Altdorfer aus Bayern, Hans Kemmer aus der Wittenberger Schule Lucas Cranachs und der wandernde Jacob von Utrecht beherrschten die Bildnismalerei und zogen die wenigen Aufträge der Kirchen an sich.

Praktisch nichts hat sich erhalten von der Goldschmiedekunst des Mittelalters. Die Kirchenschätze wurden nach der Reformation auf Geheiß des Bürgermeisters Wullenwever eingeschmolzen. Der herrliche Birnenpokal des St. Annen-Museums läßt Können und Erfindungsgabe der alten Lübecker Goldschmiede erahnen. Fast noch weniger wissen wir von der einstigen Buchmalerei der städtischen Kirchen und Klöster, die letzten erhaltenen Bände verbrannten 1942. – Ein bevorzugtes Material von Kunsthandwerk und Gerät des lübischen Mittelalters war die Bronze: dreifüßige Grapen, Kohlebecken, Eichmaße und das Meisterwerk des nicht aus Stein, wie in Westfalen und Süddeutschland, sondern eben aus Bronze gefertigten Sakramentshauses von St. Marien belegen dies eindrucksvoll.

Am Ende des Mittelalters war Lübeck eine Schatzkammer der Kunst und eine der schönsten Städte Nordeuropas. Kern des Stadtorganismus ist der Markt mit der Baugruppe von Rathaus und Ratskirche, Symbol der weltlichen und geistlichen Macht der reichsfreien Handels- und Hansestadt. Aus der Fülle der Bauformen des Rathauses heben sich die Pfeilertürme, Zeichen der Stadtherrschaft des Rates, und die mächtigen Windlöcher der Schaufront heraus. An den nachfolgenden Rathäusern von Rostock, Stralsund und Thorn wird erneut das Vorbild der Königin der Hanse ablesbar. Um-

schlossen war dieses Gesamtkunstwerk vom Kranz der Wasserläufe und der Mauer-
befestigung, deren schönste Teile im Burgtorturm des Nikolaus Peck von 1444 (Farbt.
XIII) und im Holstentor Hinrich Helmstedes (Umschlagrückseite) erhalten blieben.
Innerhalb der Backsteinbaukunst des Ostseeraumes blieb das Holstentor ein Einzelgänger, seine unmittelbare Verwandtschaft mit niederländischen und niederrheinischen
Toren belegt nochmals die westliche Verankerung der nach Osten ausstrahlenden Kunst
der Hansestadt.

Mit dem Abstieg der Handelsstadt im 16. Jh. war auch das Schicksal der lübischen
Kunst besiegelt. Für größere Bauten bestand kein Bedürfnis, die künstlerische Kraft
verlegte sich auf die Ausschmückung zumal der Kaufmanns- und Privathäuser. Am
Außenbau erscheinen die Terrakottaplatten und -friese des Statius von Düren, die kost-
baren Innenräume werden mit Vertäfelungen und Schnitzereien der niederländischen
Renaissance überzogen. Ein Meisterwerk war die Kriegsstube des Tönnis Evers d. J. im
Rathaus, die Reste sind im Museum bewahrt, erhalten blieb das Fredenhagensche Zim-
mer im Hause der Kaufmannschaft.

Aus der Zeit nur spärlicher Kunstproduktion hebt sich endlich im Spätbarock die
Kopenhagener Werkstatt des Antwerpener Bildhauers Thomas Quellinus heraus, dem
mit dem einstigen Hochaltar der Marienkirche ein Hauptwerk des niederdeutschen
Barock verdankt wird (1696/97). Die einst reichen Folgewerke der Quellinuswerkstatt
sind stark gelichtet, vorhanden blieben die Lente-Kapelle des Domes und der Hoch-
altar von St. Jacobi, der von der Hand H. J. Hassenbergs einen Eindruck vom späten
Anspruch barocker Kunst im gotischen Kirchenraum vermittelt. Das Raumensemble des
Barock und Rokoko, die Hauptleistung des 18. Jh. im Zusammenklang aller Künste,
hat sich in Lübeck nur an einigen Stellen erhalten. Zwischen 1754 und 1761 schufen der
Architekt J. A. Soherr und der venezianische Wandermaler Stefano Torelli den Audienz-

Hausfassaden der Großen Petersgrube

saal des Rathauses (Abb. 100), der von den großformatigen Gemälden beherrscht wird, auf denen allegorisch die Tugenden des Stadtregiments farbenprächtig dargestellt sind. Im Bürgerhaus wird zur gleichen Zeit die reizvolle Raumfolge von Landschaftszimmer und Rokokosaal als lübische Eigenheit ausgebildet, französische Wanddekoration und qualitätsvolle Stuckarbeiten führen zu anspruchsvollen Ensembles bürgerlicher Repräsentationslust. Einen besonderen Akzent dieser Räume bildeten die reich bemalten Fayenceöfen des J. G. Buchwald aus dem benachbarten holsteinischen Stockelsdorf.

Doch trotz aller Leistungen, die Kunst des Barock und Rokoko konnte das mittelalterliche Baubild der Stadt nicht umprägen, die Moderne der einstigen Hansestadt im 18. Jh. verblieb im privaten Innenraum, auch wenn so herrliche Barockfassaden wie die der Großen Petersgrube 21 von 1776 oder der Königsstraße 81 den Rhythmus der gotischen Straßenzüge unterbrechen. Erst der Klassizismus des ausgehenden 18. Jh. gewann Macht über die alte Baukunst der Stadt. Bis zum Ende des 19. Jh. werden die hellen, horizontal gegliederten und nüchternen Fassaden den alten gotischen Häusern vorgeblendet. Die strenge Klarheit dieser Baukunst hatte einen Ton Lübecks getroffen. Das Meisterwerk dieser Zeit wurde das Behnhaus, das erstmalig gegen 1780 den waagerechten Frontabschluß wagte, und dessen Baumeister die alte lübische Wirtschaftsdiele zur einheitlich dekorierten Halle umbildete (Abb. 96). Der beherrschende Einfluß französischer Innenraumgestaltung setzte sich nochmals durch, ehe auch in Lübeck mit J. C. Lillie skandinavische Innenraumkunst und wenig später englische Einrichtungskunst sich geltend machten.

In der gelehrten und kühlen Kunstatmosphäre des klassizistischen Lübeck wuchs der junge Friedrich Overbeck heran. Der Lübecker Bürgermeisterssohn wurde 1809 in Wien zum Mitbegründer einer der ersten Kunstsezessionen, des Lukasbundes, und in Rom zum Erneuerer sakraler Malerei aus dem Geist katholischer Gläubigkeit. Overbeck, das Haupt der nazarenischen Malerschule, hat Lübeck nie mehr betreten, doch seine Kunst hielt Einzug in der Ratskirche St. Marien und wurde für die Galerie gesammelt. Die Stadt hielt ihrem letzten großen Künstler die Treue. 1914 schenkte die Enkelin des Malers der Hansestadt den künstlerischen Nachlaß, der zum Grundstein der Romantikersammlung wurde. Nach dem Ersten Weltkrieg konnte Carl Georg Heise die Bilder Overbecks mit den Werken des deutschen Expressionismus im Behnhaus zu einer Galerie vereinen und damit eines der für Lübeck so charakteristischen Museen schaffen, in denen sich die Baukunst mit Malerei und Plastik verschiedener Zeiten zu einem neuen Ensemble vereinigt. Heise war es auch, der 1930 Ernst Barlach dafür gewann, die Front der Katharinenkirche mit dem Zyklus der ›Gott suchenden und von Gott ergriffenen Menschen‹ zu schmücken. Die Hitlerzeit setzte solchem Beginn neuer Kunst in den alten Mauern ein jähes Ende, der Bombenangriff von 1942 vernichtete mit der Ausstattung der Marienkirche die Schatzkammer der Hansestadt. 1948 konnte Gerhard Marcks den Barlachschen Figurenzyklus vollenden, die Bürger den Abbruch der Ruine ihrer Marienkirche verhindern, deren neu erstandener Innenraum wieder von der einstigen Größe lübischer Kunst zeugen kann (Abb. 39).

Baudenkmäler in Stadt und Land

Hünengräber — Ringwälle — Ritterburgen — Herrenhäuser und Schlösser

Die ältesten im Lande erhaltenen Baudenkmäler sind die *Hünengräber,* die unsere Ahnen für ihre Toten errichteten. Der aufmerksame Beobachter wird sie bei Fahrten und Wanderungen nicht übersehen können, obwohl ihre Anzahl geringer geworden ist. Die Großsteingräber (Megalithgräber) der jüngeren Steinzeit, als ›Pyramiden des Nordens‹ aus mächtigen Findlingen aufgesetzt, beeindrucken durch die Wuchtigkeit ihrer Anlage (Farbt. VI; Abb. 11, 12, 14), bronzezeitliche Grabhügel durch die mit der Landschaft verwachsene Lage auf ausgesuchten Höhen (Abb. 21, 22). Wer gezielt die am besten erhaltenen Grabanlagen aufsuchen will, sei auf die im Anhang des Buches aufgeführte Kurzbeschreibung vorgeschichtlicher Stätten hingewiesen.

Ringwälle*: Seitdem der Mensch in der jüngeren Steinzeit als Ackerbauer und Viehzüchter hier seßhaft geworden war, lebten die Bewohner unseres Landes vorwiegend in Einzelgehöften oder kleinen Dorfsiedlungen, die sie mit Wällen, Palisaden und Gräben geschützt haben werden, um in Zeiten der Gefahr Vorräte und Vieh zu bergen. Daß sich davon nur wenige Reste erhalten haben, ist verständlich. Vor einigen Jahren entdeckte man bei Rendsburg am nördlichen Ufer der Eider eine aus der Steinzeit stammende 6 ha große Siedlung, die mit mehreren Spitzgräben und Palisaden befestigt war. Zweifellos sind vorgeschichtliche Befestigungen ähnlicher Art an anderen Stellen des Landes entweder eingeebnet oder durch jüngere Burganlagen überbaut worden, weil man immer wieder die Plätze bevorzugte, die sich wegen ihrer natürlichen Schutzlage zur Verteidigung anboten.

Die ältesten gut erhalten gebliebenen Burganlagen sind die 5–7 m hohen Ringwälle von *Tinnum* auf Sylt und *Borgsum* auf Föhr aus dem 1./2. Jh. n. Chr.; sie scheinen in der Wikingerzeit im 9./10. Jh. erneut benutzt und verstärkt worden zu sein.

Aus der Slawenzeit sind im Osten des Landes, beginnend mit dem 8. Jh. n. Chr., zahlreiche Burgen noch sichtbar oder nachweisbar, die wie ein gleichmaschiges Netz über

---

*   Soweit die aufgeführten Ringwälle und Burgen nicht in der im Anhang befindlichen Kurzbeschreibung enthalten sind, sind sie zwar wissenschaftlich interessant, aber schwer zu erkennen und zu erreichen.

das ganze Land verteilt sind. Die Slawen waren Meister des Burgenbaues; Kastenkonstruktionen aus hintereinandergesetzten, rahmenförmig zusammengefügten und übereinander getürmten Bohlenkästen waren mit Holzbalkenlagen und Baumstämmen sowie Erdreich und Torf ausgefüllt. Ein breiter trogförmiger Graben, oft auch noch Außenwälle erschwerten die Annäherung.

Aus der slawischen Frühzeit sind die Ringwälle von *Horst* (5 km ostw. Mölln) und *Pöppendorf* (zwischen Lübeck und Travemünde) in gutem Erhaltungszustand; auffällig weiterhin die im 13. Jh. nochmals als Bischofsburg benutzte *Marienhöhe* bei Farchau am Südzipfel des Ratzeburger Küchensees, der *Fresenburger Wallberg* am hohen Ostufer der Trave nördlich von Oldesloe, der *Pansdorfer Ringwall* an der Schwartau sowie eine Höhenburg am Südufer des Ukleisees bei Eutin.

Rekonstruktionen einer slawischen Burg (Scharstorf bei Preetz) (nach Angaben von K. W. Struve)

Mindestens in das 8. Jh. reicht auch die Gründung der größten slawischen Burganlage Ostholsteins in *Oldenburg* zurück, die mitten in der heutigen Stadt liegt und aus einer mehrteiligen Anlage mit Haupt- und Vorburg besteht, die insgesamt 4 ha umfaßt. Hier war der Hauptsitz der slawischen Wagrierfürsten, deren Herrschaftsbereich den Raum zwischen Trave im Süden und Kieler Förde im Nordwesten einnahm. Umfangreiche Grabungen in der Vorburg mit ihren 2–2,5 m mächtigen Kulturschichten ergaben reiche Funde aus einer dichten Bebauung. Oldenburgs politische und wirtschaftliche Bedeutung sank, als der christliche Abotritenfürst Heinrich gegen Ende des 12. Jh. die Burg von *Alt-Lübeck*, am Zusammenfluß von Trave und Schwartau gelegen, zu seiner Hauptresidenz machte. Bei Alt-Lübeck, das man zu Fuß von Bad Schwartau erreichen kann, und dessen stark verschleifter Ringwall nicht die einstige Bedeutung dieses Ortes widerspiegelt, gab es einen Hafen mit einer Kaufmannskolonie und ein Handwerkerviertel. Mitten im Burgwall erkennt man die Reste einer Kirche. 1138 wurde Alt-Lübeck durch eine feindliche slawische Flotte niedergebrannt.

Fast alle slawischen Burgen lassen Spuren gewaltsamer Zerstörung erkennen. Manche sind im 9. oder 10. Jh. aufgegeben und andere an neuen Plätzen um diese Zeit errichtet worden. Solche etwas jüngeren Burgen waren z. B. die befestigte Insel von *Warder* im Kreis Segeberg, die gut erhaltene *Katzburg* südlich von Hassendorf im Kreis Ostholstein, die *Süseler Schanze* am Nordufer des Süseler Sees südwestlich von Neustadt, die Insel *Olsborg* im Plöner See, die *Fasaneninsel* im Großen Eutiner See und viele andere.

Der Limes Saxoniae, eine Grenzlinie zwischen Slawen und Sachsen, die noch unter Karl dem Großen festgelegt wurde, zog sich von der Kieler Förde unter Segeberg bis nach Lauenburg hinunter als eine Ödlandzone, die Flußläufen und Niederungen folgte. Es wird angenommen, daß auf westlicher Seite Burgbesatzungen den Grenzraum kontrollierten. Solche Grenzburgen waren die *Nütschauer Schanze* (4 km nordwestlich von Oldesloe am Westufer der Trave) und der gut erhaltene *Sirksfelder Ringwall* im Waldgelände zwischen Sirksfelde und Koberg. Die südlichste Grenzburg könnte die *Ertheneburg* bei Grünhof-Tesperhude (westlich von Lauenburg) gewesen sein; sie ist möglicherweise identisch mit dem für 822 erwähnten fränkischen Kastell Delbende und war im 11. und 12. Jh. Grafensitz. Der hoch über der Elbe liegende Halbkreiswall sicherte zudem einen alten Fährübergang über die Elbe.

Die nordelbischen Sachsengaue waren nach dem Zerfall des fränkischen Reiches im 9. Jh. weitgehend auf sich gestellt und einer doppelten Bedrohung von Osten durch die Slawen und von der See und Norden her durch die Wikinger ausgesetzt. An der östlichen Peripherie entstand an den offenen Flanken und Zufahrtswegen ein System von Burgen. Sie bildeten eine Abwehrkette von Rendsburg bis nach Hamburg und hatten die Funktion von Sperranlagen. Nur wenige sind gut erhalten, so die *Einfelder Schanze* am Westufer des Einfelder Sees oder der Burgberg von *Willenscharen* am Westufer der Stör. Im Gegensatz zu den dauernd besiedelten slawischen Burgen nahmen sie wahrscheinlich nur in Gefahrenzeiten eine stärkere Besatzung auf.

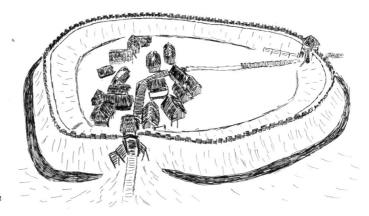

Rekonstruktion der sächsischen Stellerburg in Dithmarschen

Am hohen Geestufer bei Burg in Dithmarschen liegt die mächtige *Bökelnburg*, deren Innenraum seit dem frühen 19. Jh. von einem Friedhof eingenommen wird. Sie sollte das Land gegen Überfälle schützen, die von der Elbmündung her drohten. Eine ähnliche raumsichernde Funktion gegen die Eidermündung nahm die *Stellerburg* bei Borgholz wahr. Sie ist fast vollständig ausgegraben und hat vom 9. bis 11. Jh. bestanden. Ein Weg von der Eidermündung nach Dithmarschen hinein führte durch die beiden Tore der Burg.

Rekonstruktion von Haithabu

Beim Bau der sächsischen Burgen verwendete man in geringerem Maße als bei den slawischen Anlagen Holz. Sie sind ganz aus Plaggen (Heide- oder Grassoden) aufgesetzt und hatten eine abgeschrägte Außenfront. Ein oder zwei tiefe Spitzgräben waren der Wallböschung vorgelagert. Weitere Annäherungshindernisse bildeten angespitzte Palisaden. Über dem engen, bohlenverkleideten Kastentor erhob sich wahrscheinlich ein auf mächtigen Pfosten ruhender Verteidigungsturm. Burgwälle von 80–100 m Durchmesser ließen sich von 100–150 Mann wirkungsvoll verteidigen. Ein Ringwall dieser Größe bot mehreren hundert Menschen und dem Vieh vorübergehend Schutz.

Das Land nördlich der Eider war in der Wikingerzeit dänisches Interessengebiet. Im 9. Jh. entwickelte sich die Siedlung *Haithabu* (Abb. 30) zum bedeutenden Handelsumschlagplatz zwischen Nord- und Ostsee. Der mächtige, bis zu 11 m hohe halbkreisförmige Stadtwall, der eine Fläche von 24 ha umschließt, dürfte im 10. Jh. erbaut sein. Eine halbkreisförmige, in das Wasser hineingebaute Seebefestigung schützte den Hafen. Solange die Handelsniederlassung noch unbefestigt war, werden sich die Bewohner auf eine Höhenkuppe neben dem heutigen Halbkreiswall, in die sogenannte Hochburg, zurückgezogen haben, von der noch schwache Reste vorhanden sind; dort liegen flache Hügelgräber der Wikingerzeit.

Die Dänen sicherten ihr Herrschaftsgebiet gegen Süden durch das *Danewerk*. Es reichte vom Ende der Schlei nach Westen bis an das Niederungs- und Flußsystem der Treene. Neuere Untersuchungen haben gezeigt, daß mit der Erbauung dieses größten Befestigungswerkes in Nordeuropa bereits vor der Mitte des 8. Jh. begonnen wurde. Ein Wallzug, der sog. Verbindungswall, stößt fast an den Halbkreis von Haithabu heran. Das Danewerk ist heute noch auf 13 km Länge erhalten. An diesem mächtigen Werk hat man über Jahrhunderte gebaut. In der zweiten Hälfte des 12. Jh. wurde es durch eine mehrere km lange, vorgesetzte Ziegelsteinmauer (Waldemarsmauer) verstärkt, von der noch ein Stück beim Orte Dannewerk zu besichtigen ist. Eine etwas weiter nach Süden vorgeschobene Verteidigungslinie, der sog. Kograben, erstreckte sich vom Südende des Selker Noores schnurgerade nach Westen herüber bis an die Niederungen der Rheider Au.

Ritterburgen: Die jahrhundertelangen wechselvollen Kämpfe zwischen Slawen und nordelbischen Sachsen endeten in der ersten Hälfte des 12. Jh. mit der Niederwerfung der Slawen. Bei der Neubesiedlung des Landes durch Bauernfamilien wurden vom holsteinischen Landesherrn alteingesessene holsteinische Adlige und landfremde Ritter im Kolonisationsgebiet mit Grundbesitz und besonderen Privilegien belehnt; sie waren Träger des Kampfes gegen die Slawen gewesen und übernahmen nun die Aufgabe, für Ruhe und Ordnung zu sorgen. Durch eine allmähliche Arrondierung ihres Streubesitzes und Erweiterung ihrer Privilegien erlangten sie im Laufe des Mittelalters eine bedeutende politische und wirtschaftliche Macht. Im Kolonisationsgebiet entstanden hunderte von Ritterburgen, von denen die meisten dem 13.–15. Jh. angehören. Man wählte für

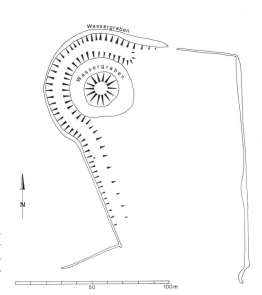

Turmhügelburg mit Ringgraben, Außenwall und einem wasserumschlossenen Platz für den Wirtschaftshof, 13./14. Jh. Fargemiel, Kreis Ostholstein, Ortsausgang nach Siggen

die Burg ein schwer zugängliches Sumpfgelände, Halbinseln, Inseln oder Plätze in Senken, die durch Anstau von Bächen die feindliche Annäherung erschwerten.

Die mittelalterlichen Adelsburgen unterscheiden sich gänzlich von den frühgeschichtlichen Ringwällen. Sie bestanden aus einer kreisrunden, kegelförmigen, mehrere Meter hohen künstlichen Erdaufschüttung, deren Plateau oft nur 10–15 m Durchmesser hatte (Motte). Darauf erhob sich ein runder oder viereckiger Wohnturm, der sog. Bergfried, der entweder aus Feld- oder Ziegelsteinen gemauert war oder auch nur aus Holz- und Fachwerk bestand. Ein 5–12 m breiter Wassergraben, meist aber auch noch ein Außenwall, umgab den Turmhügel*. Eine solche Burg war wirksam von wenigen Menschen zu verteidigen. Nicht selten ist dem Turmhügel eine tiefer liegende, fast ebenerdige rechteckige oder halbrunde, mit Wassergraben und Palisaden umgebene Vorburg angegliedert, auf der Wirtschaftsgebäude standen. Manchmal trifft man auf Zwillingshügel, die wahrscheinlich den Sinn hatten, daß sich die Verteidiger gegenseitig Feuerschutz geben konnten. Die bäuerliche Bevölkerung war den Burgherren, namentlich wenn diese auch die Gerichtbarkeit ausübten, zu mancherlei Dienstleistungen, insbesondere zum Bau und zur Instandsetzung der Burgen verpflichtet.

---

* Gut erhaltene Reste solcher Turmhügelburgen finden sich in Fargemiel, Kreis Ostholst. (13. Jh.), als ›Kaninchenberg‹ am Nordufer des Selenter Sees zwischen Fargau und Pratjau (vermutl. 14. Jh.), bei Tökendorf am Nordwestufer des Dobersdorfer Sees in der Probstei (14./15. Jh.), als ›Rikenbeke‹ an der Südseite des Ukleisees bei Eutin (13./14. Jh.), im Park des Gutes Hemmelmark bei Eckernförde (14./15. Jh.). Arnesfelde bei Ahrensburg als größte mittelalterliche Burganlage Holsteins (13.–16. Jh.) und Schönweide zwischen Plön und Lütjenburg (größte Burganlage Ostholsteins, vermutl. 13. Jh.) sind entsprechende Erweiterungen.

Seit dem Ende des 13. Jh. mehren sich die Berichte über die Beteiligung von Rittern am Straßenraub. Um die Mitte des 14. Jh. erreicht das Raubritterunwesen seinen Höhepunkt. Die Lübecker, die Hamburger und die Grafen von Holstein brennen wiederholt Raubritterfesten nieder. Die *Burg Linau* im Kreis Herzogtum Lauenburg war eine der größten. Überreste des mächtigen, aus Feldsteinen gebauten Rundturmes sind heute noch sichtbar. Trotz dem Einsatz von Belagerungsmaschinen konnte die starke Burg erst nach zwanzig Tagen eingenommen und zerstört werden.

Nicht nur im ostholsteinischen Kolonisationsgebiet finden sich die Adelssitze. In den Elbmarschen läßt sich ein Adel schon vor der Wende zum 12. Jh. nachweisen. Dort haben sich später aus den Rittersitzen die adligen Marschgüter gebildet. Ins Herzogtum Schleswig zieht der Adel ein, als die Schauenburger am Ende des 13. Jh. dort belehnt werden, zunächst in die menschenleeren Räume des Dänischen Wohld und Schwansen zwischen Eider und Schlei, später auch weiter gen Norden.

Im Laufe des 14. Jh. verschwinden viele der urkundlich überlieferten Adelsnamen, andere Familien gelangen durch Vergrößerung ihrer Ländereien und Ausweitung ihrer Wirtschaft zu großem Reichtum. Vielfach sind sie Nutznießer der bäuerlichen Landflucht und der in Europa wütenden Pest, die unzählige Opfer forderte und ganze Dörfer wüst werden ließ. Die Ländereien werden den Adelsbesitzungen zugeschlagen. Die wachsende Geltung einzelner ritterlicher Familien drückt sich auch im Ausbau der Burgen aus. Statt der kegelstumpfförmigen Turmburg werden im 14. und 15. Jh. häufig mehrere Meter hohe, quadratische Anlagen von 20–30 m Durchmesser bevorzugt, die außer dem Rundturm mehreren Gebäuden Platz bieten. Bei vielen Burgen wird die Vorburg erweitert. Oft erhält sie zwei oder drei weit vorgeschobene Außenwälle.

In der Zeit um 1500 werden viele Burgplätze verlegt, da sie im Niederungsgelände keine Ausdehnungsmöglichkeiten boten. An die Stelle des mehrgeschossigen Turmes tritt seit dem Ende des 15. Jh. das ein- oder zweigieblige, gelegentlich sogar dreigieblige Herrenhaus. Es hat das städtische Bürgerhaus zum Vorbild und ist zum Teil noch aus Fachwerk gebaut. Auf einer kleinen Insel oder einem eingerammten Pfahlrost stehend steigt das Gemäuer unmittelbar aus dem Wasser auf. Eine Zugbrücke verband das Gebäude über den jetzt sehr viel breiter gewordenen Graben mit dem vergrößerten Wirtschaftshof. Der Grundtypus war überall ähnlich, wie er in *Wahlstorf* am Lanker See zwischen Preetz und Plön noch zu erkennen ist. Man betrat die Anlage über eine Wendeltreppe des angebauten Turmes; die Tür lag aus Sicherheitsgründen häufig hoch. Neben einem mächtigen Rittersaal befanden sich wenige (drei) Zimmer, darüber die Frauengemächer.

Mit den befestigten Gutshöfen um 1500 ist das Endstadium einer mehrhundertjährigen Burgenentwicklung in Schleswig-Holstein erreicht. Wenngleich die meisten Herrenhäuser aus dieser Zeit Neubauten des 17.–19. Jh. gewichen sind und die zweiteilige Anlage durch Verfüllung des Trenngrabens zwischen Herrenhaus und Wirtschaftshof meist zugeschüttet ist, so hat sich doch in vielen Gutsanlagen Ostholsteins oder im Ostschleswigschen der Charakter der alten Wasserburg bis auf den heutigen

Tag bewahrt. Nicht selten trifft man irgendwo in der Feldmark oder gar im Gutspark noch auf die kleinere Vorgängeranlage aus dem 13.–14. Jh.

Herrenhäuser und Schlösser: Die Entwicklung von der mittelalterlichen Ritterburg zum Gutshof, von der Grundherrschaft zur Gutswirtschaft der Neuzeit vollzog sich im 16. Jh. Mit der Einführung des Schießpulvers in der Waffentechnik sowie der Aufstellung von Söldnertruppen war die Ritterzeit beendet. Die um die Wende zum 15. Jh. durch die enorme Bevölkerungsentwicklung einsetzende starke Nachfrage nach landwirtschaftlichen Produkten verhalf den Landbesitzern zu Reichtum; das ermöglichte ihnen, ihren Gutsbesitz durch Ankauf bedeutend zu vermehren, als mit Einführung der Reformation in größerem Umfang Land aus dem Besitz der Bistümer und Klöster in weltliche Hände überging. Zusätzlich entstanden aus altem geistlichen Besitz neue Güter wie Breitenburg, Bothkamp, Damp und Testorf. Die größeren Gutshöfe erforderten und erlaubten auch die Errichtung größerer Wohnbauten, die mit dem Namen Herrenhäuser nunmehr zu einem festen Begriff unserer geschichtlichen Gegenwart werden (Farbt. XXI; Abb. 72, 73, 93, 95, 97, 111).

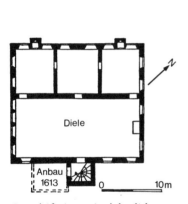

Grundriß eines mittelalterlichen
Herrenhauses (Wahlstorf)

Ansicht des Herrenhauses Hasselburg um 1590

»Das Herrenhaus ist kein isolierter Bau, sondern hat seinen festen Platz im Rahmen des Ganzen, es stellt eine Funktion des Gutsbetriebes dar. Es steht daher regelmäßig quer zum Hof mit seinen mächtigen Scheunen und Ställen, ihm gegenüber das Torhaus (Abb. 71, 92), das nachts verschlossen wird. Hinter dem Herrenhaus beginnt die private Sphäre, hier liegen die Gärten und Parks, die Alleen und Boskette.

Die große Zeit des Herrenhausbaues in Schleswig-Holstein beginnt erst mit dem 17. Jh. Sie hat praktisch bis zum Zweiten Weltkrieg hin Bestand gehabt. Die baugeschichtlich bemerkenswerten Häuser fallen fast alle in das 18. und in die ersten Jahrzehnte des 19. Jh. Was folgt, zeigt einen erschreckenden Verfall der Baugesinnung.

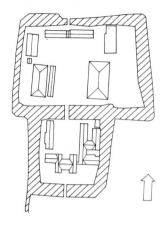

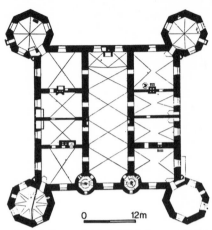

Lageplan des Gutes Damp mit Herrenhaus im Süden und Wirtschaftshof im Norden

Grundriß von Schloß Glücksburg, 1582/87

Das Repräsentationsbedürfnis noch des 19. Jh. ist verschwunden. Das alte patriarchalische Verhältnis des Gutsherrn zu seinen Leuten hat sich gelockert. Aus dem Landedelmann der alten Zeit ist der Leiter eines modernen technisierten Betriebes geworden. Dementsprechend wird sein Wohnbedürfnis heute besser in einem kleinen modernen Haus befriedigt als in den großen Herrenhäusern des ancien régime.

Während das Herrenhaus die Bezeichnung für den repräsentativen Bau des Gutsherrn auf dem Gutshof ist, gebührt die Bezeichnung Schloß nur dem landesherrlichen Bau (Abb. 74); es rechnen dazu die Bauten der eigentlichen Landesherren wie der Könige und Herzöge wie auch die Burg der Bischöfe und die festen Häuser der reichsunmittelbaren Städte Lübeck und Hamburg. – Von den in der Renaissancezeit errichteten größeren Häusern Ahrensburg bei Hamburg und Hoyerswort in Eiderstedt führt ersteres auch die Bezeichnung Schloß (Farbt. XX).

Vom früheren Bestand an Schlössern blieben nur übrig: Glücksburg (Abb. 74), Gottorf (Abb. 108) und das Schloß vor Husum im Herzogtum Schleswig, Plön, Eutin und Reinbek in Holstein. Daneben gibt es eine dritte Gruppe, das Palais in den Städten. Es sind Häuser, die sich aus der Menge der Bürgerhäuser durch Größe und Anlage herausheben.« (Nach Henning von Rumohr)

»Im Bilde unseres Landes und im Bewußtsein seiner Bürger spielen die Schlösser und Herrenhäuser eine erhebliche Rolle, obwohl sie nur etwa 3% des Denkmalbestandes ausmachen. Von den 142 verzeichneten Schlössern und Herrenhäusern sind 106 noch Gutsmittelpunkt oder Wohnsitz, 7 Museen, 6 sozial genutzt, 6 dienen dem Fremdenverkehr, 4 beherbergen Schulen oder Institute, 3 Antiquitätenausstellungen, 10 stehen leer bzw. harren einer neuen Nutzung.« (Beseler)

Kirchen und Klöster
Von Henning von Rumohr

Der Aufbau der Kirche in einem Missionsgebiet, wie es Schleswig-Holstein im Ausgang des vorigen Jahrtausend war, vollzog sich auch hier wie in anderen Ländern in drei Etappen: Am Anfang steht der Missionsbischof mit der Bischofskirche, es folgt als zweite Stufe die Einrichtung der Pfarrkirchen vorzugsweise auf dem Lande, erst am Schluß kommen die Stadtkirchen.

An Bauten aus den ersten Jahrhunderten der Christianisierung des Nordens ist nur sehr wenig erhalten. Von den sechs Kirchen, die auf Ansgar zurückgehen, sind drei auch in späterer Zeit Bischofskirchen gewesen, Hamburg, Schleswig und Ripen. Und bei den anderen drei, Meldorf (für Dithmarschen), Schenefeld (für den Holstengau) und Heiligenstedten (für das fränkische Kastell Esesfelde) ist es zumindest möglich, daß sie als Bischofskirchen, also als Sitze zukünftiger Sprengel, geplant waren. Aber an baulichen Resten sind nur geringfügige Teile erhalten, hier und da sind Fundamente ausgegraben, in Schenefeld hat man Reste vom Feldsteinbau des 9. Jh. aufgefunden. Von Pfarrkirchen kann in dieser Zeit keine Rede sein. Man behalf sich mit Tragaltären, die der Bischof auf seinen Missionsreisen mit sich führte, gelegentlich werden Bethäuser, sogenannte Oratorien, errichtet worden sein.

Wir besitzen in der Kirche von Olderup bei Husum ein einziges wohlerhaltenes Beispiel einer sehr alten Dorfkirche. Sie ist gegen Ende des 11. Jh. oder im Anfang des 12. Jh. erbaut worden und besteht nur aus den beiden architektonischen Baugliedern Schiff und Chor, während die späteren vollständigeren Pfarrkirchen im allgemeinen vier Teile haben, außer Chor und Schiff noch Apsis und Turm. Dabei ist häufig in Schleswig-Holstein, vor allem im Norden, der Brauch zu beobachten, den Turm als selbständiges Bauwerk (Campanile), meist aus Holz, getrennt neben der Kirche zu errichten. In Olderup ist der Durchgang zwischen Schiff und Chor ganz schmal, das legt die Vermutung nahe, daß der Chorraum in seiner Anlage ähnlich gestaltet ist wie die

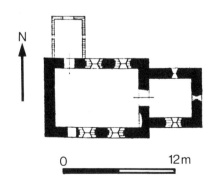

N

0   12m

Grundriß der Kirche in Olderup

Oratorien des 10. Jh., also ausschließlich dem Priester vorbehalten blieb. Auch in Olderup sind die Maße außerordentlich klein, der Chorraum mißt nur ca. 4 × 5 m, das Schiff 6½ × 10 m. Übrigens findet man in England und im gesamten normannischen Einflußbereich ähnliche Bauten.

Als im 12. Jh. der Kirchenbau im großen Stile einsetzte, stehen wieder die Bischofskirchen, die man von jetzt an als Dom bezeichnen kann, und die großen Stiftskirchen am Anfang der Epoche. Hierzu rechnen die Dome von Schleswig, Lübeck, Ratzeburg und Hamburg, auch die Stiftskirchen von Neumünster und Segeberg (Abb. 49; Farbt. XII, Abb. 38; Abb. 37; Abb. 40).

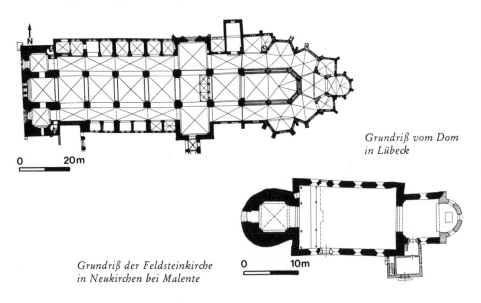

N

0   20m

*Grundriß vom Dom
in Lübeck*

*Grundriß der Feldsteinkirche
in Neukirchen bei Malente*

0   10m

Aber gleich anschließend beginnt die große Epoche des Kirchenbaues auf dem Lande. In dem Jahrhundert von etwa 1150 bis 1250 ist der Großteil unserer dörflichen Pfarrkirchen entstanden. Diese gewaltige Bauleistung kann man gar nicht hoch genug einschätzen: Was das bedeutet, in einem eben erst dem Christentum gewonnenen Land mit einer nicht leicht zu begeisternden Bevölkerung, mit mangelhaften Verkehrswegen, mit dürftigem Baumaterial eine solche Fülle von schönen Landkirchen zu schaffen. Gleichzeitig entstand eine dauerhafte Organisation, in sieben Jahrhunderten hat sich das System unserer Landkirchspiele kaum verändert, erst in jüngster Zeit erfolgten Aufteilungen der mittelalterlichen Kirchspiele. Als Baumaterial nahm man was sich bot.

Als der Dom von Ripen in rheinischem Tuff erbaut wurde und größere Importe von diesem hierzulande seltenen Baumaterial zu uns kamen, wurde eine Reihe von Dorfkirchen im Norden in diesem schönen, verhältnismäßig weichen und leicht zu bearbeitenden Stein errichtet. Wenn das Material nicht ausreichte, wie z. B. in Keitum auf Sylt, begnügte man sich mit teilweiser Verwendung von Tuff und setzte den Bau mit anderem Stein fort. Der einzige im Lande vorhandene Naturstein waren die Granitfindlinge, die man mühsam aus Feldern und Wäldern zum Bau kleiner Feldsteinkirchen zusammentrug (Farbt. XI). In Ostholstein entstanden daraus eine Reihe charakteristischer Kolonisationskirchen mit Rundtürmen. In Schleswig, seiner Umgebung und ver-

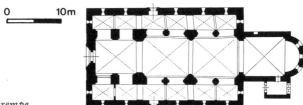

Grundriß der Kirche in Altenkrempe

einzelt an der Westküste wurden die Feldsteine zum Bau von Granitquaderkirchen von geschickten Steinmetzen sorgfältig nicht nur zu Quadern, sondern auch zu schlanken Säulen und reliefgezierten Portaldecksteinen geschlagen.

Der Mangel an Steinmaterial zwang schon früh zur Ziegelsteintechnik. Aus dem im Lande reichlich vorhandenen Lehm gebrannt, eröffnete der Backstein den Baumeistern den Weg zu bedeutenden künstlerischen Leistungen im Kirchenbau. Aus der Mitte des 12. Jh. sind schon Backsteinbauten romanischen Baustils in Oldenburg (ältester Ziegelbau), Segeberg, Ratzeburg und Lübeck nachweisbar. Eine besonders schöne Kirche ist die von Altenkrempe, deren Bau am Ende des 12. Jh. begann (Abb. 41, 42).

Einen bedeutenden Anstoß auf dem Gebiete des Kirchenbaues haben wir Lübeck zu verdanken. Seit der Mitte des 13. Jh. entstehen hier wahrhaft monumentale Hallenkirchen, St. Marien, St. Jakob, St. Petri (Farbt. XIII, XVII).

So ist das spätere 13. Jh. das Zeitalter, in dem die meisten großen Stadtkirchen und Klosterkirchen im strengen Stil der nordischen Backsteingotik gebaut worden sind, in den folgenden Jahrhunderten folgen einige nach.

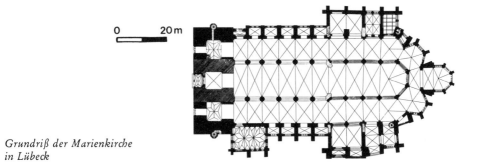

Grundriß der Marienkirche in Lübeck

Mit der Reformation setzt eine Stagnation des Kirchenbaues ein, die bis ins 18. Jh. hinein anhält. Im 16. Jh. werden, sehr bezeichnend für den Umschwung der Zeit, fast nur Schloßkapellen gebaut, in Sonderburg und Glücksburg, in Gottorf (Abb. 78) und Kiel, in Ahrensburg und Breitenburg. Erst das Barockzeitalter des 18. Jh. hat Schleswig-Holstein eine Reihe sehr schöner Kirchenbauten geschenkt, in Wesselburen, Altona, Uetersen, Rellingen (Abb. 106), Wilster und Kappeln. Im Anfang des 19. Jh. entstehen einige Bauten des strengen nordischen Klassizismus in Husum, Krempe und Neumünster. Was sich dann anschließt, steht unter dem Eindruck der verflachten Baugesinnung des späteren 19. Jh.

Vor ganz gewaltige Aufgaben sieht sich der Kirchenbau in der allerjüngsten Zeit gestellt. Das ungeheure Anschwellen der Bevölkerung infolge des Hineinströmens der Heimatvertriebenen aus dem deutschen Osten, die ständig fortschreitende Auflockerung der großen Städte, die Wiederherstellung der durch den Krieg zerstörten Kirchen, endlich die Auflösung der allzu großen Landkirchspiele in Ostholstein und auf dem Mittelrücken – dies alles hat zu einem Aufschwung des Kirchenbaues geführt, wie ihn unser Land seit 700 Jahren nicht mehr erlebt hat. Die schleswig-holsteinische Landeskirche hat in der Zeit von 1948 bis 1962 125 Kirchen und Kapellen erbaut (vgl. Abb. 114). An katholischen Kirchen und Kapellen sind in der gleichen Zeit in Schleswig-Holstein 64 Gotteshäuser neu erstanden.

Neben Dom und Kirche steht als weitere Gruppe das Kloster. Auch in Schleswig-Holstein haben die Klöster eine große Rolle gespielt. Ihre Anfänge gehen wahrscheinlich bis in die erste Hälfte des 11. Jh. zurück und hängen eng zusammen mit der Bildung der Domkapitel. Die eigentliche Zeit der Klostergründungen war um das Jahr 1200. Zwei große Gruppen sind zu unterscheiden: Auf der einen Seite die Herren- oder Feldklöster, die von den vornehmen Orden der Benediktiner und Cistercienser begründet, auf der anderen die Bettel- oder Stadtklöster, die in erster Linie von Dominikanern, den schwarzen Brüdern, oder von Franziskanern, den grauen Mönchen, gebildet werden. Die Gründungen der Klöster sind teilweise unmittelbar durch den Landesherrn, vor allem durch den frommen Grafen Adolf IV. von Schauenburg († 1261) (Abb. 44), erfolgt, teilweise durch Rittergeschlechter, teilweise unmittelbar durch die Orden. An bedeutenden Feldklöstern gab es im Norden drei: Lügum-Kloster, an der Stelle der heutigen Glücksburg das Rüde-Kloster sowie das St. Johanniskloster vor Schleswig. Im Holsteinischen Bordesholm und Cismar, Preetz (Abb. 50) und Itzehoe, dazu in und bei Hamburg die Klöster Harvestehude, Reinbek und Uetersen, endlich in Lübeck selber das St.-Johannis-Kloster und bei Lübeck das große Reinfeld. Außerdem gab es noch eine Reihe von kleineren Klöstern, die zu keiner Bedeutung gelangt sind. Noch bis kurz vor Beginn der Reformation hören wir von Klostergründungen. Erst im 15. Jh. wurde in Ahrensbök ein Karthäuserkloster gegründet.

Die meisten Feldklöster verschwanden mit dem Reformationszeitalter endgültig, ihr reicher Grundbesitz wurde zum größten Teile vom Landesherrn übernommen, ein Teil kam in die Hände der Ritterschaft. Die Klostergebäude wurden in der Regel abgetragen. Das Schloß Glücksburg (Abb. 74) wurde 1582 aus den Steinen des Rüdekloster erbaut, Reinfeld verschwand völlig, in Cismar, Bordesholm und Lügumkloster blieben wenigstens die Kirchen erhalten. Vier von den Feldklöstern wurden der schleswigholsteinischen Ritterschaft zur Versorgung ihrer unverheirateten Töchter überlassen, Itzehoe, Preetz, Uetersen und das St. Johanniskloster vor Schleswig. Soweit wir aus uns erhaltenen Nonnenregistern des Mittelalters ersehen, wurde damit nur ein Brauch fortgesetzt, der schon zur katholischen Zeit bestanden hatte. Das gleiche gilt für das Kloster in Harvestehude und das St. Johanniskloster in Lübeck: beide blieben auch nach der Reformation bestehen als Versorgungsanstalten für die Töchter der Bürgerschaft.

Bürgerhäuser, Tore und Rathäuser
Von Friedrich Stender

Der Kern der mittelalterlichen Stadtgründungen ist der Marktplatz. Er liegt auf einer markanten Stelle der abgegrenzten Siedlungsfläche, über deren größte Länge sich die Hauptstraße zieht. Diese bildet das Rückgrat der Stadtanlage und ist meist eingebunden in den großräumigen Verkehrszug der Landesstraßen. Der Markt ist angelehnt an diesen Straßenzug, wird aber nicht von ihm durchschnitten. Die Nebenstraßen laufen in einem gegliederten System rechtwinklig und parallel zur Hauptstraße.

Auf oder am Marktplatz liegt das *Rathaus* (Abb. 58), meist etwas abgesetzt davon in einem eigenen Bereich die *Kirche*. Beide Gebäude beherrschen durch Lage, Größe und Gestalt das mittelalterliche Stadtbild (Farbt. XVII). Ihnen deutlich untergeordnet umschließen die Bürgerhäuser den Markt und die Straßen. Neben dem Markt erlangt in mehreren unserer Städte ein zweiter Platz, die Schiffsbrücke, mit der Entwicklung des Handels eine besondere Bedeutung.

Wohl alle Städte im Lande besaßen seit ihrer Gründung – als Ergänzung von natürlichen Sicherungen (Insel oder Halbinsellage) – Umfriedungen aus Wällen, Palisadenwänden oder Mauern, die an ihren Eingängen durch *Tore* geschützt waren. Nur wenige dieser Verteidigungsanlagen waren aber so fest gebaut, daß sie starken Angriffen widerstehen konnten. Hierzu gehörten vor allem die Befestigungen von Lübeck, denen die Stadt es verdankt, daß sie während des Dreißigjährigen Krieges von unmittelbaren Belästigungen verschont blieb. Von den Haupttoren war das Burgtor 1444 erneuert und das Holstentor 1469–1478 nach dem Vorbild flandrischer Brückentore mit dicken runden Backsteinmauern neu errichtet worden (Umschlagrückseite).

In den meisten Städten dienten die vielfach nur aus Holz oder Holzfachwerk gebauten Tore vorwiegend dazu, unliebsames, umherziehendes Gesindel, besonders nachts, vom Stadtinnern fernzuhalten. Mit dem wachsenden Verkehr im 19. Jh. wurden die Tore immer mehr als Hindernisse angesehen und bis auf ganz wenige abgebrochen; heute sind nur noch die beiden Hauptore in Lübeck, das Nordertor in Flensburg (erbaut um 1595) (Farbt. XVIII) und das Kremper Tor in Neustadt (im Unterbau mittelalterlich) (Abb. 62) erhalten.

Die Gestaltung des *Bürgerhauses* in Grundriß, konstruktivem Aufbau und äußerer Wandbehandlung hat sich neben Lebensgewohnheiten aus den beruflichen Anforderungen der städtischen Bewohner ergeben, war beeinflußt durch das Klima (viel Regen und Wind, relativ kühle Sommer und milde Winter) und abhängig von dem im Lande vorhandenen Baumaterial: Holz, Lehm, Feld- und Backstein, Stroh und Reet.

Aber auch historische Entwicklungen haben auf die Gestaltung des Bürgerhauses eingewirkt. So sind durch die lange politische Verbindung mit Dänemark manche Formen zu erkennen, die ihren Ursprung in Skandinavien haben; durch die Zugehörigkeit zum Deutschen Reich entstanden im ganzen Land Einflüsse deutscher Bauweise. Besonders stark sind in Tönning, Friedrichstadt (Abb. 76) und Glückstadt (Abb. 90) die Einwirkungen der Holländer auf die Bauweise zu erkennen.

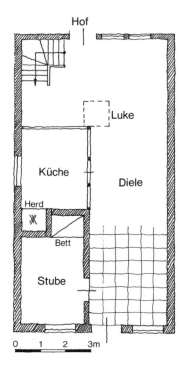

Grundtypus des Bürgerhauses in Schleswig-Holstein

Aus den ältesten überlieferten Beispielen des 16. Jahrhunderts ist erkennbar, daß die Grundform des Bürgerhauses in Schleswig-Holstein ein eingeschossiges Hallenhaus auf einer etwa rechtwinkligen Grundfläche war. Der Grundriß ist in der Regel schmal und liegt entsprechend dem Grundstücksschnitt mit seiner kürzeren Seite zur Straße bzw. zum Hof. Die Hausbreite schwankt zwischen etwas weniger als 6 m und fast 10 m. Nur in Ausnahmefällen wird die Breite von 10 m überschritten.

Von dem Gesamtraum des Hauses war vorn an der Straße eine schmale Stube abgetrennt, die als Wohnraum und als Schlafraum des Ehepaares und der jüngsten Kinder zu denken ist. Der restliche zweiseitig belichtete Raum, die Diele, hatte außer den Fensteröffnungen je einen Ausgang zur Straße und zum Hof. An der Rückwand der Stube lag in der Diele oder in einer abgetrennten Küche der offene Herd. Im hinteren Teil der Diele führten eine Wendeltreppe und Leitern zum Boden, der in mehrere Geschosse geteilt war. Eine durchgehende Deckenöffnung erlaubte das Aufwinden von Waren und Vorräten in den Dachraum.

Der große Dielenraum im Erdgeschoß, der ursprünglich vielleicht gar nicht unterteilt war, diente als Stapel- und Handelsraum des Kaufmanns, Werkstatt des Handwerkers und des Fischers; er war aber auch gleichzeitig Wirtschaftsraum für die Hausarbeit. Dieser Raum muß wohl auch in Wandbuchten die Schlafräume der größeren Söhne und Töchter sowie der Hausangestellten aufgenommen haben.

In mehreren Städten war die Diele auch Verkehrsraum für den Weg von Mensch und Tier zwischen der Straße und dem Hof; denn der Abstand der Häuser voneinander war – wenn überhaupt vorhanden – in der Regel so gering, daß er nur als Traufgang, Wasserrinne und ergänzende Lichtquelle dienen konnte. Stallungen und sonstige Nebenräume, darunter Aborte, befanden sich in besonderen Nebengebäuden auf dem Hof.

Die Entwicklung aller späteren Hausformen aus dieser Grundform geschah grundsätzlich in der Weise, daß das Erdgeschoß durch weitere Räume unterteilt wurde. Zusätzlicher Raum wurde zunächst durch Verlängerung im gleichen Querschnitt, später durch Anbau von schmalen Seitenflügeln gewonnen, wie es besonders ausgeprägt in Lübeck und Flensburg zu sehen ist. Die Anzahl der Räume wurde darüber hinaus durch den Ausbau des Dachgeschosses und durch weitere volle Geschosse vermehrt. Die Geschoßzahl blieb aber beschränkt. Drei oder gar vier Geschosse bilden – selbst in Lübeck – die Ausnahme, hinzu kommen aber oft drei bis vier Speichergeschosse unter dem steilen Dach. In den meisten Städten finden wir zweigeschossige Häuser nur in den Hauptstraßen in der Nähe des Marktes.

Bis ins 19. Jh. gab das Giebelhaus den Hauptstraßen unserer Städte das Gepräge, und zwar als reiner Steingiebel wie als Fachwerkgiebel. Aber weder die Traufstellung noch die Bauart – massiv oder Fachwerk – haben auf die räumliche Gestaltung des Bürgerhauses wesentlichen Einfluß gehabt.

Entscheidend für die Innenraumgestaltung beim größeren Bürgerhaus, vornehmlich dem Kaufmannshaus, ist die besonders hohe und zunächst auch großflächige Diele

(Abb. 101). Der Eingang, der in vielen Fällen auch die Einfahrt war, lag in der Mitte der Straßenfront. Die schmalen, seitlich abgetrennten Räume, die Stube, die Küche und später weitere Räume für Kontor und Wohnzwecke, brauchten die große Höhe nicht, die 5 und 6 m erreichen konnte. Im Gegenteil, zur Warmhaltung war eine geringe Höhe nur erwünscht. So entstanden im Laufe der Zeit neben der Längsseite der Diele und von vorn an der Straße mehrere kleinere Räume in zwei Stockwerken übereinander, die über Treppen und Galerien zugänglich waren. Belichtung und Belüftung erfolgten ebenfalls meist indirekt über die vorhandenen hohen Fenster, die Dielenlucht. Die Stuben über dem unterkellerten Teil lagen um einige Stufen über dem Dielenfußboden; so entstand mit den unterschiedlichen Höhen, den verschiedenen Raumgrößen und den mancherlei Treppen ein lebendiges Raumgefüge, wie wir es noch in mehreren Häusern in Lübeck erleben können.

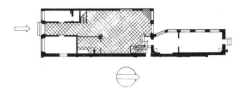

Erdgeschoß-Grundriß des Schabbelhauses in Lübeck, Mengstraße 48

Die Vielgestaltigkeit wurde noch durch Erker in den Räumen zur Straße, die ›Utluchten‹, erhöht sowie durch die seitlichen Anbauten im Hof, die bei größeren Häusern nicht selten prachtvolle Festräume enthielten. Die weitere Entwicklung des Raumgefüges ist gekennzeichnet durch das Aufgeben des großen Dielenraumes und die Angleichung der Geschosse in der Höhe. In Lübeck wurden die langgestreckten Hofräume auch mit niedrigen Traufenhäusern bebaut, um die einzige noch verfügbare Baufläche innerhalb der Stadtmauern zu nutzen. Hier entstanden sehr kleine Wohnungen für die ärmeren Bevölkerungsschichten der Stadt. Einige dieser Wohnhöfe beherbergten Stifte für ältere Menschen und stellen noch heute, dort wo sie gepflegt wurden, eine reizvolle Wohnform in ruhiger Lage inmitten der Großstadt dar (Abb. 98, 99).

Die ältesten Häuser sind wohl ausschließlich in Fachwerk errichtet worden. Bis zum Ende des 18. Jh. blieb der reine Steinbau in den meisten Teilen des Landes die Ausnahme. Vielfach wurden nur die Straßenfronten massiv hochgemauert und die Seiten- und Rückwände blieben Fachwerk. Der reichliche Waldbestand im Süden und an der Ostseite des Landes lieferte das naheliegende und daher billige Baumaterial. Die einzelnen Gefache wurden mit Staken, Strohwickeln und Flechtwerk geschlossen und mit Lehm und Kalkmörtel verstrichen.

Der konstruktive Aufbau und der Formenreichtum im bürgerlichen Fachwerkbau Schleswig-Holsteins erreicht wohl nicht die Höhe wie z. B. in Braunschweig, Goslar oder Celle. Aber einzelne noch stehende Beispiele in Lauenburg, Lütjenburg, Mölln und Rendsburg zeigen die hohe Qualität der Schnitzkunst unseres Landes. Besonders hervorzuheben ist das Schnitzwerk der Knaggen. Die vollen Fußstreben der Ständer in den einzelnen Geschossen mit Verzierungen aus Halbrosetten oder Palmetten finden wir während des 16. und 17. Jh. von Lauenburg bis Flensburg.

Durch die Verwendung von gebrannten kleinformatigen Ziegeln wird die Wirkung des Ornamentalen, das auch in der Wiederkehr gleich großer Gefache liegt, wesentlich unterstrichen und gibt dem Fachwerk in Schleswig-Holstein eine besondere Note. Dabei sind die oft symbolhaften Muster der Ausmauerung von großer Schönheit.

Leider sind im ganzen Land nur noch geringe Reste des einstigen Fachwerkhauses erhalten geblieben. Wesentlicher Grund dafür ist das feuchte Klima, das das Holz schneller zerstört als in anderen Landschaften. Ein anderer Grund ist auch die größere Feuersgefahr, die ein Fachwerkbau gegenüber einem Massivbau darstellt. Die Stadt Lübeck hat aus diesem Grunde schon am Ende des 13. Jh. die Verwendung von Holz in allen Außenwänden verboten, nachdem Flächenbrände große Teile der damals jungen Stadt zerstört hatten. Darum sind auch in Lübeck, trotz der Zerstörungen im Zweiten Weltkrieg, zahlreiche Einzelbauten und ganze Straßenzüge aus dem 15. und 16. Jh. erhalten. Dagegen müssen wir in anderen Städten des Landes und auch in Hamburg nach Bauten dieser Zeit suchen.

Eine zweite Stadt des Landes, die seit ihrer Gründung (1621) nur den Massivbau kennt, ist Friedrichstadt an der unteren Eider. Sie ist eine Holländersiedlung, die sowohl in der Anlage als auch in der Konstruktion und Formgebung des einzelnen Hauses eine Ausnahme in Schleswig-Holstein darstellt (Abb. 76).

Fachwerkwohnhaus in Mölln, Markt 2,
von 1582, heute Museum

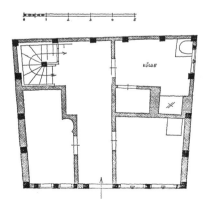

In diesem Zusammenhang muß auf eine andere Besonderheit in Material und Gestaltung an der Westküste hingewiesen werden: die Fachwerkbauten um die Wende des 16. Jh. mit schwerem massivem Giebel. Beispiele stehen noch in Wilster, Meldorf, Wöhrden und Husum. Über Herkunft und Bedeutung dieser eigentümlichen kopflastigen Giebel ist viel gerätselt worden. Wir vermuten hinter ihnen nur Speicherräume, in denen besonders wertvolle Güter aufbewahrt wurden.

Bei der Frage nach der Einbindung des Bürgerhauses in das Straßen- und Stadtbild können wir uns besonders auf das überragende Beispiel Lübeck beziehen. Die großzügige Gliederung des alten Stadtgrundrisses, die Aufgliederung in Baublöcke und wieder in fast gleich große Grundstücke hat sich bis in unsere Zeit erhalten. Die Straßen des Stadtkerns, die heute Gebäude aus fünf Jahrhunderten enthalten, bilden großenteils noch ein einheitliches Bild, bei dem Alt und Neu sich gut aneinander fügt. Trotz der verschiedenen Stilformen ist die Einheit des Maßstabes gewahrt worden. Auch als der für die Gotik und Renaissance so bekannte Lübecker Treppengiebel im 17. Jh. vom barocken Volutengiebel verdrängt wurde, bleibt doch immer noch die Vertikale das beherrschende Gestaltungselement. Der Zauber der alten Lübecker Bürgerhausfassaden liegt in ihrer zweckbetonten und eindrucksvollen Gliederung der Baumassen und der materialgerechten Behandlung des Baustoffs, der fast ausschließlich der Backstein war. In bescheidenerem Maße gilt das für Lübeck Gesagte auch für die übrigen kleineren Städte des Landes.

Die schönsten baulichen Leistungen des Bürgertums stellen die *Rathäuser* dar. Neben den Kirchen bilden sie oft die entscheidenen Akzente im Stadtbild. Das hervorragende Beispiel dafür ist das Rathaus in Lübeck (Farbt. XVII). Aber auch Städte wie Eckernförde, Rendsburg, Mölln oder Krempe (Abb. 58) und Wilster in den Marschgebieten an der Unterelbe besitzen noch stattliche alte Rathäuser, in denen der einstige Reichtum und das Ansehen der Bürgerschaft deutlich werden. In anderen Städten mußten die alten Häuser Neubauten weichen.

Die Rathäuser waren ursprünglich, bei Gründung der Städte, in erster Linie Mittelpunkt des Handels. Sie standen immer am, oft aber auch mitten auf dem Markt. Handwerker und Kaufleute hatten unter den offenen Rathauslauben ihre Verkaufsstände. Das Rathaus war aber auch gleichzeitig Gerichtsgebäude und diente als Versammlungsraum für festliche Veranstaltungen der Bürgerschaft. Diesen verschiedenen Aufgaben gegenüber spielte die Verwaltung der Stadt bis gegen Ende des 19. Jh. eine untergeordnete Rolle.

Nachdem es jetzt mehr und mehr gelingt, den Fahrverkehr aus den Geschäftsstraßen zu verbannen – das erste Beispiel dafür in der Bundesrepublik schuf die Stadt Kiel –, ist es wieder möglich, ohne Lebensgefahr die Hausfassaden zu betrachten und etwas von dem zu erkennen, was Bauherren und Architekten früher an Sorgfalt und Liebe beim Bau ihrer Häuser im Überfluß verwendet haben.

Bauernhäuser im Lande und im Freilichtmuseum

Wenn auch ihre Anzahl schrumpft und der Zustand nicht immer der beste ist, alte Bauernhäuser mit Stroh- oder Reetdach gehören noch zum Bild der schleswig-holsteinischen Landschaft (Farbt. XXIII). Vielfältige Arten machen es schon dem Kenner schwer, die Unterschiede der Bautypen zu erkennen, zumal die Übergänge oft fließen oder verwischt sind und sich der Entwicklungsgang nicht leicht verfolgen läßt.

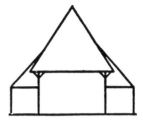

Das Dachgerüst des niedersächsischen Bauernhauses ruht auf den Ständern

Seit alten Zeiten leben Mensch und Vieh unter einem Dach, das ist ein Kennzeichen der alten Haustypen hierzulande. Vorherrschend ist im südlichen Teil des Landes das Niedersachsenhaus, heute meist niederdeutsches Hallenhaus genannt. Es steht mit der Giebelseite und der dort befindlichen Einfahrt zur Straße hin. Das Dachgerüst mit seinen Sparren ruht auf zwei Reihen Ständer, die im Inneren des Hauses parallel zueinander stehen und durch Querbalken verbunden sind. Auf dem Gebälk lagern Erntevorräte und Viehfutter. Das Haus ist in der Längsachse dreigeteilt in die ›Deel‹ (Diele) mit den daneben liegenden Abseiten für das Vieh. Beim Durchfahrtshaus (mit hinterer Ausfahrt) liegen auch alle Wohnräume abseits, sofern nicht ein gesonderter Querbau existiert. Sonst befinden sich im hinteren Teil der Diele das die ganze Hausbreite ein-

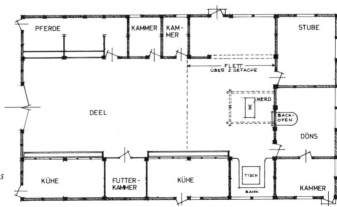

Grundriß des niedersächsischen Hallenhauses am Beispiel des Pfarrhauses von Grube

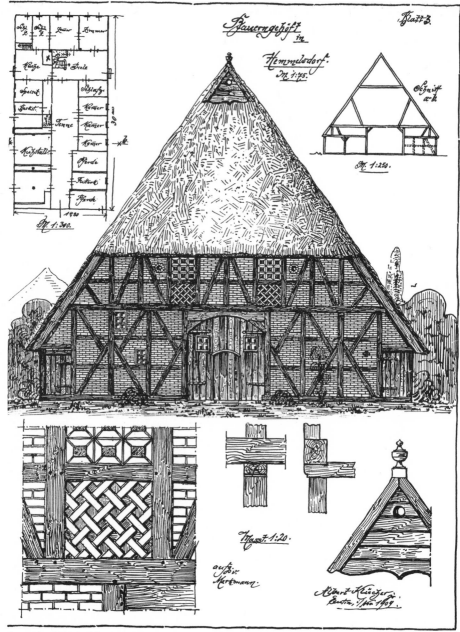

Bauaufnahme. Zeichnung eines Bauernhauses in Hemmelsdorf, 1909

nehmende ›Flett‹ mit der Herdstätte, Sitz- und Schlafstellen und als Abschluß zur hinteren Giebelwand hin Kammern und Stuben. Der Rauch zieht vom Herd ohne Schornstein durch den Dachraum ab und räuchert zugleich dort hängende Wurst, Schinken und Speckseiten. Durch einen ›Bilegerofen‹ kann ein Wohnraum (Döns) vom Herd aus geheizt werden. Auf dem lehmgestampften Fußboden der Deel, der Tenne wurde das Getreide mit dem Flegel gedroschen, von hier aus auch das Vieh gefüttert. Das Flett ist gepflastert oder geklinkert, die Stuben und Kammern sind häufig holzgedielt. Die Wände bestehen oder bestanden aus Holzbohlen, Lehm oder seit dem 18. Jh. aus Backstein.

Vom Flett aus kann man durch Seitentüren ins Freie gelangen, in den Garten, zum Brunnen (Soot) oder Backhaus.

Das Reet- oder Strohdach hält im Sommer die Hitze ab und wärmt im Winter; es ist an den Seiten weit herabgezogen, an der Einfahrtsseite mehr oder weniger abgewalmt oder als Steilgiebel ausgebildet.

Scheunen und abgesonderte Ställe sind Erweiterungen der Hofanlagen. Für die Einlagerung des Getreides wurden mancherorts besondere Speicher entwickelt. Kleinere Ausführungen des Niedersachsenhauses sind die Katen; sie dienten als Wohnung und Werkstatt für Dorfangehörige (Kätner), die durch handwerkliche Tätigkeiten, als Hilfskräfte auf nahen Höfen oder Gütern, ihr Brot verdienten (Fig. S. 124).

Anders aufgebaut als das Hallenhaus ist das Gulfhaus, in Eiderstedt als Haubarg bekannt (Umschlagvorderseite), in den Elbmarschen als Barghus. Es hat mitten im Haus den ›Vierkant‹ oder Gulf als eine von vier riesigen Ständern umgebene Fläche, auf der Getreide, Stroh oder Heu erdlastig bis unter das hohe Dach gestapelt werden kann. Das Dach ruht pyramidenartig auf den hohen Ständern. Wohnräume im Vorderteil und Stallungen im hinteren Teil gruppieren sich um den Vierkant. Die Einfahrt zur Tenne (Loh) liegt seitlich; von der Loh aus kann die Ernte im Vierkant aufgestapelt werden. Dieser Bautyp mit großer Lagermöglichkeit ist seit dem 16. Jh. durch die aufblühende Getreide- und Viehwirtschaft erforderlich geworden und von West- und Ostfriesland her ins Land gekommen. In Eiderstedt gab es über vierhundert Haubarge; heute zeigen sich nur noch wenige Beispiele dieser großartigsten Bauernhausform der Welt unversehrt.

In Nordfriesland gibt es nördlich von Husum weder auf dem Festland noch im Inselreich, bis auf eine Ausnahme, solche Großbauten, sondern langgestreckte Häuser, die in Westostlage schmalseitig die häufigen Westwinde abfangen sollen. Es sind Gerüstbauten, bei denen das Dach auf Ständern ruht. Wenn die niedrigen Außenwände einer hohen Flut nicht standhalten, bleibt das Haus trotzdem stehen.

Auch auf der schleswiger Geest sind die der Landschaft eigenen Häuser schmale Bauten. Auf einer Längsseite sind die Wohnräume, jenseits der in der Mitte befindlichen Tenne die Wirtschaftsräume. Bei größerem Raumbedarf erstrecken sich die Gebäude in die Länge oder rechtwinklig als Querbau. In den beiden letzten Jahrhun-

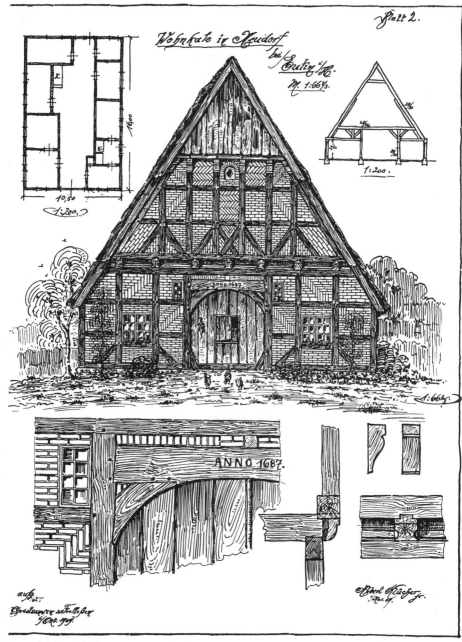

Bauaufnahme. Zeichnung einer Wohnkate in Neudorf bei Eutin, 1909

ten sind an vielen Orten beiderseits neben zurückgesetzten Wohnhäusern Wirtschaftsgebäude als seitliche Bauten oder Seitenflügel entstanden.

Den älteren schleswig-holsteinischen Häusern ist eigen, daß sie zwei verschiedene Wohnraumtypen aufweisen: die seit dem 16. Jh. ins flache Land vordringende beheizbare Wohnstube (Döns) und den unbeheizbaren Pesel, in den Elbmarschen als Sommerstube oftmals in An- oder Umbauten eingerichtet. Die Döns hat bis an die Decke reichende holzgetäfelte Innenwände, in die häufig Schränke und Betten eingearbeitet worden sind, um den eigentlichen Wohnraum zwecks Heizungseinsparung möglichst klein zu halten. Der Pesel dient sowohl als Festraum wie auch als Standplatz von Truhen und Schränken zur Aufbewahrung von kostbarem Hausrat, so wie es vielfach heute noch auf den Eingangsdielen der Häuser üblich ist. Die nach außen liegenden Innenwände der Stuben wurden gerne gekachelt; viele Kacheln kamen auf dem Seewege aus Holland. Nur wenige deutsche Landschaften weisen oder wiesen in ihren Bauernhäusern einen solchen Reichtum an prächtigen Innenräumen auf wie Schleswig-Holstein (Farbt. XXII; Abb. 105).

Die neuzeitlichen Wirtschaftsmethoden, Aufsiedlung von größeren Höfen sowie Neubauten haben zu wesentlichen Änderungen der Bauweise und zu einem Verwischen landschaftlicher Unterschiede geführt. Das Schleswig-Holsteinische Freilichtmuseum in Molfsee bei Kiel stellt in einem umfassenden Überblick das ländliche Bauen, Wohnen und Wirtschaften aller Landschaften Schleswig-Holsteins dar. Nach einem festen Plan sind hier unter Leitung von Prof. Alfred Kamphausen seit 1961 über fünfzig Objekte aus dem gesamten Lande zusammengetragen und wiederaufgebaut worden. Die bunte Mannigfaltigkeit des Landes zwischen Elbe und Königsau wird von jedem Besucher

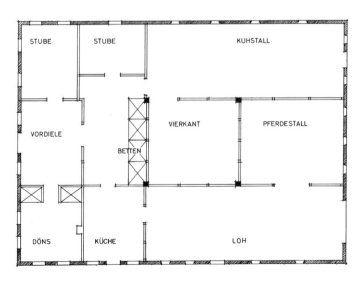

Grundriß eines Gulfhauses (Haubarg)

unmittelbar erlebt. Besonders eindrucksvoll sind der dithmarscher Hof Schmielau von 1781, der Heydenreichsche Hof von 1697 aus Herzhorn bei Glückstadt (Abb. 107), die beiden uthlandfriesischen Häuser, das Bauernhaus aus Klockries von 1634, und das Haus des Walfängers Lorens de Hahn aus Westerland von 1699. Das älteste in der Parade der Bauernhäuser ist das Pfarrhaus aus Grube von 1569 (Abb. 66, 69), das jüngste das ansprechende Bordesholmer Haus von 1845. In den Katen ländlicher Handwerker werden noch alte Handwerksarten ausgeübt, im alten Backofen Brot gebacken. In der alten Meierei aus Voldewraa (Angeln) wird ein wohlmundender Büttenkäse gefertigt. Die Mühlen drehen sich im Wind, sowohl die alte vierkantige Bockmühle von 1766 als auch die schwungvolle Holländermühle von 1865, und wenn der Wind ausbleibt, dann kann die herzoglich-gottorfische Erbpachtmühle aus Rurup von 1788 als Wassermühle zeigen, wie zwischen den schweren Mahlsteinen Korn zu Mehl wird (Abb. 110). Das Museum zeigt auch die Einrichtung der Häuser in Küchen und Stuben, es kann dreißig landschaftlich verschiedene Stubenpaneele vorführen; kein zweites deutsches Museum hat einen solchen Schatz.

Man richte sich beim Besuch auf einige Stunden ein, eine Gaststätte in einem prächtigen Bauernhaus der Elbmarschen von 1794 lädt zu einer Pause ein. Kinder finden ihr Vergnügen auf dem Dorfjahrmarkt inmitten des Freilichtmuseums, und wer Stille sucht, findet sie in dem anrainenden Forst, wo er Damhirsche, Rehe, Schwarzwild antreffen kann.

Informationen erhält man am Eingang im Torhaus von 1770, das einst als Zugang zum Gut Deutsch-Nienhof geplant war, dessen Bau dort aber nicht zur Ausführung kam.

Das Museum ist vom 1. April bis 15. November täglich außer montags geöffnet, im Winter nur an Sonntagen. (Tel. 04 31 / 6 55 55) Anschrift: 2300 Rammsee, Post Kiel 1.

Kunst und Kunsthandwerk

Vom Mittelalter bis in die neue Zeit
Von Paul Zubek

Nach unserer heutigen Kenntnis beginnt die im eigentlichen Sinne historische Kunstgeschichte Schleswig-Holsteins mit der Ausstattung der ersten steinernen Kirchen im 12. und 13. Jahrhundert (Abb. 32–36). Solche Bestände und dazu Bauplastik (Schleswig, Dom; Satrup) haben sich vielerorts erhalten. Werkstoff war vor allem Granit, der sich in Form von Findlingen in der Moränenlandschaft der Ostküste überall antreffen ließ. Er diente zur Form zahlreicher Taufsteine (z. B. Hürup, Munkbrarup). Dazu kommen solche aus gotländischem Kalkstein. Zwei der besten Beispiele, Werke des gotländischen Meisters Calcarius, befinden sich in Eckernförde-Borby und in Satrup. Das südwestliche Altsiedelgebiet dagegen bevorzugte bereits im 12./13. Jahrhundert aus Bronze gegossene Taufen, wie die Beispiele vor allem in Dithmarschen (Büsum, Delve) erweisen.

Skulpturen aus dem landesüblichen Eichenholz sind vor allem die Triumphkreuzgruppen (Nordhackstedt, Rieseby, Süsel). Den reichsten Bestand an Bildwelt und Ornamentik zeigen die Hüruper Passionsreliefs, die ehemals als Bekleidung der Chorschranke dienten (Abb. 48). Alle diese Werke gehören einem eher nordischen Kunstkreis an, während Skulpturen wie die Viöler Madonna (Städt. Museum Flensburg) und die Figuren des Dreikönigschreines im Schleswiger Dom bereits von der Kathedralplastik Frankreichs beeinflußt sind.

Ein mannigfaltiges Bild bietet die Plastik des 14. und 15. Jahrhunderts. Zentren waren wohl Hamburg und Lübeck, aber auch in den Städten des Landes werden Werkstätten tätig gewesen sein. Bezeichnenderweise sind Schnitzwerke des 14. Jahrhunderts relativ selten, weil die gerade vollendete Ausstattung der Kirchen vorerst genügte. Wohl das eigenartigste Beispiel ist das Retabel in der damals gerade erbauten Klosterkirche Cismar, um 1310–1320 (Farbt. XV). Dem späten 14. Jahrhundert gehören der Landkirchener Altar (Landesmuseum), eine um 1380 zu datierende, aus dem Umkreis Bertrams von Minden stammende Arbeit, und der Altar in Petersdorf an, den man als den besten nach dem Hamburger Petrikirchen-Altar (Kunsthalle Hamburg) im hansischen Raum bezeichnet hat. Importe sind dagegen die Alabasterreliefs aus Groß-Grönau, wohl in einer englischen Werkstatt zu Ende des 14. Jahrhunderts entstanden, und der Schwabstedter Altar, ein Werk des Meisters von Rimini, der allerdings schon dem 15. Jahrhundert angehört (beide im Landesmuseum).

Mit dem Beginn des 15. Jahrhunderts wird der Einfluß von lübischen Werken immer stärker, wobei man den Altar mit flachem oberen Abschluß – ohne Gesprenge – bevorzugte. In dem Schrein finden sich dann neben den szenischen Reliefs aufgereiht Heiligenfiguren unter Baldachinen. Ein schönes Beispiel dafür bietet der Altar in Haddeby (zweites Viertel 15. Jh.). Um die Mitte des Jahrhunderts bahnt sich dann ein Wandel an, sowohl, was die Ikonographie, als auch, was die Form betrifft. Jetzt nimmt die Darstellung der Kreuzigung den Mittelteil ein, während die Apostel oder Szenen aus dem Leben Jesu auf die Flügel verdrängt werden. Die Form für solche vielfigurigen Szenen ist naturgemäß das Relief, und in der Tat ist es bis ins 16. Jahrhundert hinein die dominierende Form geblieben (Mildstedt, Ostenfeld, Neukirchener Altar im Landesmuseum).

Am Vorabend der Reformation zu Anfang des 16. Jahrhunderts ist dann noch eine Fülle von Altarwerken entstanden (Marienkirche, Bad Segeberg, um 1515; Schwabstedt, um 1515; Haselau, im Landesmuseum). Das Werk eines Künstlers, Hans Brüggemann, aber überstrahlt alle anderen im Lande und weit darüber hinaus. Der Name dieses in Husum tätigen Meisters und seine Kunst sind auch in den folgenden Jahrhunderten, denen sonst solche Werke fremd geworden waren, niemals in Vergessenheit geraten. Sein Hauptwerk ist der 1521 vollendete Bordesholmer Altar, der 1666 aus der Stiftskirche in den Schleswiger Dom gebracht wurde (Abb. 57).

Der Altar beeindruckt allein durch seine äußeren Maße; mit einer Höhe von 12,60 m und mit seinen fast vierhundert Figuren ist er der größte Schnitzaltar seiner Zeit, der in Deutschland erhalten ist. Seine Figuren haben niemals eine Fassung getragen; nur so konnten alle Feinheiten der Schnitzerei sichtbar werden. In achtzehn Feldern ist die Passion geschildert, begleitet noch von einem umfangreichen Beiprogramm. Neben dem Sakramentshaus in der ehemaligen Husumer Marienkirche, das bis auf wenige Figuren verloren ging, seien noch zwei Großplastiken seiner Hand erwähnt: Die St.-Jürgen-Gruppe aus Husum, heute in Kopenhagen, und der Christophorus im Schleswiger Dom.

Trotz den bedeutenden Malerwerkstätten wie der eines Bertram von Minden und eines Meister Franckes in Hamburg oder eines Bernd Notke in Lübeck (Abb. 53) haben sich Zeugnisse mittelalterlicher Malerei nur sehr wenige erhalten. Erwähnt seien als Zeugnis der Glasmalerei das Chorfenster der Kirche von Breitenfelde (Mitte 13. Jh.), dem sich neuerdings ein z. T. rekonstruiertes aus Sieverstedt (im Landesmuseum) hinzugesellt. Das älteste Tafelbild in Schleswig-Holstein ist wohl das Antependium in Rieseby, zugleich ein qualitätsvolles Stück Schnitzerei. Auch Proben von Wandmalerei haben sich in manchen Kirchen erhalten, ohne doch an die des nördlichen Nachbar-

II   Wasserschöpfmühle in der Wilster Marsch

Rapsfeld in Holstein

V   Blick auf den Großen Plöner See ▷

Steilküste an der Ostsee

VI   Im Innern eines Großsteingrabes, ›Räuberhöhle‹ bei Idstedt, ca. 4000 Jahre alt

VIII   Bronzezeitlicher Goldschmuck. Goldene Sonnenscheibe aus Glüsing/Dithmarschen
Goldschale aus Gönnebek/Krs. Segeberg.   Goldschalen aus Albersdorf/Dithmarschen, 1200–750 v. Chr.

VII   Wildpferdkopf auf Bernsteinscheibe, Amulett eines altsteinzeitlichen Jägers, um 12000 v. Chr., Meiendo

IX Goldring der Wikingerzeit aus Sörup / Angeln, um 1000 n. Chr.

X Goldscheibe aus dem Thorsberg-Fund, 3. Jahrhundert n. Chr.

Feldsteinkirche in Neukirchen bei Malente

XII   Blick auf den Dom am Mühlenteich in Lübeck

XIII   Burgtor, Marienkirche (rechts) und St. Jacobikirche

XIV   Blick von Osten auf Lübeck ▷

XV   Schreinaltar der Klosterkirche Cismar, um 1320

XVI   Passionsaltar von Hans Memling aus dem Dom in Lübeck, jetzt St. Annen-Museum, 1491

XVII   Rathaus und Marienkirche in Lübeck

VIII   Nordertor in Flensburg

XIX   Ostseestrand ▷

XXII   Pesel aus Morsum/Sylt im Städt. Museum Flensburg, 18. Jh.

XXVI   Abend über dem Louisenkoog (Nordfriesland)

landes nach Zahl und Qualität heranzureichen. An spätgotischer Tafelmalerei seien nur die beiden Flügel in Nieblum von 1487 (Abb. 54), der 1460 datierte Erzväteraltar in der Kieler Nikolaikirche und – als qualitätvollstes Werk – der Hüttener Altar von 1517 (Städt. Museum Flensburg) aufgeführt.

Aus dem profanen Bereich seien nur zwei Typen von Möbeln behandelt, die seit dem Mittelalter z. T. bis weit in das 19. Jahrhundert in immer neuen Formen zur Hauseinrichtung gehörten.

Die Truhen, zur Verwahrung von Kleidung und Wäsche dienend, treten uns in großer Mannigfaltigkeit nach Konstruktion und bildlichem und ornamentalen Dekor entgegen (Abb. 70, 82). Neben den altertümlichen Stollentruhen, die sich aber in manchen Gegenden – so in den Vierlanden – bis in das 19. Jh. hinein gehalten haben, ist als weitaus wichtigster anderer Typ die Truhe mit einer vorgeblendeten Vorderfront aus Rahmungen und geschnitzten Füllungen zu nennen. Hervorragende Beispiele sind im späten 16. und in der ersten Hälfte des 17. Jh. in den Werkstätten der führenden Meister wie etwa Ringering, Gudewert und Heitmann entstanden. Um 1650 treten dann in vornehmen Haushalten die Lübecker oder Hamburger Schapps, riesige Kleiderschränke, an ihre Stelle, wobei die Bezeichnung eher einen Typ als eine Herkunft benennt. Auf dem Lande blieb man der Truhe treu. Gerade das 18. Jahrhundert ist durch eine ungewöhnlich reiche und nach Landschaft unterschiedliche Herstellung gekennzeichnet.

Der zweite Typ ist die Schenkschive (Schenkscheibe = Ausschenkplattte), die zur Aufbewahrung von Trinkgeräten diente (Abb. 80). Typisch für diese Art Schrank ist eine Tür oder Klappe in der Mitte der Vorderfront. Er ist wohl im 15. Jh. aufgekommen und bis in das 17. hinein der vorherrschende geblieben. Abgelöst wird er durch den holländischen Zweiflügelschrank. Als besonders schöne Beispiele seien nur die Schenkschive von 1546 aus Meldorf und der Susannenschrank, um 1580, genannt (im Landesmuseum) (Abb. 81).

Der Kunst der Bronze- und Gelbgießer entstammen die Taufen, von denen sich weit über dreißig in Kirchen des Landes erhalten haben. Neben den bereits erwähnten des 12. und 13. Jh. steht für das 14. die in der Kieler Nikolaikirche von 1344, ein Werk des Lübecker Meisters Johann Apengeter, und für das 15. die Arbeiten der Familie Klinghe (Marienkirche, Bad Segeberg, 1447; Alte Kirche, Pellworm, 1475; Schleswiger Dom, 1480). Die Reformation hat übrigens dieses Schaffen keineswegs unterbrochen; erst um 1650 bricht die Tradition ab, wenn man von Ausnahmen absieht.

An anderen Werken des Bronzegusses sollen hier die beiden siebenarmigen Leuchter in St. Nikolai, Mölln (1436) und in der Eutiner Michaeliskirche (1444) jedenfalls Erwähnung finden. Kleinere Stücke, seien es kirchliche wie Standleuchter, Aquamanile und Weihrauchgefäße oder profane wie Grapen, Mörser und Meßgefäße wird man am besten in den Museen des Landes studieren können. Das gleiche gilt naturgemäß vor allem auch für die Werke der Goldschmiedekunst.

Eines Werkes des Bronzegusses muß aber noch besonders gedacht werden; es ist das Grabmal der Herzogin Anna von Schleswig-Holstein-Gottorf († 1514) in der ehemaligen Klosterkirche Bordesholm. Auf der Tumba sind die Herzogin und der Herzog als Liegefiguren dargestellt. Das Grabmal ist das bedeutendste seiner Art und Zeit im Lande.

Der Herzog überlebte seine Gemahlin um neunzehn Jahre und fand als König Friedrich I. von Dänemark sein zweites Grabmal im Schleswiger Dom. Gehört das der Herzogin in Bordesholm noch der Spätgotik an, so ist das des Herzog-Königs bereits ein Werk der hohen Renaissance, geschaffen 1551–1555 von dem berühmten Antwerpener Bildhauer Cornelis Floris, der auch sonst viele Aufträge im Ostseegebiet erhielt. Das Grabmal in Schleswig ist freilich das bedeutendste, nicht nur im Land, sondern in ganz Nordeuropa.

Aber nicht nur fürstlichen Personen standen im Zeitalter der Verherrlichung der Einzelperson solche Grabmäler zu, sondern auch Adeligen und reichen Bürgern. Das erweisen vielfach die Epitaphien und Grabplatten in den Kirchen des Landes. Von aufwendigeren Werken sei nur das Grabmal in der Kirche von Lütjenburg, geschaffen von dem Niederländer Robert Coppens, erwähnt.

In der zweiten Hälfte des 16. Jh. ist auch das Aufkommen der Porträtkunst zu beobachten, das gilt nicht allein für gemalte, sondern auch für andere künstlerische Techniken. So hinterließ der bedeutende Humanist und Feldherr Heinrich Rantzau, Statthalter des dänischen Königs in den Herzogtümern, 1577/78 in einem Silberrelief dargestellt, jedem seiner Kinder einen riesigen silbernen Humpen (Abb. 79), 1582 gefertigt von einem Kremper Goldschmied (einziges (?) erhaltenes Exemplar als Leihgabe im Landesmuseum). Reich ornamentiert an Fuß und Deckel, zeigt es auf seiner Wandung das Porträt des Humanisten. Eine Leistung Heinrich Rantzaus soll hier neben allen anderen besonders herausgestellt werden; er war es, der dem Kanonikus Braun und dem Kupferstecher Hogenberg in Köln Ansichten schleswig-holsteinischer Städte vermittelte, so daß in ihrem berühmten Städtebuch allein achtzehn Ansichten von Städten und Ortschaften unseres Landes erscheinen, den ersten überhaupt überlieferten (Fig. S. 192, 217, 218, 221, 264, 270).

Die Zeit der Reformation bedeutete auch für Schleswig-Holstein einen Umbruch, was im besonderen Maße natürlich die kirchliche Kunst betraf. Bezeichnenderweise wurden eine Fülle von Kanzeln bestellt, die im Mittelpunkt des neuen Predigtgottesdienstes standen. Die aufwendigsten unter ihnen sind die mächtigen Emporenkanzeln (Marienkirche Flensburg, 1579, Dom zu Ratzeburg, 1576 von H. Matthes). Noch erwähnt sei die schöne Kanzel in Gettorf, von dem Eckernförder Meister Hans Gudewert d. Ä. 1598 geschnitzt.

Auch für die Altäre fand man neue Formulierungen. Im endenden 16. Jh. sind es vor allem die mit Malereien versehenen Dreiflügelaltäre, gegliedert durch einen Aufbau aus Säulenordnungen und Giebeln. Beispiele in den Kirchen Oldenswort, 1592, und Garding, 1596; Werke des niederländischen Malers Marten van Achten, der sich im aufstrebenden Tönning niedergelassen hatte. Sein Hauptwerk sind allerdings die bereits 1590 in Auftrag gegebenen Bilder an den Emporenbrüstungen der Gottorfer Schloßkapelle.

Weitere Aufgaben kirchlicher Kunst waren die Orgelprospekte wie das in der Flensburger Nikolaikirche (Abb. 77), 1604–1609 von dem Flensburger Heinrich Ringering, Gestühl wie der Gestühlkasten in Sülfeld, oder das reiche Chorgitter, daß Hans Peper 1603 für die Meldorfer Kirche geschaffen hat. Eines der bedeutendsten Werke dieser Zeit ist die herzogliche Betstube in der Gottorfer Schloßkapelle (Abb. 78), 1609 bis 1614 von den Hofkünstlern Andreas Salgen und Jürgen Gower. Aber auch andere herzogliche Schlösser erhielten aufwendigen Schmuck, so das Husumer Schloß durch die großen Kamine des aus Hamburg stammenden Henni Heidtrider.

Die ältere Generation der hervorragenden Schnitzer, Gudewert, Heitmann und Ringering, schufen gleicherweise für die Kirche wie auch für den profanen Raum; in den größeren Museen des Landes befinden sich prachtvolle Truhen und Schenkschiven aus ihren Werkstätten.

Der wohl bedeutendste Schnitzer des 17. Jh. ist Hans Gudewert d. J. In seinem Schaffen treten kirchliche Aufträge in den Vordergrund (Altäre in Schönkirchen, Preetz, Eckernförder Nikolaikirche [Abb. 85] – dort auch Epitaphien von ihm, außerdem die schöne Taufe in Gelting von 1653).

Für die Malkunst sollen nur zwei Namen stehen. Der in Oldenburg in Holstein geborene Jan Liss (Abb. 84) hat das Land bereits als junger Mann verlassen, um später in Venedig seine zu hohem Ruhm gelangenden Bilder zu schaffen. Der jüngere ist der 1623 in Tönning geborene Jürgen Ovens. Nach seiner Ausbildung in den Niederlanden diente er den Gottorfer Herzögen vielfältig als Hofmaler. Proben seiner Kunst befinden sich in Kirchen des Landes (z. B. die ›Blaue Madonna‹ im Schleswiger Dom [Abb. 86] oder das Altarbild in der evangelischen Kirche zu Friedrichstadt), wie in der Kieler Kunsthalle und im Landesmuseum.

Der wichtigste Auftraggeber dieser Zeit war wohl der Gottorfer Hof. Hier entwickelte sich im 17. Jh. ein geistiges Zentrum, das weit über die Grenzen des Landes hinausstrahlte. Neben den bedeutenden Sammlungen – unter anderem die berühmte Sammlung des Niederländers Paludan – war es vor allem der Gottorfer Riesenglobus, der das Staunen der Zeitgenossen erregte. Vielfältig wurden Künstler herangezogen und mit Aufträgen bedacht wie z. B. einer der führenden flämischen Bildhauer, Artus Quellinus d. Ä.; er schuf 1661–63 das Portal der herzoglichen Gruft im Schleswiger Dom und dazu Büsten des Herzogs Friedrich III. und seiner Gemahlin Maria Elisabeth. Mit diesem Werk wird hierzulande die Epoche des Akanthus-Barock eröffnet. Zwar entstanden auch späterhin qualitätvolle Werke, die dem älteren Knorpelwerkstil verpflichtet sind (Gruftportal Schacht im Schleswiger Dom; Abb. 87), doch dem neuen Stil gehörte die Zukunft. Der wichtigste einheimische Meister ist der Kieler Theodor Allers. An römischen Werken geschult, hat er Altäre in Flemhude (1685), Hohenstein (1688), Probsteierhagen (1695; Abb. 94) und Tellingstedt (1698/99) geschaffen. Von seinen sonstigen Arbeiten seien noch die Kanzel der Kieler Nikolaikirche (1705) und die Wasserkunst im Neuwerk, dem ehemaligen Gottorfer Schloßpark, genannt.

Die Verdrängung der Gottorfer Herzöge aus ihrem Stammschloß und die Reduzierung ihres Gebietes auf den holsteinischen Anteil am Anfang des 18. Jh. bedeutete auch kunsthistorisch eine Wende. Das Land hatte damit sein eigentliches Zentrum verloren. Die königlichen Statthalter auf Gottorf, wie auch die kleineren Residenzen Kiel, Plön und Eutin waren nicht in der Lage, vorbildlich und anregend für das ganze Land zu sein, obwohl sie Künstler von Rang an sich zu ziehen vermochten. So wirkten in Eutin Joh. Heinrich Wilhelm Tischbein, als Goethe-Tischbein bekannt, und der Landschaftsmaler Ludwig Philipp Strack als Hofmaler. Im Eutiner Schloß befindet sich die umfangreichste fürstliche Porträtsammlung im Lande mit z. T. künstlerisch wie personalhistorisch bedeutsamen Stücken.

Ähnliches gilt für den Adel; man bezog Möbel und Silber z. T. von hoher Qualität aus Werkstätten in Kopenhagen oder Paris, wie etwa die Garnituren der Aussteuer Julia Gräfin von Reventlow, geb. v. Schimmelmann, erweisen (Schloß Ahrensburg und Landesmuseum).

Die Kunst des Spätbarocks und des Rokokos ist in besonderer Weise und wohl am besten an geschlossenen Raumausstattungen zu erleben wie z. B. die Kirchenräume von Rellingen (1754–56), Wilster (1775–80) und Kappeln (1789–93) mit ihrem Ensemble von Kanzelaltären, Orgeln, Logen und Emporen. Einen einheitlichen Klang von Stuck und plastischen Werken bietet auch der Chor der Kirche in Probsteierhagen (stuckiert um 1720) (Abb. 94). Ein Mittelding zwischen kirchlichem und profanem Raum ist die Halle des Herrenhauses Damp (um 1700), mit Orgel und Kanzel auf der umlaufenden Empore versehen (Abb. 95). Den Stuck des Wasmerschen Palais in Glückstadt hat der aus Ottobeuren in Schwaben kommende Andrea Maini gestaltet. Qualitätvolle Stuckarbeiten des Rokoko finden sich im Prinzenhaus im Park des Plöner Schlosses und im Herrenhaus Gelting (Abb. 73), Raumdekorationen des beginnenden Klassizismus dagegen treten uns in dem Herrenhaus Rundhof, um 1785 wohl von F. A. Tadey stuckiert, entgegen, während im Herrenhaus Emkendorf (Farbt. XXI, Abb. 97) der Maler Giuseppe Anselmo Pellicia die Wände im neu entdeckten pompeianischen Stil dekorierte.

Zum Schluß soll noch eines Zweiges des heimischen Kunsthandwerks gedacht werden, der schleswig-holsteinischen Fayence-Produktion. Im Vergleich mit anderen deutschen sind sie alle sehr späte Gründungen, so daß sie bereits mit dem in breitere Schichten eindringenden feineren Porzellan zu konkurrieren hatten. Daraus resultiert wohl die z. T. erstaunliche Feinheit ihrer Malerei, die zu dem besten gehört, was in solchen Manufakturen geschaffen wurde (Abb. 102). In Schleswig, Eckernförde, Kiel und Stockelsdorf, aber auch in Rendsburg und Altona, um nur einige zu nennen, hat es solche Manufakturen gegeben. Sie alle gingen bereits im 18. oder am Anfang des 19. Jh. durch die Konkurrenz des englischen Steingutes zugrunde; nur die Kellinghusener, die eher volkstümliche Produkte hervorbrachten, konnten sich bis in die zweite Hälfte des 19. Jh. halten (Farbt. XXV).

Kunst und Kunsthandwerk im 19. und 20. Jahrhundert
Von Joachim Kruse

Die bedeutendste Gemäldegalerie für diesen Zeitabschnitt ist die Kunsthalle zu *Kiel*. Sie besitzt Hauptwerke schleswig-holsteinischer Kunst, kann aber aus Raummangel selten mehr als das Wichtigste zeigen. Ähnlich geht es dem Städtischen Museum in *Flensburg* mit seiner Gemäldesammlung, es veranstaltet jedoch in der Reisesaison häufiger Sonderausstellungen aus eigenen Beständen. Hier sollte man sich nicht einen historischen Raum der Sauermannschen Schnitzschule entgehen lassen, ein Prunkstück der Pariser Weltausstellung von 1900. Gute und jeweils auf die betreffende Region bezogene Sammlungen von Gemälden, Wasserfarbenbildern, Zeichnungen und Grafiken dieser Zeit befinden sich im Behnhaus in *Lübeck,* im Nissenhaus in *Husum* und in bescheidener Form neuerdings auch im Dithmarscher Landesmuseum in *Meldorf*. Anfang 1978 wurde auf der Gottorfer Schloßinsel in Schleswig der hervorragend geglückte Umbau einer ehemaligen Reithalle in ein Ausstellungshaus vollendet, in dem das Schleswig-Holsteinische Landesmuseum künftig ständig Kunst und Kunsthandwerk Schleswig-Holsteins seit etwa 1900 zeigen wird.

Bis in die 70er/80er Jahre des 19. Jahrhunderts kann man von einer kontinuierlichen Geschichte der neueren Kunst in Schleswig-Holstein nicht sprechen. In den Jahrzehnten davor haben wir es nur mit wenigen herausragenden Künstlern zu tun. Daneben finden sich interessante regionale Sonderleistungen im Bereich der Laienmalerei *(Oluf Braren* (1787–1839), *Niclaes Peters, Hermans Sohn* (1766–1825), *Hans Peter Feddersen d. Ä.* (1788–1860).

Stolz sind die Schleswig-Holsteiner darauf, daß zwei wichtige Neuerer der deutschen Kunst um 1800 ihre Landsleute sind, der Klassizist *Asmus Jakob Carstens* (Schleswig 1754–1798 Rom) und der Nazarener *Friedrich Overbeck* (Lübeck 1789–1869 Rom). Beide arbeiteten die längste Zeit ihres Lebens außerhalb Schleswig-Holsteins – ein Charakteristikum des Lebensweges vieler Künstler des Landes bis heute.

Fünf Künstler seien aus den Anfängen schleswig-holsteinischer Malerei des vorigen Jahrhunderts genannt: der Porträtist *C. A. Jensen* (1792–1870), der Landschafter *Louis Gurlitt* (1812–1897), *Charles Roß* (1816–1858), ein Nachfolger Carl Rottmanns, *Christian Carl Magnussen* (1821–1896) und *Carl Ludwig Jessen* (1833–1917), der als Chronist der Westküste bis heute eine gewisse Volkstümlichkeit besitzt.

Eine noch größere Bedeutung für die Schleswig-Holsteiner selbst hat die Generation der Impressionisten. Sie ist es, die im Lande eine eigene künstlerische Entwicklung begründet hat und im weiteren Deutschland von einer gewissen Schwärmerei für Schleswig-Holstein getragen wurde – ähnlich wie heute. Sie schuf das klassische Bild der schleswig-holsteinischen Landschaft, das von vielen Nachfolgern bis in unsere Tage hundertfach variiert wurde. Die Reihe beginnt mit *Hinrich Wrage* (1843–1912) und *Hans Peter Feddersen d. J.* (1848–1941) (Abb. 117). Es folgen u. a. *Hans Olde*

(1855–1917), der seinerzeit der angesehenste schleswig-holsteinische Maler war, *Friedrich Kallmorgen* (1856–1924), *Jacob Alberts* (1860–1941), *Ludwig Dettmann* (1865 bis 1944), *Otto H. Engel* (1866–1949), *Alex Eckener* (1870–1944) und *August Wilckens* (1870–1939). Viele waren Akademieprofessoren in Berlin, Stuttgart, Königsberg oder Dresden, wo z. B. auch der Lübecker *Gotthard Kuehl* (1850–1915) unterrichtet hat. In dieser Zeit besaß die Künstlerkolonie in *Ekensund* an der Flensburger Förde eine gewisse Bedeutung. Eine Schleswig-Holsteinische Kunstgenossenschaft wurde – 1894 – gegründet.

Zum Jugendstil hat Schleswig-Holstein einen wichtigen Beitrag geleistet: die Bildteppiche der *Webschule von Scherrebek* (Skaerbek im heutigen Dänemark), die von 1896–1902 bestanden hat. Ihre Produkte erkennt man an der eingewebten blau-weiß-roten Fahne Schleswig-Holsteins. Im Städtischen Museum in Flensburg befindet sich der Nachlaß des bedeutendsten schleswig-holsteinischen Jugendstilkünstlers, *Hans Christiansen* (1866–1945), dessen Name mit Paris und Darmstadt verbunden ist.

Weithin bekannt sind die schleswig-holsteinischen Expressionisten *Christian Rohlfs* (1849–1938), *Emil Nolde* (1867–1956) (Abb. 118) und *Ernst Barlach* (1870–1938). In diese Reihe gehört der in freier wie angewandter Malerei (Theater, Film) gleichbedeutende gebürtige Hamburger *Cesar Klein* (1876–1954), der seit 1937 in Pansdorf bei Lübeck gelebt hat.

Expressionistische Gestik besitzen späte Arbeiten von *Hans Fuglsang* (1889–1917), das weithin ungegenständliche Werk des Bauhäuslers *Karl Peter Röhl* (1890–1975), Arbeiten des ungemein vielseitigen *Wenzel Hablik* (1881–1934) (Abb. 119) und der Maler *Curt Stoermer* (1891–1976), der von Worpswede ausging, und *Friedrich-Karl Gotsch* (1900), der wesentliche Eindrücke bei Kokoschka empfing. Das Schleswiger Landesmuseum bewahrt eine Gotsch-Stiftung. Vom expressionistischen Geist geprägt ist das Werk von *Albert Christoph Reck* (1922).

Die Neue Sachlichkeit ist durch zwei bedeutende Namen vertreten: *Kay H. Nebel* (1888–1953) und *Albert Aereboe* (1889–1970) (Abb. 121). Die 1926 vollendeten Wandfresken Nebels im alten Kreishaus in Schleswig gehören zum Besten der Zeit. *Heinrich Ehmsen* (1886–1964) ist bekannt durch sozial-anklägerische Arbeiten. *Else Wex-Cleemann* (1890), *Käte Lassen* (1880–1956) und *Wilhelm Petersen* (1900) gehören ebenso in diesen Zusammenhang wie die in den dreißiger Jahren oder später ins Land gekommenen Maler *Heinrich Basedow* (1896) und *Gottfried Brockmann* (1903), der zum Kreis der ›Kölner Progressiven‹ gehörte.

Nach 1945 bildete sich um den Maler *Gerhard Bettermann* (1910), der sich Verdienste um den Wiederaufbau des Landesverbandes bildender Künstler in Schleswig-Holstein erworben hat, ein tonangebender Kreis, dessen Einfluß gegenwärtig relativ gering ist. Eingeprägt haben sich der Erinnerung leuchtende Wasserfarbenbilder *Willy Knoops* (1888–1966), flächige Abstraktionen von *Hans Rickers* (1899) und Materialbilder von *Lilly Kröhnert* (1912).

Richard Haizmann: Lithographie ›Katze‹, 1926

Von der heute mittleren Generation ragen unter den Malern und Grafikern *Horst Skodlerrak* (1920) und *Peter Kleinschmidt* (1923) hervor, unter den etwas jüngeren *Johannes Jäger* (1930) und *Dieter Röttger* (1930). Die stärkste Wirkung hat gegenwärtig der sozialkritische Realist *Harald Duwe* (1926).

Mitte der sechziger Jahre hat sich die Kunstszene in Schleswig-Holstein belebt. Sie findet außerhalb des Landes Beachtung – vergleichbar der Situation ›um 1900‹ mit ihrer Tendenz zur ›Heimatkunstbewegung‹. Tonangebend sind außer dem Mitglied der international bekannt gewordenen Gruppe ZEBRA, *Peter Nagel* (1941), die Maler und Grafiker *Nikolaus Störtenbecker* (1940), *Reimer Riediger* (1942) (Abb. 122), *Peter F. Piening* (1942) und *Claus Vahle* (1940), schließlich *Rüdiger Pauli* (1935) und *Gunther Fritz* (1938). Bei allen taucht die Landschaft, z. T. mit topographischer Genauigkeit dargestellt, wieder auf. Einzelgänger sind die Grafiker *Ekkehard Thieme* (1936) und *Fritz Bauer* (1937). Nicht im Lande arbeiten *Reimer Jochims* (1935), dessen Werk in der Tradition der Künstler steht, die das Sehen selbst revolutioniert haben, *Peter Klasen* (1935), *Jan Voss* (1936) und *Rolf-Gunter Dienst* (1939).

Die wichtigsten Bildhauer und Objektemacher: *Richard Haizmann* (1895–1963), *Günter Haese* (1924) (Abb. 120), *Hans Kock* (1920), *Hans P. Schumann* (1919), *Jan Koblasa* (1932), um den sich als Lehrer der Kieler Fachhochschule für Gestaltung ein Kreis begabter Schüler gebildet hat, und *Renate Neuser* (1939). Lichtobjekte haben in erster Linie *Hans-Martin Ihme* (1934) und *Bernhard Schwichtenberg* (1938) entwickelt. Die bekanntesten Konstruktivisten sind *Max H. Mahlmann* (1912), *Gudrun Piper* (1917) und *Günter Wiese* (1942). *Hinnerk Wehberg* (1936) wirkt als Umweltgestalter.

Die Architektur des Zeitraums von 1830–1930 ist von *Hartwig Beseler* behandelt worden. Das bekannteste Bauwerk dieser Periode in Schleswig-Holstein dürfte das Marineehrenmal von Laboe bei Kiel sein, ab 1927 erbaut von *Gustav August Munzer* (Abb. 115). Die Kieler Kunstkeramik hat in den zwanziger und dreißiger Jahren baugebundene Arbeiten ausgeführt, aber auch verschiedenes Gebrauchsgerät und interessante Kleinplastiken, die in den Bereich der Art Deco gehören und inzwischen zum Sammelobjekt geworden sind.

In den letzten Jahren hat das Interesse für Kunsthandwerk, insbesondere für Keramiken und Webarbeiten, sprunghaft zugenommen. In Schleswig-Holstein gibt es viele leistungsfähige Werkstätten. Von den heute hier arbeitenden Keramikern seien genannt: *Liebfriede Bernstiel* (1915), *Juscha Schneider-Döring* (1919), *Johannes Gebhardt* (1930), *Barbara Stehr* (1936), *Sabine Jeck* (1937), *Uwe Lerch* (1942), *Inke Lerch-Brodersen* (1946) sowie *Ulrike Malek-Lohmeyer* (1947). Der bedeutendste Goldschmied des Landes ist *Wilhelm Buchert* (1939), die wichtigsten Silberschmiede sind die Lübecker *Werner Oehlschläger* (1928) und *Dieter Zellweger* (1934). Als Buchbinder haben sich *Werner Bleyl* (1918) und *Kerstin Scharnweber-Miura* (1940), die heute in Japan arbeitet, einen hervorragenden Ruf erworben. *Alen Müller-Hellwig* (1901), *Hildegard Osten* (1909) und *Ute Gayk* (1943) seien als schöpferische Bildweberinnen genannt. Unter den Webmanufakturen ragen die Handweberei *Arnold Schundau*, Kuhholz-Nottfeld bei Süderbrarup, und die Werkstätten von *Annedore Iversen*, Flensburg, und *Rudolf Bartholl* in Bad Oldesloe hervor. Bekannt geworden ist das *Rotter*-Glas aus Lübeck.

Für die Kunstvermittlung sind private Galerien immer wichtiger geworden. Sie gibt es, z. T. ziemlich versteckt, überall in Schleswig-Holstein. Manchmal existieren sie nur eine Saison lang, vielfach aber auch länger. Als Reisender muß man sich selbst umhorchen. Die örtlichen Touristenbüros können sicher Hinweise geben.

Interessenten finden nähere Angaben im Gesamtkatalog des Landesverbandes Schleswig-Holstein im Bundesverband Bildender Künstler, 1975 erschienen; zu beziehen bei der Geschäftsstelle im Brunswiker Pavillon, 2300 Kiel, Tel. 04 31 / 55 46 50.
Auskünfte über Kunsthandwerk erteilt die Arbeitsgemeinschaft des Kunsthandwerks in Schleswig-Holstein, Johannes-Kirchhof 1, 2390 Flensburg, Tel. 04 61 / 1 75 73.

ABC-Kurzbeschreibung der Orte mit den sehenswürdigsten Kulturdenkmälern

(E = Einwohnerzahlen am 31. 12. 1975)

Ahrensburg, Kreis Stormarn

24 964 E, seit 1949 Stadtrecht. – Heute ein weitläufiger Wohnvorort Hamburgs mit einigen Industrieanlagen, geht in seinem historischen Kern auf Vorgänger zurück. Ein bereits 1195 erwähntes Bauerndorf Woldenhorn und die benachbart gelegene Burg Arnesvelde, Ahrensfelde (der Burgplatz liegt im südlich von Ahrensburg gelegenen Forst Hagen am Hopfenberg) gelangten im 16. Jh. neben anderen Besitzungen an die Familie Rantzau. Die Burg wurde aufgegeben, ihr Name auf das 1595 von Peter Rantzau mitsamt der Kirche erbaute Schloß, später auf den ganzen Ort übertragen. – Der reiche Kaufmann Heinrich Schimmelmann, späterer dänischer Schatzkanzler, schuf 1761–64 an der Stätte des Dorfes Woldenhorn den neuen Ort, dessen breite Ortsachse von drei auf das Rondell zulaufenden Lindenalleen her über die Große Straße, Marktstraße zum Markt führt mit Fluchtrichtung auf das Schloß, ein Musterbeispiel barocker Planung im Lande.

Das *Schloß* (Farbt. XX), ähnlich wie das etwas ältere Schloß Glücksburg, ein quadratischer Baublock mit drei parallelen Satteldächern und vier zierlichen Ecktürmen, ist das beste Beispiel der Renaissancearchitektur im Lande; seit der Mitte des 19. Jh. ist es anmutig in einen Landschaftspark eingebettet. Das Innere wurde nach 1759 für Heinrich Schimmelmann umgestaltet und ausgestattet. Der Festsaal stammt von 1855. Das Schloßinventar aus dem 18. und der ersten Hälfte des 19. Jh. repräsentiert die schleswig-holsteinische Herrenhauskultur im dänischen Gesamtstaat. Hervorragende Möbel vornehmlich franz. und engl. Herkunft; reiche Porzellansammlung, große Gemälde- und Porträtsammlung.

Museum Schloß Ahrensburg (T 0 41 02 / 25 10). Geöffnet im Sommer Di–So 10–18; wintertags Schließung bei Beginn der Dunkelheit.

Schloßkirche mit flankierenden *Gottesbuden* (Armenwohnungen), 1594 gestiftet. Die im Barock veränderte Backstein-Saalkirche hat im Inneren die ursprüngliche gefelderte Balkendecke mit kleinen gemauerten Kreuzgewölben bewahrt. Reiche Barockausstattung, im Chorteil einheitlich von 1716.

Altenhof, Kreis Rendsburg/Eckernförde

Herrenhaus, Museum. Dreiflügelanlage 1904–1910, im Kern 1722/28. Haupträume zumeist in Gestalt und Ausstattung des 18. Jh. Porträts, Mobiliar im Stil Louis XV. und XVI., Porzellan und hervorragende Tapisserien. Umfangreiche Bibliothek mit Bänden aus der Zeit 1780 bis 1830.

Die Gesellschaftsräume sind der Öffentlichkeit zugänglich; 1. 5. bis 30. 9. Di–So 14–17.

Altenkrempe, Kreis Ostholstein

1156, als in der Nachbarschaft die Süseler Christengemeinde der friesischen Neusiedler schon im zweiten Jahrzehnt bestand, wurde der Priester Deilaw in die Kremper Niederung geschickt, um den hier wohnenden Wenden, die Helmold in seiner Chronik als Seeräuber bezeichnet, das Christentum zu predigen. Der alte Friedhof aus dieser Zeit – heute nicht mehr vorhanden –, auf dem nach einer Urkunde von 1294 »die Gebeine unzähliger Gläubiger begraben liegen, welche teils eines natürlichen Todes gestorben, teils von den ungläubigen Heiden grausam hingemordet seien«, lag am südlichen Dorfende an der Au, wo wohl auch zunächst die Wirkungsstätte Deilaws war. Die heutige *Kirche*, etwa im Zeitraum von 1190 bis 1240 erbaut, steht vielleicht inmitten des ehemaligen wendischen Wohnplatzes und dokumentiert, daß das Christentum hier endlich Fuß gefaßt hatte (Abb. 41, 42). Ihre für den kleinen Ort bedeutenden Ausmaße und Formschönheit verdankt sie wohl Graf Adolf III. von Schauenburg, einem frommen Kirchenmann, der anläßlich des 1188 erfolgten Ausscherens Lübecks aus Holstein von der Stadt erhebliche Geldbeträge erhielt, nachdem er mit anderen holsteinischen Adligen und Geistlichen nach dem Tode Barbarossas von dessen Kreuzzug nach Holstein zurückkehrte.

Im Kirchenbauwerk, einer gewölbten Kleinbasilika aus Backstein mit einbezogenen Westturm, das wohl in drei Etappen gebaut wurde, mit dem schlichten Chorraum als ältesten Teil, vereinigen sich alle bis dahin gemachten Erfahrungen einheimischer und ausländischer Kirchenbaukunst zu einer meisterhaften Schöpfung der Spätromanik; es ist das schönste und besterhaltene mittelalterliche Bauwerk Ostholsteins (vgl. Fig. S. 113).

Nachdem weiter seewärts in günstigerer Lage 1244 »de Nigenstat tho der Crempen«, das heutige Neustadt gegründet wurde, blieb Altenkrempe in bescheidener Abseitslage Pfarrort eines großen Kirchspiels im neubesiedelten Raum.

Altonaer Museum in Hamburg, Norddeutsches Landesmuseum

Museumsstraße 23, Hamburg-Altona. – Kunst und Kulturgeschichte des norddeutschen Küstengebietes mit Landschaftsgemälden und kunsthandwerklichen Arbeiten aus verschiedenen Materialien und Techniken. – Volkskunde mit Vierländer Bauernhaus und 17 originalen Bauernstuben, Trachten, populäre Graphik. – Spielzeug des 17.–20. Jh., Bilderbogen, Schiffbauhandwerk, Fischerei und Walfang mit Fahrzeugmodellen und Geräten. – Halle ›Schiff und Kunst‹ mit Galionsfiguren. – Ostseeabteilung mit Bernsteinsammlung. – Ausgestorbene Tiere, Tiere und Vogelwelt des heimischen Lebensraumes. – Geologie Schleswig-Holsteins mit Gesteinsproben, Bodenaufschlüssen und Panoramen. – Bibliothek mit 35 000 Bänden, wissenschaftliches Archiv (Graphik, Sammelalben, Bildpostkarten).

(T 0 40 / 3 80 74 83). Geöffnet Di–So 10–17.

Außenstelle Jenisch-Haus. Museum großbürgerlicher Wohnkultur, Hamburg-Klein-Flottbek, Baron-Voght-Str. 50 (Jenisch-Park).

Geöffnet Di–Sa 14–17, So 11–17.

Zum Altonaer Museum gehört außerdem als *Außenstelle Rieck-Haus* ein Vierländer Freilichtmuseum in Curslack, Curslacker Deich 284.

Arnis, Kreis Schleswig/Flensburg

589 E, seit 1934 Stadtrecht. – Arnis wurde 1667 planmäßig auf einer ehemaligen, nun landfesten Schlei-Insel beiderseits der ›Langen Straße‹ angelegt, nachdem 62 Familien aus Kappeln ausgezogen waren, weil sie sich geweigert hatten, dem Gutsherren v. Rumohr auf Roest den Untertaneneid zu leisten. Fischerei und Seehandel waren Haupterwerbszweige, bis 1867 durch die Einverleibung Schleswig-Holsteins in Preußen die skandinavischen Absatzgebiete verloren gingen. 1860 noch von 1071 Personen bewohnt, 1934 nur noch von 534 Einwohnern, wurde es in diesem Jahr durch Rechtsverleihung zur kleinsten Stadt in Deutschland.

Von der Bebauung der Gründungszeit hat sich nur die schlichte *Fachwerkkirche* im Südwestende des Ortes erhalten, in der die nach Seefahrer-Sitte aufgehängten Votivschiffe beeindrucken. Nur wenige Wohnhäuser weisen noch die ursprünglich charakteristischen ›Utluchten‹ genannten Vorbauten auf.

Bad Bramstedt, Kreis Segeberg

9046 E, seit 1910 Stadtrecht. – Es gewann seine Bedeutung durch die Lage am Schnittpunkt alter Nord-Süd- und West-Ost-Verkehrswege, so daß sich hier schon frühzeitig Thingstätte und Marktplatz nachweisen lassen. Der Ochsenweg von Jütland her (Auftrieb von jütländischem Vieh zum Verkauf im Süden) kreuzte hier einen alten Handelsweg zwischen Lübeck und Dithmarschen. Bramau und Osterau erlaubten Kahnschiffahrt zur Stör hin. Als Zeichen der Marktgerechtigkeit steht auf dem Marktplatz (auch Bleek genannt) der *Roland,* schon im 16. Jh. aus Holz bekannt, seit 1693 als Sandsteinfigur errichtet mit den Initialen des Königs Christian V. – Von einem im 16. Jh. entstandenen adligen Gut steht am Bleek nur noch das ehemalige *Torhaus* von 1647, das Graf Stolberg (Vater der beiden Jugendfreunde Goethes, Christian und Friedrich-Leopold St.) 1752 zu seinem Wohnhaus ausbauen ließ. Im Inneren Rokokostuckdecken. – Die *Maria-Magdalenen-Kirche* ist ein flachgedeckter Backsteinsaalbau aus dem 14. Jh., 1625 umgestaltet mit einem bemerkenswerten Schnitzaltar aus dem späten 14. Jh., einer frühgotischen Bronzetaufe sowie farbigen Glasfenstern mit Wappen von 1567.

1681 war schon die erste Heilquelle entdeckt worden, 1872 die Salzquelle an der Stelle des jetzigen Kurhauses, die in Verbindung mit Moorbädern Bramstedts Ruf als Heilbad begründet.

Bad Oldesloe

Kreisstadt, 19 640 E, Stadtrecht erste Hälfte 13. Jh. – Heute ein geschätzter Wohnort im Vorbereich des Hamburger Großraumes mit vielen Villensiedlungen, aber auch Industrieanlagen. Durch die Nachkriegsentwicklung ist die Einwohnerzahl mehr als verdoppelt worden.

Die Örtlichkeit an der Einmündung der Beste in die Trave bot vom Gelände her günstige Möglichkeiten zur Überquerung der Flußläufe, für die Beschiffbarkeit der Wasserläufe und war vermutlich auch schon in der Vorzeit bedeutsam durch das Vorhandensein von salzhaltigen Quellen. Ein Ort ›Odeslo‹ ist in geschichtlicher Zeit erstmalig 1151 bezeugt. Vicelin weihte 1150 eine *Kirche* aus Feldsteinen, die 1757/64 durch einen Backsteinbau ersetzt wurde. 1151 soll Heinrich der Löwe die Salzquellen zugeschüttet haben – die vermutlich unterhalb des Kirchenhügels austraten –, um eine Konkurrenz für Lüneburg auszuschalten. In der ersten Hälfte des 13. Jh. erhielt der inzwischen vergrößerte Ort Stadtrechte. Als Station zwischen Hamburg und Lübeck gewann Oldesloe Bedeutung sowohl auf dem Land- als auch auf dem Wasserwege. Von der Hude in Oldesloe wurden die auf dem Landwege von Hamburg kommenden Waren auf der Trave nach Lübeck verschifft. Ein im 15. und 16. Jh. im Ausbau befindlicher Kanal zwischen Alster – Beste – Trave konnte wegen der enormen Geländeschwierigkeiten nur zeitweise betrieben werden. – Die im 18. und 19. Jh. unternommenen Versuche zur Salzgewinnung mißlangen auf Dauer wegen der schwachen Sole; als Solbad erlebte Oldesloe nur eine kurze Blütezeit, den Titel ›Bad‹ erhielt es 1911, doch wurden die Kurgebäude 1936 abgebrochen. – Das *Rathaus*, 1798 durch C. F. Hansen errichtet, erhielt später ein weiteres Stockwerk. *Herrenhaus Alt-Fresenburg,* klassizistischer Putzbau 1791 von C. F. Hansen. – *Menno-Kate,* Menno-Simons-Gedächtnisstätte, angeblich Druckerei des 1561 gestorbenen Stifters der Mennoniten (werktags auf Wunsch geöffnet). – *Herrenhaus Nütschau,* Benediktiner-Priorat. Würfelförmiger Backsteinbau mit drei Paralleldächern, 1577/78 für Heinrich Rantzau errichtet. – *Heimatmuseum* Mühlenstr. 22, zeigt insbesondere umfangreiche vorgeschichtliche Sammlungen. (T 0 45 31 / 41 61). Geöffnet Fr 15–18, Sa 9–12.

Bad Segeberg

Kreisstadt, 13 320 E, Stadtrecht spätestens 1260. – Verdankt seine Entstehung der beherrschenden Lage des ›Kalkberges‹, auf dem Kaiser Lothar 1134 die ›Siegesburg‹ zum Schutze der Mission und beginnenden Kolonisation in Wagrien errichten ließ (siehe

Fig. Seite 2). Unterhalb der Burg entstand neben einer Siedlung von Handwerkern und Kaufleuten ein Kloster der Augustinerchorherren, das zwar nach einem Wendenüberfall 1138 zerstört, nach kurzer Neugründung in Högersdorf hinter der Trave 1156 wieder in Segeberg neu erbaut, bis auf die Kirche aber im 17. Jh. abgebrochen wurde. – Die *Kirche* als ehemalige Klosterkirche ist ein Frühwerk des monumentalen Backsteingewölbebaus, nach 1156 als erster Ziegelgroßbau Wagriens begonnen, eine dreischiffige Basilika über kreuzförmigem Grundriß, ursprünglich mit Apsiden. Das Äußere ist zwar 1863 bis 1866 neuromanisch verändert, das Innere aber ursprünglich erhalten (Abb. 40). Einzigartig ist die dekorative Ausarbeitung der aus Segeberger Gips geschnittenen Stuckteile, die »wie eine Mustersammlung aller im 12. Jh. in Niederdeutschland möglichen Ornamente« wirkt (Kamphausen). Vom Kloster selbst ist nur der spätgotische dreischiffige, gewölbte Kapitelsaal mit zwei schlanken, runden Granitsäulen, jetzt Johanneskapelle, erhalten. Weiterhin sind erwähnenswert: Der prachtvoll geschnitzte Schreinaltar von 1515, die Bronzetaufe 1447, Kanzel 1612, das Triumphkreuz um 1500. – Von älteren Häusern ist besonders sehenswert das ›Alt-Segeberger Bürgerhaus‹, Lübecker Straße 15, ein Fachwerkgiebelhaus, im Kern aus der Mitte des 16. Jh., jetzt Museum.

1460 wurde Segeberg neben Gottorf durch Christian I. zur Residenz ausgewählt und blieb nach den Landesteilungen bis zur Gründung von Glückstadt Hauptort des königlichen ›Segeberger Anteiles‹ der Herzogtümer. Heinrich Rantzau, ein gelehrter Diplomat, Förderer der protestantischen Lehre, Gönner für Kunst und Wissenschaft und großer Wirtschaftspolitiker (vgl. Abb. 79) ließ während seiner Statthalterschaft (1556 bis 1598) die halbverfallene Burg wieder herstellen, zugleich das Kloster aufheben. 1644 während der schwedischen Besetzung wurde die Burg endgültig abgebrochen, lediglich die Reste des Brunnens haben sich erhalten. – Durch den schon im Mittelalter eifrig betriebenen Abbau von Gips für Bauzwecke wurde schließlich auch der Kalkberg abgetragen, so daß er bis zur Einstellung des Abbaues 1930 etwa 20 bis 30 m von seiner alten Höhe verloren hatte. 1913 wurden durch Zufall die *unterirdischen Höhlen* entdeckt, die durch Auslaugen entstanden und heute auf etwa 800 m Länge zur Besichtigung freigegeben sind. In den Höhlen leben nachweislich 135 verschiedene Tierarten sonnenlichtlos, wovon eine hier häufig vorkommende Käferart ein Nachbleibsel aus der frühen Nacheiszeit ist. – Wegen des Grundwassers ist ein Abbau der unter dem Gipshut liegenden Salzschichten nicht möglich, die Salzsole wird aus etwa 150 m Tiefe hochgepumpt und für Heilzwecke verwendet. – Im ehemaligen Gipsbruch ist ein *Freilichttheater* mit 10 000 Plätzen eingerichtet worden, das durch seine gute Akustik bekannt und seit Jahren für die Aufführung der Karl-May-Festspiele wegen seiner Naturkulisse hervorragend geeignet ist.

Das *Heimatmuseum* im Alt-Segeberger Bürgerhaus (T 0 45 51 / 17 33) enthält das Inventar eines Bürgerhauses des 18. Jh., Gerät Segeberger Handwerker und Gegenstände aus Gips vom Kalkberg. Geöffnet März bis Okt. Di, Mi, Fr–So 10–12, 14–18; Nov., Jan., Febr.: Di, Mi, Fr, Sa 10–12, 15–18, So 10–12, 14–16.

Bannesdorf auf Fehmarn

Einschiffige *Kirche* aus der Mitte des 13. Jh., ursprünglich wohl ganz aus Feldsteinen erbaut; reich gegliederter, kupplig gewölbter Kastenchor aus Backstein mit reizvoller Farbaufteilung vielleicht etwas jünger. Der hölzerne Glockenturm ist 1701 angebaut worden. Bemerkenswert sind die Barocklogen wohlhabender bäuerlicher Sippenverbände (›Vetternschaften‹) mit mehreren gut erhaltenen Hausmarken.

Berkenthin, Kreis Herzogtum Lauenburg

Kirche, einschiffiger Backsteinbau, Mitte des 13. Jh. Wandmalereien um 1300, 1899 teilweise auf die damals eingebauten Gewölbe kopiert. Holzaltar nach 1686.

Boldixum auf Föhr

Nikolaikirche, stattliche gewölbte Backsteinkirche Mitte 13. Jh., zum Teil noch bleigedeckt. Gute Ausstattung: Schnitzaltar 1643, Emporenkanzel um 1630, geschnitzte Emporenbrüstungen. Auf dem Friedhof zahlreiche vorzügliche Grabsteine 16. bis 19. Jh.

Bordesholm, Kreis Rendsburg/Eckernförde

Die Klosterbrüder des 1130 in Neumünster von Vicelin gegründeten Augustiner Chorherrenstiftes verließen den Ort wegen der dortigen weltlichen Unruhe und aufgetretener wirtschaftlicher Schwierigkeiten; sie erbauten sich 1327/32 auf einer Insel, die heute mit dem Festland verbunden ist, beim Dorf Eiderstede ein neues Kloster, das später den Namen Bordesholm erhielt. Die Gebeine des heiligen Vicelin († 1154) wurden zwar mitgenommen und vor dem Hochaltar der Klosterkirche beigesetzt, sind aber nach einer späteren Umbettung nicht mehr auffindbar. – Die *Kirche* ist ein langgestreckter gewölbter Backsteinbau und gilt als eine der schönsten gotischen Bauten des Landes. Der dreijochige Ostteil mit Polygon und schmalen Abseiten wurde 1332 geweiht, im 15. und frühen 16. Jh. zur sechsjochigen Halle erweitert. Der berühmte Hochaltar des Meisters Hans Brüggemann von 1521 wurde 1666 nach Schleswig überführt (Abb. 57), der jetzige Hauptaltar stammt von 1727. Das vollständig erhaltene Chorgestühl von 1509, eine wertvolle, reich verzierte Arbeit eines Lübecker Meisters, wurde dem Kloster von Herzog Friedrich und seiner ersten Gemahlin, Anna von Brandenburg, geschenkt. Letzterer ist auch das Grabmal vor dem Choraltar gewidmet, ein prächtiger Bronzeguß von 1514 mit lebensgroßen Liegefiguren des Herzogspaares. Der Sarkophag ist allerdings leer, die Herzogin ruht in einem Grabgewölbe des Kirchenschiffes, der Herzog im Schleswiger Dom. – In der achtteilig gewölbten gotischen Sakristei – auch russische Kapelle genannt – steht der Sarkophag Herzog Karl Friedrichs († 1735), Vater Zar Peters III. In einem Anbau befindet sich die Grabstätte des Caspar von Saldern († 1786), ehemals Amtsverwalter des Amtes Neumünster, späterer Herr auf Schierensee, der als Günstling und Staatsminister Katharinas der Großen den Vertrag von 1767/73 vorbereitete, mit dem die gottorfischen Besitzungen vom Zarenhaus freigegeben wurden und unter die dänische Krone gelangten.

Das Kloster hatte sich nach seiner Niederlassung in Bordesholm aufgrund zahlreicher Stiftungen gut entwickelt; durch die Klosterbrüder wurden viele geistige Bestrebungen im Lande gefördert, eine umfangreiche Bibliothek war vorhanden. Die nach der Reformation im Kloster 1566 eingerichtete Gelehrtenschule bildete mit ihrer 1665 durch Herzog Christian Albrecht verfügten Verlegung nach Kiel den Grundstock der dortigen Universität. Viele Kieler Professoren ließen sich bis 1801 in Bordesholm beisetzen. Vor der Kirche steht eine bald 500 Jahre alte Linde; an dieser Stätte wurde einst Gericht gehalten. – In Bordesholm befindet sich heute die Schleswig-Holsteinische Sparkassen- und Verwaltungsschule.

Bornhöved, Kreis Segeberg

Schon der Ortsname (= Quellenhaupt) verrät das Vorhandensein von Quellen, nach allen Himmelsrichtungen nehmen Bäche und Flüsse von dieser Gegend ihren Lauf. Eine Seenkette im Norden und moorige Niederungen im Süden erzwangen schon seit uralten Zeiten die Wegeführung über diese Landenge mit dem beherrschenden Grimmelsberg (83 m, dort oben mehrere bronzezeitliche Grabhügel und Reste jungsteinzeitlicher Hünengräber). Nicht von ungefähr kam es in Nähe dieser Landbrücke mehrfach zu entscheidenden Schlachten: 798 besiegten verbündete Abotriten und Franken hier die nordelbischen Sachsen; am 22. 7. 1227 Graf Adolf IV. von Schauenburg mit verbündeten norddeutschen Fürsten und Städten den dänischen König Waldemar II.; 1813 verteidigte sich die dänisch-schleswig-holsteinische Nachhut hier gegen die unter Bernadotte verbündete schwedisch-russisch-preußische Armee.

Während der Besiedlung des Landes nach 1138/39 wurde Bornhöved unter dem Gauältesten (Overboden) der Holsten Mittelpunkt ihrer eigenen Siedlungstätigkeit. Um 1150 wird von Vicelin selbst die hier gebaute *Kirche* geweiht. Trotz ihrer späteren Veränderungen (Ostteile 1661/64, Westturm 1866) erkennt man noch die früheste Technik des Feldsteinbaues: Ein langgestrecktes schmuckloses Kirchenschiff mit kleinen Fenstern, wobei die Wände (Nordwand!) aus fast wahllos in viel Mörtel eingebetteten Feldsteinen errichtet waren. Hinter der Ummauerung ist der ursprüngliche Rundturm noch zu erkennen.

Die zentrale Lage Bornhöveds zeigte sich auch darin, daß die gesamte Ritterschaft des Landes im Mittelalter hier zu Landtagen zusammentraf, bis diese 1480 nach Kiel verlegt wurden.

Borstel, Kreis Segeberg

Herrenhaus, 1751 vollendet, hervorragendes Beispiel des Rokoko im Lande, mit eleganten Stukkaturen im linken Ecksalon. Gartensaal um 1770/80 klassizistisch überformt. Im Hause befindet sich heute ein medizinisches Forschungsinstitut.

Bosau, Kreis Ostholstein

Ein schon im 10. Jh. vom Oldenburger Bischof in Bosau eingerichteter Wirtschaftshof war in den folgenden Slawenaufständen zerstört worden. Unter Hinweis auf das bischöfliche Eigentumsrecht ließ sich Vicelin als neu ernannter Bischof von Oldenburg von Heinrich dem Löwen 1150 Bosau schenken, nahm dort seinen Wohnsitz ein, begann den Kirchenbau, da die Erneuerung der Oldenburger Bistumskirche noch nicht möglich war. Nach seinem Tode 1154 trat Gerold sein Erbe an, predigte am 6. 1. 1156 »bei bitterster Kälte unter Bergen von Schnee« in Oldenburg. Es verwundert nicht, daß der Bischofssitz 1160 in das aufblühende Lübeck verlegt wurde. Die zeitgenössische Berichterstattung der Christianisierung Wagriens verdanken wir dem Pfarrer von Bosau, Helmold, der aus eigenem Miterleben heraus die Vorgänge in seiner dem Lübecker Domkapitel gewidmeten ›Slawenchronik‹ um 1170 niederschrieb. Bischof Gerold war bei einem Besuch in Bosau am 13. 8. 1163 gestorben und von hier aus nach Lübeck überführt, wo sein Leichnam im neu erbauten Dom als erster der dort ruhenden Bischöfe beigesetzt worden ist.

Eine über Jahre angesetzte Grabungsforschung versucht heute, die Anfänge Bosaus zu ergründen.

Die *Kirche,* im Kern kleine Bischofsbasilika aus Feldsteinen im Gipsmörtelgußverfahren, um 1200 zur einschiffigen, flachgedeckten Landkirche mit gewölbtem Ostteil und Turmraum verändert. Dabei blieben die Seitenwände der Basilika (bis zu den Fenstern) mit zierlichem Tympanonportal im Norden erhalten. Expressiver Schnitzaltar um 1370. Triumphkreuz um 1470. Kanzel von 1636.

Schloß Breitenburg 1590

58 Krempe, Rathaus, 1570 ▷

Wedel, Roland, 1558

59 Lübeck, St. Jürgen, v. d. Heiden, 1504/05

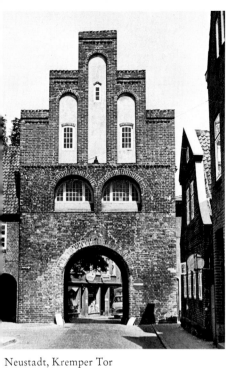

Neustadt, Kremper Tor

63   Lübeck, Mengstraße, Häuser verschiedener Jh.

1   Brodau, Fachwerkspeicher Heinrich Rantzau, 1621/22

Lübeck, Schiffergesellschaft, 1535

65   Lübeck, Schiffergesellschaft, Innenaufnahme

66 Freilichtmuseum Kiel, wiederaufgebaute Gruber Pfarrscheune, 1569

67 Rendsburg, Gasthaus ›Alter Landsknecht‹, 1541 68 Lütjenburg, Färberhaus, 1576

Freilichtmuseum Kiel, Innenaufnahme der
Gruber Pfarrscheune

Landkirchen/Fehmarn, Landesblock zur Aufbewahrung von Schriftstücken und Urkunden

71 Seedorf, Torhaus Feldseite, um 1583

72 Hoyerswort, Herrenhaus, 1591–94

73 Gelting, Herrenhaus, linker Flügel mittelalterlich, rechter Flügel 1680, Mitteltrakt 1770

Glücksburg, Schloß, 1582–87   77   Flensburg, Nikolaikirche, Orgelprospekt von Ringering, 1604/09 ▷

78   Schleswig, Schloß Gottorf, herzogl. Betstuhl in der Kapelle, 1609/13 ▷ ▷

Husum, Torhaus vom Schloß, 1612   76   Friedrichstadt, Haus Mittelburgwall 24

Schenkschive aus Dithmarschen, 1546. Landesmuseum Schleswig

81   Susannenschrank, um 1580, Schenkschive. Landesmuseum Schleswig

79   Silberhumpen mit Porträt Heinrich Rantzau, 1582, Landesmuseum Schleswig

Truhe aus Dithmarschen, 1670. Landesmuseum Schleswig

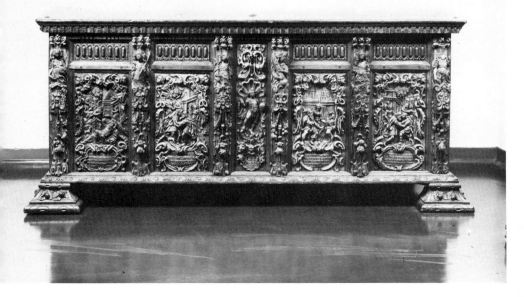

83 Tintoretto: Erweckung des Lazarus, 1576, Lübeck, St. Katharinen

Jan Liss: Verfluchung Kains, um 1623/24, Landesmuseum Schleswig

Bothkamp, Kreis Plön

Gutshofanlage des Spätbarock, eindrucksvoll mit langen Zufahrtsalleen und zwei Tor-häusern. Das südliche von 1714 herrschaftlich mit Doppeltürmen. Das Herrenhaus um 1700, nach 1790 besonders im Inneren (Stuck!) umgestaltet, ist heute Altersstift des Johanniterordens.

Breitenburg, Kreis Steinburg

Der Feldmarschall Johann Rantzau kaufte vom Kloster Bordesholm 1526 eine kleine Geestinsel in der Störniederung und erbaute ab 1530 dort ein *Schloß*, das unter seinem Sohn, dem Humanisten Heinrich Rantzau (1526 bis 1598) in den Jahren 1565/69 zum prächtigsten Herrensitz im Lande umgebaut wurde, wovon leider nicht viel übrig blieb, nämlich nur noch die spätgotische *Schloßkapelle* von 1580/90 und der *Hof-brunnen* mit geschmiedetem Baldachin von 1592; im übrigen ist alles ein veränderter Neubau nach der Brandschatzung durch Wallenstein 1627. Wertvolle Gemäldegalerie und Bibliothek, klassizistische Thorwaldsen-Galerie (Fig. S. 168).

Breitenfelde, Kreis Herzogtum Lauenburg

Kirche, dreischiffige gewölbte Kurzhalle von drei Jochen mit langgestrecktem Kasten-chor aus Feld- und Backsteinen, Mitte 13. Jh. Westvorbau 1866. Glasmalerei im mitt-leren Ostfenster aus der Bauzeit, einzigartiges Beispiel der Frühgotik im Lande.

Brodau, Kreis Ostholstein

Gutshofanlage, die entstand, nachdem die Rantzaus 1526 vom Kloster Ahrensbök Prodensdorf erworben hatten, es niederlegten und auf dessen Ländereien den Hof Brodau erbauten. Beusloe schenkte der König 1530; Albersdorf, Schashagen, Rettin und Logeberg kaufte man hinzu, so daß ein umfangreicher Besitz entstand. – Herrenhaus im Kern ein Fachwerkdoppelhaus um 1530 (Hoffront!). Schöner Fachwerkspeicher Mitte 16. Jh. Nach neueren Untersuchungen Herrenhaus nach 1570, um 1600; Speicher 1621/22 (Abb. 61). – Nahe gelegene *Windmühle* (bei Beusloe) des Galerieholländer-typs von 1864. – Durch Erbfolgen und Bodenreform in diesem Jahrhundert ist wie bei vielen anderen Gütern der Gesamtbesitz inzwischen aufgeteilt worden.

Brunsbüttel, Kreis Dithmarschen

11451 E, Stadtrecht 1969. – Alten Überlieferungen nach soll der Ort früher weiter hinaus im jetzigen Bett der Elbe gelegen haben und wegen Überschwemmungen land-einwärts verlegt worden sein. Bereits 1654 hatte man den Friedhof auf eine Wurt landeinwärts versetzt. Im Jahre 1674 jedenfalls wurde der ganze Flecken mit der Kirche durch eine Flut zerstört und planmäßig an der jetzigen Stelle bei der Friedhofs-wurt neu aufgebaut. Die *Kirche* am ulmenumstandenen Marktplatz ist ein Barockbau von 1678, die nach einem Brande von 1719 erneuert wurde und den kräftig profilierten Dachreiter erhielt. Der üppige Altaraufsatz des nordischen Knorpelbarock aus der

Mitte des 17. Jh. wurde 1726 aus der abgerissenen Glückstädter Schloßkirche gekauft; das Hauptstück der Reliefs in zwölf ovalen Feldern zeigt die Kreuzigung. Die weitere Ausstattung stammt durchweg von 1725.

Im *Diakonat* von 1779 befindet sich ein kleines *Heimatmuseum* (T 048 52 / 32 28). Geöffnet 8 bis 20 Uhr.

Das alte Kirchdorf Brunsbüttel wurde am 31. 12. 1969 mit der Stadt Brunsbüttel-koog (Stadtrecht 1949, seit 1772 Koog-Gemeinde) und einigen Dorfgemeinden zur Stadt Brunsbüttel vereinigt. Ganz im Gegensatz zur Beschaulichkeit vom alten Bruns-büttel pulsiert am Ausgang des Nord-Ostsee-Kanals und am Elbufer das Leben, das hier vom Kanalverkehr und der angesiedelten Industrie bestimmt wird.

Büchen, Kreis Herzogtum Lauenburg

Das alte Dorf Büchen (Böken) am Ostufer des Flußtales, in dem hier neben der Delvenau (Stecknitz) der Elb-Trave-Kanal verläuft, ist nach alter Überlieferung vor-her Thingplatz und heidnische Opferstätte gewesen. Im Mittelalter fanden hier die Landtage des Herzogtums Lauenburg statt. Als Wallfahrtsort gewann der Ort in christlicher Zeit seine Bedeutung: Vor einem Marienbild baten kinderlose Frauen und Gebrechliche um Hilfe und Heilung.

Die *Kirche,* eine dreischiffige gewölbte Hallenkirche stammt in ihrem Westteil aus Feldsteinen und mit Backsteingliederungen aus dem 13. Jh. Bemerkenswerte gotische Gewölbemalereien sind Anfang des 14. Jh. entstanden. Im späten 15. Jh. ist das Bau-werk durch einen größeren Hallenchor im Ostteil auf die doppelte Länge gebracht worden. Eine gotländische Kalksteintaufe aus der Mitte des 13. Jh. sowie ein eichener, eisenbeschlagener Sakramentsschrank, in dem das Marienbild gestanden haben soll, sind sehenswerte ältere Stücke, die übrige reiche Ausstattung ist jüngeren Datums.

Der Kirche und den Ortsbewohnern flossen durch den Wallfahrtsbetrieb reichliche Mittel zu. Verständlich, daß hier die Einführung der protestantischen Lehre auf sich warten ließ; Wallfahrten, Bittgänge und die Sitte der Weihegabe haben sich noch lange gehalten.

Die Stadt Lübeck hatte gegen langjährigen Widerstand Dänemarks mit der eigenen ›Lübeck-Büchener-Eisenbahngesellschaft‹ 1851 schließlich den Anschluß an die 1846 er-öffnete Bahnlinie Berlin–Bergedorf durchgesetzt. Da der Bahnhof westlich des Fluß-tales liegt, hat sich der Ort Büchen hier weiter ausgedehnt und entwickelt. Büchen ist heute Eisenbahngrenzstation zur DDR.

Bünzen, Kreis Rendsburg/Eckernförde

Wassermühle des 17./18. Jh. Rad und Mahlwerk erhalten. – *Rauchkate* ›Dat ole Hus‹. Fachhallenhaus von 1804 (ohne Schornstein) mit Einrichtung um 1750 bis 1850. Als *Museum* (T 048 73 / 6 03) geöffnet So 15–18, sonst nach Vereinbarung, zeigt es das bäuerliche Arbeitsleben und die Wohnkultur des Aukruges. Eine zweite Wohnung ist mit Möbeln und Hausrat von 1850 bis 1920 ausgestattet.

Burg auf Fehmarn, Kreis Ostholstein

5874 E, Stadtrecht 14. Jh. vorhanden. – Burg, der größte Ort auf der Insel, 1231 erstmalig erwähnt, hat seinen Namen von einer landesherrlichen, vormals vielleicht slawischen Burg, die einst auf dem Gelände der Volksschule an der Orthstraße gelegen hat und auf der Dankwerth'schen Karte von 1648 (in Landesbeschreibung 1650) noch verzeichnet ist. Bis hierhin zog sich vom Binnensee her auch bis ins 15. Jh. der alte Hafen, bis er verlandete und man in der Neuen Tiefe am Binnensee Ersatz verschaffte, der auf Dauer sich auch als ungeeignet herausstellte. Der 1867/70 angelegte Hafen Burgstaaken genügt neuzeitlichen Ansprüchen. Zum Schutz der Hafenzufahrt wurde Anfang 13. Jh. auf einer Landzunge vor dem Binnensee (Burgtiefe) die Burg Glambek erbaut, die bis zu ihrer Zerstörung im Dreißigjährigen Krieg Sitz dänischer und lübischer Amtmänner war. Sie ist 1908 ausgegraben als eine rechteckige Anlage von 38 × 54 m, von einem Graben umzogen und ist bis zur Sockelhöhe erhalten. In der Nordostecke befindet sich ein Turmstumpf mit Brunnen.

Die mittelalterliche Bebauung des Ortes erstreckte sich beiderseits des Marktes und der Breiten Straße wie in einem fehmarnschen Bauerndorf um den Dorfanger herum. Der breite Vorplatz vor den Häusern war noch bis ins vorige Jahrhundert hinein zum großen Teil von Misthaufen bedeckt.

Am Marktplatz an der Stelle des jetzigen 1900/01 erbauten *Rathauses* stand ein Vorgängerbau von 1520. 1329 sind schon ›consules‹ erwähnt. – Die *Kirche* ist eine gewölbte dreischiffige Backsteinhalle der Gotik; vom Anfangsbau des mittleren 13. Jh. stammen die drei Westjoche. Ostverlängerung mit fünfseitigem Chorschluß und Sakristei sowie Westturm spätgotisch. Turmhelm 1763. Schnitzaltar spätes 14. Jh. Nebenaltar um 1480 mit Baldachin von 1513. Bronzetaufe 1391, lübisch. Kanzel 1767. Orgel 1662 bis 1664. Mehrere spätgotische Schnitzfiguren. Stattliche Epitaphien des Barock. – Von vier mittelalterlichen Kapellen hat sich die *Kapelle des St.-Jürgen-Stifts*, 1439 erstmals erwähnt, erhalten. Es ist ein kleiner Backsteinbau von 1507 mit dekorativer Ausmalung, mit einem schlichten Sakramentshaus des 13. Jh. und einer hölzernen St.-Jürgen-Gruppe des frühen 16. Jh. Die Kapelle liegt im Südosten der Stadt auf dem Wege nach Burgtiefe.

Außer einzelnen schönen alten Häusern steht eine malerische *Häusergruppe* des 17./18. Jh. in der Breite Straße 45–51 bei der Kirche, dort ist auch das Fehmarnsche Heimatmuseum, *Peter-Wiepert-Museum*. (Geöffnet Juni bis Sept. Mo, Mi, Sa 14–18.)

Etwa seit der letzten Jahrhundertwende hat Burg sich weiter ausgedehnt. Der Bau der Fehmarnsundbrücke 1963 (Abb. 116) im Verlaufe der Vogelfluglinie sowie die Errichtung eines großen Ferienzentrums in Burgtiefe 1969/73 haben zu einer allgemeinen Belebung geführt.

Cismar, Kreis Ostholstein

Das 1177 in Lübeck gegründete Benediktinerkloster gab wegen des wenig asketischen Lebenswandels der Mönche Anlaß zu Reibereien mit der Bürgerschaft, so daß der

Bremer Erzbischof 1231 die Verlegung des Klosters nach Cismar anordnete. Das Kloster besaß bereits ansehnliche Ländereien in der Umgebung des entlegenen ›Cicimeresthorpe‹. Erst nachdem Graf Adolf IV. von Schauenburg den Mönchen 1237 seinen Hof Sicima übereignete und den Bau der Klostergebäude eingeleitet hatte, siedelte 1245 ein Teil der Mönche nach Cismar über, der Konvent fügte sich erst 1256 mit der unvermeidlich gewordenen Verlegung aus der Stadt in die Wildnis.

Das Kloster hat die Erschließung des wagrischen Landes und die Rodung des bewaldeten Bungsberggebietes stark gefördert. 1325 gehörten bereits 25 Dörfer, 7 Mühlen und die Einkünfte aus einigen Kirchen zum Klosterbesitz, der sich zum großen Teil aus Schenkungen und Stiftungen, durch Kauf und Tausch ergab.

Cismar wurde ein bedeutender Wallfahrtsort, der wegen seines Wohlstandes sich eine aufwendige Armenbetreuung leisten konnte. Beim Bau des Klosters war man auf eine Quelle gestoßen, die geheiligt wurde und durch ihre Wunderkraft viele Pilger anlockte.

Das Verzeichnis der wundertätigen Reliquien umfaßte schließlich 809 Teile, darunter Dornen von der Krone Christi, Stücke von der Geißel, mit der man ihn schlug, Teile vom Tisch des Abendmahls, vom Holz des Kreuzes, von der Wiege Christi, vom Buch Moses, von den Gebeinen Abrahams. Die kostbarste Reliquie aber stellten Blutstropfen von Christus dar, die Heinrich der Löwe beim Kreuzzug von einem griechischen Kloster empfangen und dem Kloster gestiftet hatte; vom Lübecker Bischof war die Echtheit beglaubigt worden, vier Erzbischöfe und sechzehn Bischöfe reihten sich mit ihren Bestätigungen an. Als Bischof Krummendiek 1447 im Beisein des ganzen Konvents diese Reliquie öffnen ließ, fand sich darin nur ein Stückchen zusammengewickelte Purpurseide.

Berühmt war auch die Klosterbibliothek mit wertvollen Handschriften und frühen Drucken, von denen die Kopenhagener Staatsbibliothek heute den größten Teil besitzt. – Als das Kloster 1560 aufgehoben wurde, ging der Landbesitz in die Hände der Landesherrschaft über. Die Gebäude wurden nach und nach abgerissen, der größere Teil der Klosterkirche 1768/9 zu profanen Zwecken umgebaut. Von der ganzen Klosterherrlichkeit findet der Besucher heute außer der Quelle im gotisch gewölbten Brunnenkeller eines ehemaligen Klostertraktes nur die *Klosterkirche* in ihrem restlichen, nicht verbauten Chorteil, diesen aber in der edlen Schönheit eines gotischen Bauwerkes. Der Chor des um 1240 entstandenen Erstbaues wurde um 1260 mit Vorjoch und fünfseitigem Schluß verlängert. Das Laienschiff ist im 14. Jh. erneuert. Wiederherstellungsarbeiten im verbauten Teil sind eingeleitet worden.

Der Reliquienschreinaltar, eine um 1310/20 angefertigte hervorragende lübische Schnitzarbeit ist für diese Zeit einzigartig in seiner lebhaften Bildersprache (Farbt. XV). Im geschlossenen Zustande barg er die bedeutsamsten Reliquien.

Es empfiehlt sich ein Rundgang durch das umgebende Gelände; der innere Graben sowie die Reste von Wällen lassen den einstigen großzügigen Zustand und Umfang erahnen.

Damp, Kreis Schleswig/Flensburg

Stattliche *Gutshofanlage* des späten 16. Jh. Herrenhaus im Kern von 1595/97. In der Mitte prachtvolle, um 1700 ausgebaute Treppen- und Festhalle mit Empore und Orgel. Decke um 1720 reich stuckiert, Hauptbeispiel barocker Wohnkultur im Lande (Abb. 95). Reetgedeckte Wirtschaftsgebäude des 17./18. Jh. Vor der Gutszufahrt *St.-Johannis-Armenstift* von 1742, Kapelle und Katen (vgl. Fig. S. 110).

Dobersdorf, Kreis Plön

Herrenhaus, reizvoll am See gelegen, 1770/72 von G. Greggenhofer, ein Hauptwerk des Rokoko im Lande. Innen Stuck.

Drelsdorf, Kreis Nordfriesland

Kirche, spätromanischer Feldsteinbau wohl um 1200, Chor spätgotisch gewölbt. Ausmalung nach Renaissanceresten. Altar und stattliche Kanzel um 1600, Epitaph der Pastorenfamilie Bonnix 1656/57 mit vier Bildnissen in Knorpelwerkrahmen.

Eckernförde

Kreisstadt, 22938 E, Stadtrecht Ende 13. Jh. – Der Name wird 1197 erstmalig bezeugt, 1231 als Burg erwähnt. Den älteren Charakter des Handelsplatzes veranschaulichen noch die Nordseite des Marktes mit dem Rathaus (im Kern noch 16. Jh.) und der Nikolaikirche, dahinter die mit schmalen Giebelhäusern dicht bebaute Nikolaistraße sowie die Kleinbürgerhäuser an der Gudewerdtstraße.

Kirche, dreischiffige Backsteinhalle des 15. Jh. mit Kastenchor, Sakristei und in das Schiff einbezogenem Turmstumpf von einem romanisch-frühgotischen Vorgängerbau. Fresken im Chorgewölbe 1578. Bemerkenswerte Ausstattung besonders von Hans Gudewerdt d. J.: Altar 1640 und die ornamentalen Epitaphien Ripenau, um 1653 (Abb. 85) und Börnsen, 1661, Hauptwerke des Knorpelbarocks. Bronzetaufe 1588. Rantzau-Gestühle 1578. Holzrelief der Hirtenanbetung um 1515.

Im 1935 eingemeindeten *Borby* befindet sich eine um 1200 errichtete *Feldsteinkirche* mit Granitportal und gotländischer Kalksteintaufe aus dem Anfang des 13. Jh.

Eggebek, Kreis Schleswig-Flensburg

Kirche, Qualitätsvoller spätromanischer Backsteinsaal mit Chor, Apsis und Außengliederung, um 1200. Malerischer Innenraum, Empore bäuerlich bemalt. Altar 1608 und Kanzel aus der Ringering-Werkstatt.

Einhaus, Kreis Herzogtum Lauenburg

Ansverus-Kreuz. In der Feldmark steinernes Scheibenkreuz, erste Hälfte 15. Jh., angeblich am Ort der Steinigung des ersten Ratzeburger Abtes 1066.

Emkendorf, Kreis Rendsburg/Eckernförde

Gutshofanlage, ab 1791 von C. G. Horn für Fritz Graf Reventlow und seine Gemahlin Julia, geb. Gräfin Schimmelmann, unter Benutzung älterer Gebäude repräsentativ ausgebaut mit Alleen, architektonisch gestaltetem Vorhof, Ehrenhof vor dem Herrenhaus und ausgedehntem Landschaftspark. Das Herrenhaus, durch Julia eine zentrale Stätte des geistigen Lebens im Lande, ist mit seiner reichen Ausstattung und dekorativen Malereien im pompeianischen Stil (1802/06) das Hauptbeispiel klassizistischer Herrenhauskultur im Lande (Farbt. XXI; Abb. 97).

Eutin

Kreisstadt, 17701 E, Stadtrecht 1257. – Der Name taucht zuerst auf als Bezeichnung für einen wendischen Gau Utin, dessen Hauptburg vermutlich auf der Fasaneninsel im Großen Eutiner See gelegen hat. In diesem Gau wurden während der Kolonisation ab 1143 holländische Siedler angesetzt, wohl weil sie eigene Erfahrungen hier bei der Aufschließung der seenreichen Gegend anwenden konnten.

Bischof Gerold erhielt 1156 unter Hinweis auf frühere Besitzrechte aus der Zeit des ersten Bistums vom Grafen Adolf II. neben anderen Liegenschaften den gerade neu angelegten Ort Eutin zugesprochen, gründete hier einen Bischofshof, legte den Markt an und ließ wohl auch den Kirchenbau beginnen. Da in Lübeck Bischofsstuhl und Rat meist in einem gespannten Verhältnis zueinander standen, erhielt Eutin insofern eine Sonderstellung, als der Bischof zeitweise vom Eutiner Bischofshof aus residierte und an der Eutiner Kirche ein besonderes Kollegiatstift gründete. Das vom Bischof um 1260 auf einer in den Großen Eutiner See hineinragenden Halbinsel erbaute »große steinerne Haus« wurde von den Nachfolgern nach und nach zu einer Wasserburg erweitert.

Als nach der Reformation die Besitzungen des Bistums in landesherrliche Hände übergingen, wurde Eutin Residenz der ›Fürstbischöfe von Lübeck‹ aus dem Hause Holstein-Gottorf, denen zur Abfindung ihrer Ansprüche beim Tauschvertrag von 1773 die Grafschaften Oldenburg und Delmenhorst zugesprochen wurden.

Das Eutiner Hofleben im nunmehr schmuckvoll ausgebauten Schloß, dem sich ein prächtiger Park anschloß, und das einer Kleinstaatsresidenz angemessene städtische Milieu erreichten nun ihre Höhepunkte. Durch die Förderung der Fürstbischöfe, seit 1773 Herzöge von Oldenburg genannt, wirkten viele bedeutende Persönlichkeiten in Eutin, u. a. die Dichter Reichsgraf Leopold von Stolberg (in Bramstedt 1750 geboren), Johann Hinrich Voß, als Hofmaler J. H. Tischbein, als Hofbaumeister der Bayer Georg Greggenhofer und der Hesse Peter Richter. Carl Maria v. Weber wurde 1786 als Sohn des fürstbischöfl. Kapellmeisters in Eutin geboren.

1803 wurde durch den Reichsdeputationshauptschluß aus dem Fürstbistum ein weltliches Erbfürstentum mit dem Namen ›Fürstentum Lübeck‹ als Landesteil des (seit 1815) Großherzogtums Oldenburg; durch die Verlegung der Residenz nach Oldenburg sank die Bedeutung Eutins. 1867 wurden die Gebietsteile um Eutin und Schwartau durch die Hinzunahme des holsteinischen Amtes Ahrensbök zu einem Landesteil vereinigt, der durch das Groß-Hamburg-Gesetz 1937 als Landkreis Eutin zur preußischen Provinz Schleswig-Holstein gelangte; 1970 entstand durch Fusion mit dem Kreis Oldenburg der Kreis Ostholstein.

Michaeliskirche, am rechteckigen Markt, gewölbte Backsteinbasilika, erstes Drittel 13. Jh., mit stämmigem Westturm und zu Beginn des 14. Jh. erneuertem Chor. Mittelschiff nach Brand von 1492 verändert, desgleichen das südliche Seitenschiff um 1500. Übermannshoher Armleuchter aus Bronze, 1444. Mehrere Renaissance- und Barock-Epitaphien.

Schloß. Die mittelalterliche Burg wurde unter den evangelischen Fürstbischöfen als vierflügeliges Wohnschloß erneuert, insbesondere zwischen 1717 und 1722 nach Plänen von R. M. Dallin, mit reichen Stukkaturen im Inneren. Schloßkapelle nach 1682 neu ausgestattet. Altarbild in prächtigem Akanthusrahmen. Größte Porträtsammlungen Norddeutschlands, Porzellan, Gobelins, Mobiliar des 18./19. Jh., fünf große Schiffsmodelle des frühen 18. Jh. aus dem Besitz von Zar Peter III.

Das Schloß (T 045 21 / 23 12) ist geöffnet 15. Mai bis Sept. täglich außer montags mit Führungen um 11, 15 und 16 Uhr.

Schloßvorhof mit zwei ehemaligen Marstallgebäuden 1830/31 und ehemaligem Kavaliershaus 1836/38.

Schloßpark reizvoll am See, 1785 im englischen Stil umgestaltet mit rundem Sonnentempel und Tuffsteintempel von 1792/96 nach Entwurf C. F. Hansens (Abb. 112). Orangerie 1772 von G. Greggenhofer. Im Schloßpark finden alljährlich auf einer Freilichtbühne die ›Eutiner Sommerspiele‹ statt.

Rathaus am Markt 1791 durch Richter erbaut.

Voß-Haus am Voßplatz, Wohnhaus von Johann Hinrich Voß.

Jagdpavillon im Ortsteil Sielbek am Ukleisee; ein Holzbau mit stuckiertem Saal, den G. Greggenhofer 1776–77 für den Eutiner Hof errichtete.

Heimatmuseum im einstigen St.-Georgs-Hospital, Lübecker Str. 17, Backsteinbau 1776 von Greggenhofer.

Geöffnet So 11–13, Di–Sa 16–18, Juni bis August auch 10–13, montags geschlossen.

Farve, Kreis Ostholstein

Herrenhaus, vierflüglige Anlage, im Kern nach 1480, 1837 im Stil der romantischen Neugotik überformt. Stuckdecken des frühen 18. Jh. Reitstall 1703. – *Windmühle*, Erdholländertyp 1828.

Flensburg

Kreisfreie Stadt, 93 213 E, 1284 Stadtrecht bestätigt. – Der am Ende einer langen Förde von der Natur begünstigte Platz hat von jeher Menschen zur Niederlassung angelockt. Am südöstlichen Zipfel entstand schon um 1200 eine Feldsteinkirche in einer dörflichen Siedlung, die wohl von Fischern bewohnt wurde. Dänenkönig Knud IV.

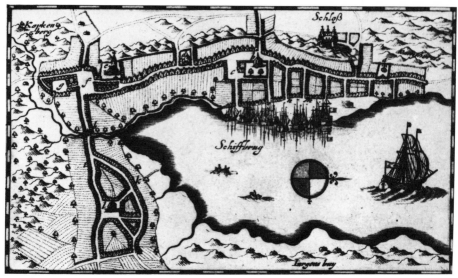

Flensburg 1651

gründete zu dieser Zeit im Bereich des heutigen Nordermarktes eine auf den Seehandel ausgerichtete Kaufmannssiedlung, die einschließlich einer weiteren, nördlicher gelegenen Vorstadt (Ramsharde) allmählich mit einem an der innersten Fördespitze am Kreuzpunkt alter Wegeführungen liegenden Landhandelsplatz, dem heutigen Südermarkt, zusammenwuchs. Zwischen beiden Märkten lag eine Thingstätte, auf der das mittelalterliche Rathaus (1883 abgerissen) erbaut wurde. An beiden Maktplätzen wurden Kirchen errichtet: St. Marien im 13. Jh. im Norden, St. Nikolai – um 1390 – im Süden.

Eine im Süden der Förde durch Franziskanermönche angelegte Klosteranlage wurde nach der Reformation in ein Armenstift, das Heilig-Geist-Hospital, umgewandelt. Von dem ursprünglichen Heilig-Geist-Hospital in der Stadtmitte hat sich nur die Heilig-Geist-Kirche von 1386 erhalten, die seit 1588 der dänischen Gemeinde zum Gottesdienst zur Verfügung steht. – Eine schloßartige Festung Duburg ist 1719 abgebrochen.

Blütezeiten erlebte Flensburg im 14. Jh., ohne daß es der Hanse angehörte, und dann im 16. und frühen 17. Jh., wobei es vom Niedergang der Hanse profitierte, als niederländische Zuwanderer unter Förderung der dänischen Krone den Anschluß an den westeuropäischen Handel gewannen. Nach wirtschaftlichen Rückschlägen nahm der Seehandel im späten 18. Jh. vor allem nach Westindien einen Aufschwung, worauf Flensburgs Ruf als Rum-Stadt beruht. Inzwischen wuchs die Stadt (s. a. Farbt. XVIII) über ihre mittelalterlichen Ausmaße hinaus. – Nach der Reichsgründung 1871 wurde Flensburg Marinegarnison und Sitz der Marineschule im Ortsteil Mürwik.

Marienkirche, dreischiffige gotische Backsteinhalle des 13.–15. Jh. mit Mansardendach von 1788 und neugotischem Turm von J. Otzen 1878/80. Großartiger Altaraufbau: Spätrenaissancearchitektur von H. Ringering 1598. Kanzel 1579. Bronzetaufe 1591. Bemerkenswerte Reihen von Holzepitaphien 16. und 17. Jh.; darunter das Beyer-Epitaph von 1591, mit einer bedeutsamen frühen Ansicht Flensburgs im Hintergrund. Farbige Glasfenster, 1948, von Käte Lassen, das Glaubensbekenntnis darstellend.

Nikolaikirche, Backsteinhalle zwischen 1390 und 1480 mit neugotischem Turmaufsatz von J. Otzen 1877 auf massigen Rundpfeilern. Bedeutendster Orgelprospekt der Renaissance in Norddeutschland von H. Ringering 1604 bis 1609 (Abb. 77). Bronzetaufe 1497. Stattliche Kanzel 1570 von H. Matthes.

Hl.-Geist,Kirche, kleiner zweischiffiger Gewölbesaal ab 1386 mit Resten ursprünglicher Ausmalung um 1400.

Johanniskirche, spätromanischer Feldsteinbau um 1200, um 1400 eingewölbt und ausgemalt.

Spital zum Hl. Geist, stimmungsvolles Bürgerstift, als Franziskanerkloster gegründet mit Bauteilen des 13.–19. Jh., Kirchsaal mit Holzbalkendecke.

Alter Friedhof mit qualitätvoller klassizistischer Kapelle, angelegt von A. Bundsen 1810/13. Gute spätklassizistische und neugotische Grabmäler. Ruhestätte von deutschen und dänischen Soldaten aus den Kriegen 1848/51 und 1864.

Deutsches Haus, Klinkerbau mit vierkantigem Turm 1927–30 mit großen Sälen und Bücherei.

Mürwik, Marineschule 1907–10 von A. Kelm, ausgedehnter schloßartiger Komplex im Stil ostdeutscher Ordensarchitektur. Anspruchsvolle *Bürgerbauten:* Alt-Flensburger Haus, Norderstraße 8, mit alter Ausstattung (Mitte 18. Jh.); Flensburg-Hus, Norderstraße 76 (1725); Kaufmannshof, Holm 19–21, malerische Gebäudegruppe des 16./17. Jh.; Kompagnietor (1602–1604), Hafentor und Haus der Schifferkompagnie. Reizvolle Straßenräume: Südermarkt, Nordermarkt mit Schrangen und Neptunsbrunnen (1758), kleinbürgerlicher Oluf-Samsons-Gang.

Städtisches Museum, Lutherplatz 1 (T 0461/85-356). Hat sich in den letzten 100 Jahren vom Kunstgewerbemuseum zu einem kulturgeschichtlichen Museum des früheren Herzogtums Schleswig entwickelt. Außer der Vor- und Stadtgeschichte umfaßt das Ausstellungsgut gotische Holzplastik (Madonna von Viöl 1280) und kirchliche Gegenstände, eine sehr reiche Möbelsammlung von der Gotik bis zum Jugendstil u. a. m. Sehenswert insbesondere Bauernstuben des 17. und 18. Jh. aus Nordfriesland und Nordschleswig (Farbt. XXV), viele Schiffsmodelle.

Geöffnet Di–Sa 10–13, 15–17; So 10–13.

Naturwissenschaftliches Heimatmuseum, Süderhofenden 40–42. (T 0461/85304). Geöffnet Di–Fr 10–12, 15–17; So 10–13.

Friedrichsruh, Kreis Herzogtum Lauenburg

Nach dem 1865 erfolgten Anschluß des Herzogtums Lauenburg an Preußen erhielt Bismarck 1871 vom preußischen König das 65 qkm große Areal des Sachsenwaldes, das größte Waldgebiet Schleswig-Holsteins, geschenkt. In Friedrichsruh baute er ein vorhandenes Gebäude zum Wohnhaus aus, in dem er von seiner Entlassung 1891 bis zu seinem Tode 1898 lebte. Das im letzten Krieg durch Bombenschaden zerstörte Haus ist durch einen schlichten Neubau ersetzt, der von der Familie bewohnt wird.

Das *Bismarck-Museum* im Fachwerkbau gegenüber zeigt Erinnerungsstücke; im *Mausoleum*, einer 1889/90 errichteten neuromanischen Kapelle, ruhen in Marmorsarkophagen die Gebeine des Alt-Reichskanzlers und seiner Gemahlin.

Museum geöffnet April bis September Di–So 9–18, Mo 13–18; Oktober bis März Di–Sa 9–16, So 10–16 (2055 Aumühle-Friedrichsruh, T 0 41 04 / 24 19).

Friedrichstadt, Kreis Nordfriesland

2859 E, 1619/20 Stadtrecht. – Der Gottorfer Herzog Friedrich III. ließ durch kapitalkräftige niederländische Glaubensflüchtlinge die nach ihm benannte Stadt nach niederländischem Muster am Zusammenfluß von Treene und Eider planmäßig anlegen; 1619 hatte er ihnen dazu Glaubensfreiheit zugesagt und Handelsprivilegien erteilt. Das Bestreben, mit ihrem Zuzug auch den Handel mit Spanien und der Levante direkt über sein Land abzuwickeln, Friedrichstadt somit zum Umschlagplatz für einen zu belebenden Nordostseehandel zu machen, blieb erfolglos, zumal viele Familien nach Einstellung der Remonstrantenverfolgung (1630) nach Holland zurückkehrten. Der Zuzug süd- und mitteldeutscher Handwerker ergab eine weitere Bevölkerungsschicht mit eigenen Baugewohnheiten.

Als religiöse Freistatt bot Friedrichstadt den verschiedensten Gläubigen Unterkunft, so daß zeitweilig sieben Religionsgemeinschaften nebeneinander bestanden. Die allgemeinen wirtschaftlichen Schwierigkeiten im Lande durch die Kriege des 17. und 18. Jh. verhinderten auch ein Aufblühen Friedrichstadts. 1850 sank mehr als die Hälfte der Stadt in Asche bei der Beschießung durch schleswig-holsteinische Truppen, die vergeblich die von den Dänen besetzte Stadt bestürmten; 137 Häuser wurden total, 285 teilweise zerstört.

Beim Wiederaufbau blieb das rechteckige Straßennetz zwischen Sielzügen und Grachten voll erhalten. Am baumbestandenen Markt stammen einige Treppengiebelhäuser holländischer Prägung aus der Gründungszeit, ebenso neben anderen als hervorragende *Bürgerhäuser* das Grafenhaus von 1622, die Alte Münze von 1626, das Paludanushaus von 1637. Das Haus Mittelburgwall 24 zeigt im Inneren die alte Raumgliederung eines Kaufmannshauses (Abb. 76). – Die *Lutherische Kirche* (1643/49) schmückt ein Altarbild (1675) des Rembrandtschülers Jürgen Ovens, der zwanzig Jahre in der Stadt gearbeitet hat und hier verstarb. – Der *Betsaal der Mennoniten*, puritanisch schlicht, befindet sich seit 1708 im rückwärtigen Querbau der Alten Münze. Die *Remonstrantenkirche* mit dem stadtbeherrschenden Turm stammt von 1852/54; auch die *katholische Kirche* ist ein Neubau von 1853 (mit einem frühgotischen hölzernen Kruzifix, einer französischen Arbeit um 1230).

Garding, Kreis Nordfriesland

2001 E, seit 1590 Stadtrecht. – Eine alte Siedlung, die auf einem in ostwestlicher Richtung verlaufenden Geestrücken, ursprünglich auf einer Insel Everschop, liegt. Diese Insel wuchs durch die von den Nordfriesen etwa ab 1000 n. Chr. betriebene Eindeichung allmählich mit zwei anderen, Utholm und Eiderstedt, zur heutigen Marschhalbinsel Eiderstedt zusammen; 1489 gab es über einen Damm im Wattenmeer die erste feste Verbindung zum Festland. Bis ins 18. Jh. wurde das ganze Gebiet noch ›Die Dreilande‹ genannt. – Der fruchtbare Marschboden erbrachte große Getreideernten. Zum Speichern erbaute man die Haubarge, das sind die größten Bauernhäuser der Welt, deren Form von holländischen Einwanderern hergebracht wurde (vgl. Umschlagvorderseite). Auch die Milchwirtschaft wurde durch die Holländer gefördert. – Im lebhaften Handelsverkehr mit den Niederlanden brachte die Ausfuhr von Getreide und Käse den Bewohnern Reichtum. Hausgeräte, Trachten und Kunstschätze in Kirchen und Bauernhäusern Eiderstedts haben daher niederländischen Charakter. – Durch den Gottorfer Landesherrn erhielt Garding 1575 das Waageprivileg, das Recht, Wochenmarkt abzuhalten und mit Tönning zugleich 1590 das Stadtrecht. Zur besseren Ausfuhr der Landesprodukte wurde 1612 die Anlage eines Kanals zur Eidermündung verfügt, Süderbootfahrt genannt, der bis zum 1892 erfolgten Eisenbahnanschluß betrieben wurde, nun aber mitsamt des Gardinger Hafens zugeschüttet ist.

Die Gardinger *Kirche* ist ein kreuzförmiger gewölbter Backsteinbau des 12.–13. Jh. Langhaus in der Spätgotik zweischiffig eingewölbt. Turm 13. Jh. Reste gotischer Ausmalung. Der manieristische Gemäldeflügelaltar 1596 von M. v. Achten prächtigstes Beispiel dieses Eiderstedter Typs. Geschnitzte Kanzel 1563. Orgelprospekt 1512, einer der ältesten in Norddeutschland, wahrscheinlich aus Lübecker Werkstatt. – Im *Hause Markt 6* wurde der Historiker *Theodor Mommsen* (1817–1903) geboren.

Das Gedächtniszimmer wird nach Bedarf geöffnet, Anmeldung im Pastorat (T 04862/8267 – Propstei).

Garkau, Kreis Ostholstein

Bauernhofanlage, Planung 1924/25 von Hugo Häring im Stil der neuen Sachlichkeit. Ausgeführt wurde das viel bewunderte funktionelle Kuhhaus mit einem schanzenförmigen Häckseltrichter und die Scheune mit offener Spitzbogendachkonstruktion sowie eine kleine Garage gegenüber. Mit erheblichen Mitteln wurde von der offenbar doch zu leicht gebauten, stark angegriffenen Anlage 1976 das Kuhhaus restauriert und in einen Schweinestall umgewandelt.

Gelting, Kreis Schleswig/Flensburg

Gutshof mittelalterlichen Typs, durch Wassergräben und Wälle mit Eckbastionen gesichert. Herrenhaus stattliche Dreiflügelanlage (Abb. 73). Der linke Flügel mit Rundturm im Kern spätmittelalterlich, der rechte wohl 1680, der mittlere in den 1770er Jahren erneuert und innen aufs reichste von A. M. Tadei stukkiert. Bauherr war der Reichsfreiherr von Geltingen Seneca Inggersen, der als Barbierlehrling Sönke Ingwersen aus Langenhorn über Holland nach Java ausgewandert war, reich zurückkehrte und hier nun einen fürstlichen Prunk entfaltete.

Kirche, spätgotischer Backsteinbau, 1793 zum klassizistischen Saal erweitert und unter Einbeziehung alter Ausstattungsstücke im Innern einheitlich gestaltet. Prachtvolle Holztaufe 1653, wohl noch von Hans Gudewerdt d. J.

Gettorf, Kreis Rendsburg/Eckernförde

Das größte Kirchdorf und Marktzentrum der Landschaft des Dänischen Wohld, 1259 zuerst erwähnt, war im Mittelalter Wallfahrtsort. Die *Kirche* ist ein einschiffiger, langgestreckter Backsteinbau des 13. Jh. mit stattlichem, 1491 vollendeten Westturm. Südarm und einheitliche Wölbung des Schiffes 1509/11. Qualitätsvoller lübischer Schnitzaltar gegen 1518. Bronzetaufe 1424. Reich geschnitzte Kanzel 1598 von Hans Gudewerdt d. Ä.

Giekau, Kreis Plön

Kirche, frühgotischer flachgedeckter Feldsteinsaalbau Mitte 13. Jh. mit klassizistischem Ziegelturm 1811/13. Schnitzaltar 1480 mit gemalten Flügeln. Holzkanzel 1591.

Glücksburg, Kreis Schleswig/Flensburg

7414 E, Stadtrecht 1910. – Anerkanntes See- und Heilbad in reizvoller Lage an der Flensburger Förde, das als Ostseebad seit 1872 sich zu einem beliebten Erholungsort entwickelte. Sitz der Hanseatischen Yachtschule. Den Namen hat der Ort von der gleichnamigen Wasserburg.

Der dem dänischen Königshaus entstammende Herzog Hans d. J. (1545–1622) hatte neben umfangreichen anderen Besitzungen das 1210 gegründete Rudekloster in Angeln zugeteilt erhalten; dies ließ er 1582 abreißen und etwas nördlich davon in fünfjähriger Bauzeit das Schloß, die ›Glücksburg‹ erbauen, wobei die Schwennau zum Teich aufgestaut wurde. Der Wahlspruch des Herzoghauses »Gott gebe Glück mit Frieden« steht noch heute am Schloß mit G.G.G.M.F. eingemeißelt.

Herzog Hans d. J. ist der Stammvater des noch bestehenden herzoglichen Hauses Schleswig-Holstein sowie der Königshäuser von Dänemark, Norwegen und Griechenland geworden.

Das *Schloß,* ein quadratischer, dreigeschossiger Baublock unter drei gleichartigen Paralleldächern mit vier gedrungenen, achtseitigen Ecktürmen, ist eine der schönsten deutschen Wasserburgen (Abb. 74). Der alte Renaissance-Mittelturm wurde nach Zerstörung durch Blitzschlag 1768 durch einen Barockturm ersetzt. – Vom Wirtschaftshof aus betritt man über einen Damm (bis 1812 über eine Brücke) das im Wasser stehende Schloß. Die Renaissance-Ausstattung ist weitgehend erhalten. Im Erdgeschoß befindet sich die Kapelle, 1717 barock eingerichtet mit Herrschaftsloge und Empore im Knorpelstil. Der nicht bewohnte Teil des Schlosses ist der Öffentlichkeit als *Museum* zugänglich. Glanzstücke sind Gobelins und bemalte niederländische Ledertapeten sowie eine Bildergalerie zur schleswig-holsteinischen und dänischen Geschichte (vgl. Fig. S. 110).

Geöffnet 15. Mai bis Sept. Di–So 10–16.30. Okt. bis 14. Mai nur Gruppenführungen, Di–Do 11, 12, 14, 15, 16 Uhr oder nach Vereinbarung (mindestens 6 Personen).

Glückstadt, Kreis Steinburg

12 159 E, Stadtrecht 1617. – Dem dänischen König Christian IV. (1577–1648) fehlte in Schleswig-Holstein ein geeigneter Hafen, wie ihn die Gottorfer Herzöge mit Husum, Tönning und später (ab 1621) Friedrichstadt und die Schauenburg-Pinneberger Grafen in Altona besaßen. Den Hamburger Widersachern wollte er Konkurrenz machen und sich zugleich für seine südwärts gerichtete Machtpolitik an der Elbe eine günstige Operationsbasis sichern. So ließ er im südlichsten Zipfel seines königlichen Anteils an der Einmündung des Rhin in die Elbe nach erfolgter Eindeichung der ›Wildnis‹ genannten Elbmarschen 1616 das Gelände für eine befestigte Hafenstadt abstecken, verlieh der Neuplanung 1617 bedeutende Privilegien und ließ die ›Glückstadt‹ nach niederländischer Art mit Kanälen und Wallsystem anlegen. 1624 standen bereits 450 Häuser. 1644 war Glückstadt mit 1000 Familien schon die drittgrößte Stadt des dänischen Reiches. Nicht aus humanitären, sondern wirtschaftlichen Überlegungen rief man betriebsame Ausländer herbei: Niederländische Glaubensflüchtlinge, holländische und portugiesische Juden kamen in großer Zahl. »Sie alle genossen – vielfach zum Verdruß der Einheimischen – weitgehende Privilegien, die Juden z. B. mehr Freiheiten als irgendwo sonst in der Welt damals« (Degn). Nach anfänglichem Verbot ließ man später auch Katholiken zu. – Glückstadt (Abb. 90) ist für das handelsmächtige Hamburg nie eine ernsthafte Konkurrenz geworden, zumal ihm die notwendigen Verbindungen zum Hinterland fehlten. – Walfang im Eismeer, Robbenschlag auf Spitzbergen, Heringsfang und Frachtschiffahrt ergaben für den Ort eigene Erwerbsquellen. Von den Unternehmungen der Gründerzeit hat sich nur die 1632 gegründete Druckerei Augustin bis in unsere Tage halten können, die für alle Welt Aufträge ausführt, weil sie in arabischen, chinesischen und anderen ungewöhnlichen Lettern druckt. – 1748 war Glückstadt Sitz der Regierungs- und Justizkanzlei sowie anderer Behörden geworden, die nach 1864 nach Kiel und Schleswig abgezogen wurden, doch blieb es Garnisonstadt. – Eine Elbfähre führt zum niedersächsischen Ufer.

Der Grundriß der Altstadt kann den einstigen Festungscharakter nicht verleugnen, die Festungsanlagen wurden 1814 geschleift. Vom sechseckigen *Marktplatz* als Mittelpunkt gehen zehn Straßen strahlenförmig aus, wovon die breite Straße ›Am Fleth‹ mit dem Namen noch bis in die jüngste Zeit bestandenen Kanalverlauf verrät.

Die *Stadtkirche* von 1618/23, ein langschiffiger Backsteinbau mit markantem Glockenturmhelm wurde 1650 nach Süden erweitert. Innen findet sich ein breites Hauptschiff unter der geputzten Tonnenwölbung mit einer wirkungsvollen einheitlichen Barockausstattung, die stark bestimmt wird von den mit 105 Bildern geschmückten Holzemporen und dem 1706 eingebauten Lettner mit schweren Messingbalustern. Neben zahlreichen hübschen *Bürgerhäusern* des 17. und 18. Jh. sind sehenswert: Das 1873 im Stil von 1642 erneuerte *Rathaus* am Markt, das *Wasmer-Palais*, Königstraße 36, mit um 1728 von A. Maini reich stuckierten Räumen, ab 1752 Sitz der Regierungskanzlei und das 1967 restaurierte *Brockdorff-Palais*, Am Fleth 43. Dieses 1631/32 für den Festungskommandanten, Gouverneur Graf Pentz (Schwiegersohn von Christian IV.) erbaute Gebäude mit rückseitiger niederländischer Fassade, einem Barockgiebel von 1740 zeigt im Erdgeschoß eine um 1695 bemalte Holzbalkendecke. Im Obergeschoß befindet sich das *Detlefsen-Museum*, dessen 1894 von Prof. Detlefsen begonnene Sammlung einen Überblick über die Kulturgeschichte der Elbmarschen gibt. Geöffnet Sa 15.30–18.30, So 10–12, 15–17 (T 0 41 24 / 20 11, App. 86).

Grömitz, Kreis Ostholstein

Als eines der bedeutendsten Ostseebäder mit jährlich (1976) 196 000 Gästen und über 2 Millionen Übernachtungen ist Grömitz mit anderen benachbarten Dörfern und seit 1970 auch mit dem Ort Cismar zu einer Gemeinde vereinigt. Es kann die ersten Badegäste 1813 registrieren, 1836 die ersten Badekarren nachweisen und 1839 die erste Badeanstalt für kalte und warme Seebäder. Die Badegäste wohnten in Pensionen und Privatquartieren; die ersten großen Hotelbauten entstanden erst am Anfang dieses Jahrhunderts. Der Ort ist aus dem unten am Strand gelegenen Wicheldorf und dem eigentlichen auf der Anhöhe befindlichen Grömitz zusammengewachsen.

1198 gehört dem Lübecker St.-Johannis-Benediktinerkloster ein Hof am Bach ›Grobnize‹ (kleiner Bach). 1259 wird schon eine Kirche von ›Grobenisse‹ aufgeführt, was die Existenz eines Dorfes voraussetzt; zu dem Kirchspiel gehören acht Dörfer. Seit 1287 finden sich schriftliche Hinweise auf eine Burg, die der Landesherr »augenscheinlich sowohl zum Schutze der Kolonisation und zur Festigung seiner Herrschaft als auch zur Abwehr etwaiger von See her angreifender äußerer Feinde dort erbauen ließ« (Rothert). Diese Burg, wohl mit der Paaschburg genannten identisch, ist 1824 durch Ortsfunde belegt gewesen und lag östlich vom alten Ort auf einer Anhöhe am heutigen Mittelweg. – 1322 kam Grömitz zum Besitz des reichen Klosters Cismar, wodurch der Ort aufgrund der Wirtschafts- und Handelsbeziehungen aufblühte und eine Zeitlang sogar das lübische Stadtrecht besaß (1440). Nach der Reformation sank mit der Aufhebung des Klosters auch die Bedeutung des Ortes. – Die *Kirche*, ein flachgedeckter, einschiffiger Feldsteinbau mit gewölbtem Chor stammt aus dem dritten Viertel des 13. Jh. Spätgotischer Westturm. Barockaltar 1734 vom Wiener Baumeister Melchior Tatz. Rokokokanzel 1766. Orgel 1742. Reste mittelalterlicher Wandmalereien im Chorbogen und Schiff.

Großenaspe, Kreis Segeberg

Katharinen-Kirche. achteckiger barocker Zentralbau mit zierlichem Westturm, Backstein, 1771/72; von I. A. Richter erbaut, gestiftet von der Zarin Katharina II. Einheitliche Holzausstattung der Erbauungszeit. Frühgotisches Kruzifix um 1260, das vielleicht aus der Vorgängerkirche stammt.

Groß-Grönau, Kreis Herzogtum Lauenburg

Kirche, ansehnlicher Backsteinbau. Das dreijochige Schiff (Gewölbe verloren) um 1300, der gewölbte Kastenchor schon Mitte 13. Jh., Westturm 1698–1705. Wappenfenster 17. Jh. Altar 1730, Kanzelkorb 1602, Prachtwerk des Manierismus. Orgel 1698. Taufstein 13. Jh. – Gegenüber der Kirche ein reetgedecktes Fachwerkhaus des 18. Jh.

Grube, Kreis Ostholstein

In geschützter Lage am jetzt trocken gelegten Gruber See, auf dem heutigen ›Paasch-Eyler-Platz‹ lag zum Schutze des Wasserarmes und der Gegend eine gräfliche Burg, ein Vogt ist 1222 erstmalig urkundlich erwähnt; ihr gegenüber entstanden Dorf und Kirche, diese 1232 erstmals belegt. Der Ort besaß, als er ab 1460 zum Kloster Cismar kam, wie Grömitz Stadtrechte. Um 1500 sind Bürgermeister und Ratsmänner nachweisbar, das Siegel ist noch vorhanden. Die *Kirche* (St. Georg), ein flachgedeckter gotischer Backsteinsaalbau des 13./14. Jh., besitzt einen bemerkenswerten dreiteiligen Schnitzaltar aus dem dritten Viertel des 15. Jh. sowie prächtiges barockes Gestühl der Gutsherren von 1657 und später.

Eines der ältesten Bauernhäuser Schleswig-Holsteins, das 1569 erbaute ehemalige Pastorat, welches neben der Kirche stand, befindet sich jetzt wieder aufgebaut im Freilichtmuseum in Molfsee/Kiel. In diesem Hause wirkte der Pastor Johannes Stricker (1540 bis 1599), der das 1584 in Lübeck erschienene niederdeutsche Jedermannsspiel ›De düdesche Schlömer‹ geschrieben hat.

Gudow, Kreis Herzogtum Lauenburg

Kirche, einschiffiger, flachgedeckter Feldsteinbau des späten 12. Jh. Chor um 1300 verlängert. Hölzerner Westturm 17. Jh. Schnitzaltar gegen 1410, hervorragende lüneburgische Arbeit in Barockrahmen von 1655. Repräsentative Gutsloge um 1600. Triumphkreuz um 1320. Holzmadonna drittes Viertel 15. Jh. Epitaph v. Bülow 1588. – *Herrenhaus* am See, Putzbau 1826 von J. C. Lillie (geb. in Kopenhagen, seit 1813 Stadtbaumeister in Lübeck), das letzte rein klassizistische Herrenhaus in Schleswig-Holstein. – *Armenstift* des Guts 1704, ein Hospital, dem Platz des Herrenhauses gegenüber an der anderen Seite des Friedhofs.

Güldenstein, Kreis Ostholstein

Auf der Gemarkung des spätmittelalterlichen Gutes Gnenynghe neu entstandenes *Herrenhaus,* ein Hauptwerk des Spätbarock im Lande, 1726/28 von R. M. Dallin, im

Inneren mit wertvollen Stukkaturen der Bauzeit, einst gänzlich, heute noch nur auf drei Seiten vom Wassergraben umschlossen. Torhaus 1743. Gepflegter Landschaftspark von 1841.

Haseldorf, Kreis Pinneberg

Das 1190 schon genannte Dorf gab den Elbmarschen zwischen Wedel und Krückau den Namen ›Haseldorfer Marsch‹. – *Kirche,* nobler schlichter, bedeutendster spätromanischer Backsteinbau der Elbmarschen aus dem zweiten Viertel 13. Jh. Außen an der Stirnwand des Chors reicher Steinepitaph 1599. Gute Ausstattung: Triumphkreuz Anfang 14. Jh., Bronzetaufe 1445, Altarrahmen um 1700. – *Herrenhaus,* eingeschossiger klassizistischer Putzbau 1804 von C. F. Hansen. Die verschiedenen Nebengebäude Backsteinbauten des 18. und 19. Jh. Im Gutspark ist noch die alte Burganlage aus dem 12. Jh. als Wall zwischen zwei Ringgräben erkennbar.

Hasselburg, Kreis Ostholstein

1426 als Hof erstmalig erwähnt. *Gutshofanlage* des Spätbarock. *Herrenhaus,* in dessen Kern ein spätmittelalterliches Doppelhaus steckt, 1707/10 umgebaut, 1804 außen klassizistisch überformt, zusammen mit den Kavaliershäusern von 1707 um einen Ehrenhof errichtet. Innen großartige Treppen- und Festhalle, Höhepunkt barocker Raumgestaltung im Lande; beherrschend die italienisch geprägte illusionistische Deckenmalerei um 1710 zur Verherrlichung des Gutsherrn Graf von Dernath. – *Torhaus,* 1763 von G. Greggenhofer, ein Hauptwerk seiner Gattung im Lande, das schönste Ostholsteins (Abb. 92). Dreiflügelig mit kuppelartig überdachtem Mittelpavillon (vgl. Fig. S. 109).

Hattstedt, Kreis Nordfriesland

Kirche, interessanter Backsteinbau um 1200, wenig später durch ein langes Schiff nach Westen verlängert, Westturm spätgotisch. Schnitzaltar mit Antependium um 1480. Bronzetaufe 1647 mit Knorpelornament. Prachtvolle Kanzel 1641 von Claus Heim geschnitzt.

Heide

Kreisstadt, 21 918 E, Stadtrecht 1870. – Am Westausläufer des dithmarscher Geestrückens, der hier unmittelbar an die Marsch heranreicht, entstand an der Kreuzung alter Wege »auf der Heide« eine 1404 erstmals schriftlich erwähnte Siedlung, die 1434 Treffpunkt von Vertretern der acht Dithmarscher Kirchspiele war.

Das Bestreben der Kirchspiele, die Macht der fünf erzbischöflichen Vögte, denen die Rechtsprechung im Lande oblag, einzuschränken, hatte schließlich dazu geführt, daß man 1447 als Oberorgan der sonst in Meldorf zusammentretenden freien Landesversammlung einen Ausschuß von achtundvierzig auf Lebenszeit gewählten Richtern und Ratgebern bildete. Diese traten jeden Sonnabend in Heide zu Gerichtstagen zusammen. Um den großen abgesteckten Versammlungsplatz, den heutigen Marktplatz (mit

86 J. Ovens: Blaue Madonna, 1670, Schleswig, Dom ▷

Ornamento ædi huic Cathedrali tabula sacra facta
a Ioachimo Schmiden Præfectur Tremsbul et Steinhorst Inspectore ANCHDCLXXX

87 Schleswig, Dom, Gruftportal Schacht, 1670

88 Lunden, Geschlechterfriedhof,
    Grabstein Claus Henninger, 1619

89 Amrum, Grabstein Harck Nickelsen († 1770)

90 Glückstadt, Häuser
am Hafen

91 1649 in Neustadt erbautes dänisches Kriegsschiff ›Frederik III‹ (100 Kanonen, 500 Mann
Besatzung)

92 Hasselburg/Ostholstein, Wirtschaftshof des Gutes mit Torhaus von 1763

94 Probsteierhagen, Altarraum, um 1720

93 Pronstorf, Herrenhaus, 1728

Lübeck, Behnhaus, Diele, 1778

95   Damp, Herrenhaus, Halle nach Umbau, 1721

Emkendorf, Herrenhaus, Festsaal, 1791/1803

98 Lübeck, Füchtingshof Glockengießerstraße, 1639

99 Lübeck, von-Höveln-Gang nach Wiederherstellung, Wahmstraße 73

100 Lübeck, Rathaus, Audienzsaal, 1754/55

102 Potpourri aus der Kieler Fayence-Manufaktur, um 1768. Landesmuseum Schleswig

101 Lübeck, Diele Glockengießerstraße 20, im St. Annen-Museum, 1736

103 ›Möschenpott‹ (für Wöchnerinnenbrei), 1780, Probstei. Landesmuseum Schleswig

104 Hallig Hooge, Fliesenbild einer Halligstul Die ›Schmack‹ unter Segel. Damit segelten Ko modore und Mannschaften alljährlich auf den Amsterdamer Walfängern nach Grönland

105 Hallig Hooge, Königpesel, 1776

5   Rellingen, Kirche, 1754–56

Freilichtmuseum Kiel, Heydenreichsches Haus von 1697 mit angebautem Sommerhaus, 1710/11, aus der Kremper Marsch ▷

108　Gottorf, Südfassade, 1698/1703

109　Heide, Giebelhaus, 1796, Geburtsstätte des Dichters Klaus Groth

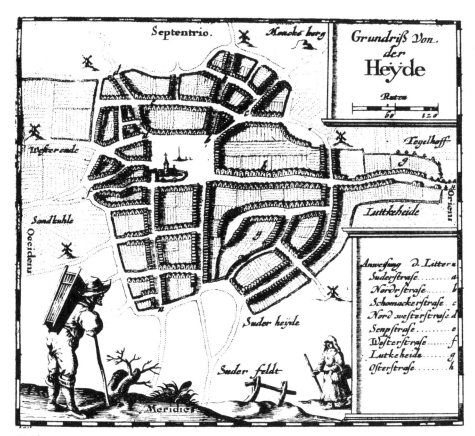

Septentrio. *Monoke berg*

Grundriß Von.
der
Heyde

Ruten

Tegelhoff

Oriens

Luttkeheide

Wekeende

Sandkuhle

Occidens

Suder heyde

Anweisung D. Littern
Suderstrase .... a
Nordtstrase .... b
Schomackerstrase .. c
Nordwesterstrase .. d
Senpstrase .... e
Westerstrase .... f
Lutkeheida .... g
Osterstrase .... h

Suder feldt

Meridies

Heide 1651

4,68 ha der größte in Schleswig-Holstein) entwickelte sich der Flecken, der mit seinen gleichzeitig abgehaltenen Wochenmärkten bald die anderen Märkte des Landes überflügelte.

Die Einführung der Reformation stieß in Dithmarschen zunächst auf Widerstand. Der von den ›Achtundvierzigern‹ verurteilte Reformator Heinrich von Zütphen (aus Holland) wurde am 10. Dezember 1524 in Heide verbrannt.

Zwei Drittel des Ortes wurden 1559 niedergebrannt, als mit der Einnahme Heides durch die fürstlichen Truppen in der ›Letzten Fehde‹ die Selbständigkeit des Dithmarscher Bauernstaates gebrochen wurde.

Heide blieb Hauptort im geteilten Dithmarschen und ist es seit der Gebietsreform von 1970 wieder für ganz Dithmarschen. Die Stadt hat sich in den letzten hundert Jahren sehr ausgedehnt und in der Einwohnerzahl verdreifacht.

Dithmarscher Bauer auf Wacht, um 1650

St.-Jürgen-Kirche an der Ecke des Marktplatzes, ein gestreckter Saalbau des 15.–
16. Jh., Südanbau 1696. Lebhafter Barockaltar 1699, Schnitzaltar 1515, schöne Holzkanzel Ende 16. Jh., Holztaufe 1641. – *Klaus-Groth-Museum*, Lüttenheid 48, Geburtshaus des Dichters (1819–1899), dessen Vater in diesem Hause eine Grützmüllerei
betrieb (Abb. 109). Die ursprüngliche Einteilung des Hauses von 1796 ist weitgehend
erhalten. Eine umfangreiche Materialsammlung aus dem Nachlaß von Klaus Groth
sowie ein im Aufbau befindliches Archiv für niederdeutsche Literaturforschung sind
vorhanden.

(T 04 81 / 8 72 14). Geöffnet tägl. 9.30–12; Mo, Di, Do, Fr auch 14–16.

Museum für Dithmarscher Vorgeschichte und Heider Heimatmuseum, Brahmsstr. 8

(T 04 81 /21 83). Geöffnet April bis Sept. Di–Fr 9–12, 14–17; So 10–12, 14–17.

Heiligenhafen, Kreis Ostholstein

9588 E, Stadtrecht um 1250/60. – An einem für den Schiffsverkehr von Natur aus
günstigen Anlandeplatz, der vermutlich schon in frühgeschichtlicher Zeit benutzt
wurde, entstand während der Kolonisationszeit zwischen 1249 und 1259 planmäßig
um den Marktplatz und die Kirche herum eine Stadtanlage, die ähnlich wie Kiel und
Neustadt das besiedelte Hinterland dem Seehandelsverkehr erschloß. Handwerk,
Schiffahrt und Fischerei blieben Haupterwerbszweige neben der vielfach betriebenen

Landwirtschaft; in neuerer Zeit hat der Fremden- und Reiseverkehr in Ausnutzung der schönen Lage große Bedeutung gewonnen.

Die *Kirche* ist eine dreischiffige gewölbte Stufenhalle, die im späten 15. Jh. durch Umbau einer frühgotischen Backsteinkirche entstand, von dieser stammt der gewölbte Kastenchor. Spätgotische Anbauten. Der Turm, im Kern aus dem 14. Jh. hat blendengezierte Stufengiebel von 1636/37. Chorgestühl 1515. Schnitzfiguren, Adam und Eva 1517, Christophorus um 1520/30. Epitaph Hartmann, Marmor und Sandstein, 1698 von Th. Quellinus. Kronleuchter mit Doppeladler 1592; viele Wandleuchter größtenteils 17. Jh. – Ein renovierter ehemaliger *Salzspeicher* des 16. Jh. steht unterhalb der Kirche.

Heimatmuseum, Lauritz-Maßmann-Str.

(T 0 43 62 / 27 51–57). Geöffnet Juli/August 16–18, Sept.–Juni Di, Fr. 16–18.

Helgoland, Kreis Pinneberg

2377 E. *Felseninsel* (Abb. 1), bei Sprengung militärischer Anlagen nach dem Zweiten Weltkrieg sind alle Gebäude vernichtet worden. 1954–67 Wiederaufbau nach der städtebaulich gelungenen Gesamtplanung einer Architektengruppe unter Leitung von O. Bartning. Abwechslungsreiche Gruppierung, kräftige Farbgebung, einheitliche Schieferdeckung.

Hemme, Kreis Dithmarschen

Kirche, schlichter gotischer Backsteinsaal 14. Jh. mit polygonalem Chor, eindrucksvoller Innenraum mit reicher Ausstattung, 16.–17. Jh., und geschlossenem Gemeindegestühl. Guter Altar 1622 und Taufe um 1630. Hervorragendes Knorpelwerkepitaph 1635 von Claus Heim. Hölzerner Glockenturm mit achtseitigem Zeltdach neben der Kirche.

Hoisdorf, Kreis Stormarn

Stormarnsches Dorfmuseum mit heimatkundlicher Sammlung; auf dem Dorfanger Steine mit Beschriftungen.

(T 0 41 07 / 3 81). Geöffnet Sa 9–12.

Hooge, Kreis Nordfriesland

Diese große Hallig hat ihren Namen von ihrer ›hohen‹ Lage. Nach der Sturmflut von 1634 neu erbaute *Kirche* mit Pastorat und Friedhof auf der Kirchwarft, Backsteinsaal 1637–41, stimmungsvoller Raum mit guter Ausstattung. – Auf der größten der zehn Warften, der Hanswarft mit fünfzehn Häusern, das *Königshaus*, das seinen Namen nach dem dänischen König Friedrich VI. trägt, der bei der Besichtigung der Schäden der Sturmflut von 1825 hier 1826 einige Tage verweilte. Repräsentativer Königspesel mit Kachelwänden als Zeugnis altfriesischer Kultur (Abb. 105; s. a. Abb. 104).

Hoyerswort, Kreis Eiderstedt

Das einzige, ehemals adlige Gut in Eiderstedt wurde 1564 von Herzog Adolf von Gottorf dem Staller (Statthalter) Caspar Hoyer geschenkt, der das heute noch gut erhaltene *Herrenhaus* 1591–94 erbaute (Abb. 72). Der stattliche Winkelbau mit polygonalem Treppenturm und geschweiften Giebeln ist von einem Doppelgraben umgeben und über eine Brücke mit zwei barocken Portallöwen zugänglich. Innen u. a. ein Festsaal mit Empore. – (Gemeinde Oldenswort).

Hürup, Kreis Schleswig-Flensburg

Kirche, flachgedeckter Backsteinsaal 13. Jh. mit Turm 16. Jh.; Schreinaltar Anfang 15. Jh.; Granittaufe mit Rankenornament um 1200; Holztafel (Lettnerbrüstung?) mit sieben Passionsszenen, geschnitzten Reliefs in der Tradition französischer Hochgotik, drittes Viertel 13. Jh. (Abb. 48).

Hütten, Kreis Rendsburg-Eckernförde

Kirche, Backsteinbau um 1300, 1520 zweischiffig gewölbt und mit neuem Chor verändert. Spätrenaissancekanzel um 1610. – Der bedeutende Schnitzaltar von 1517 befindet sich nunmehr im Städtischen Museum Flensburg.

Husby, Kreis Schleswig-Flensburg

Kirche aus Granitquadern, im Kern romanisch um 1200. Turm 16./18. Jh. durch zahllose Anker gesichert. Am Nordfenster urtümliche Tierreliefs. Reiche Ausstattung, romanische Granittaufe um 1200. Bedeutend: Spätromanisches Holzrelief um 1230, Michael auf dem Drachen stehend.

Husum

Kreisstadt, 24 984 E, Stadtrecht 1603/08. – Größter Ort, kultureller und wirtschaftlicher Mittelpunkt Nordfrieslands, am westlichen Geestrand direkt an der Marschküste gelegen, mit Hafen für Krabbenfischerei (vgl. Abb. 130), Küsten- und Handelsschiffahrt, Getreideumschlag, bedeutende Schiffswerft. – Der 1252 als ›Husenbro‹ (Husembro = Brücke bei den Häusern) erstmals erwähnte Ort entwickelte sich zusehends, als infolge der großen Sturmfluten von 1362 der Wattstrom Hever nunmehr unmittelbar bis an die Husumer Au heranreichte und damit größeren Schiffsverkehr zuließ. Husum wurde zu einem wichtigen Hafen- und Handelsplatz, der durch Förderung der Gottorfer Herzöge im 16. Jh. seinen Höhepunkt erreichte. Tönning und Friedrichstadt machten dann nachhaltig Konkurrenz. – 1465 zum Flecken erhoben, erhielt Husum 1582 Marktrecht und 1603/08 Stadtrecht. – Große wirtschaftliche Bedeutung hatte der Viehmarkt (vgl. Abb. 133). Das im Frühjahr von den Marschbauern aufgekaufte Magervieh wurde im Herbst gemästet wieder zum Verkauf angeboten. Ehemals größter Viehmarkt Norddeutschlands, 1963 noch über 60 000 Stück Großvieh am Markt, seitdem rückläufig.

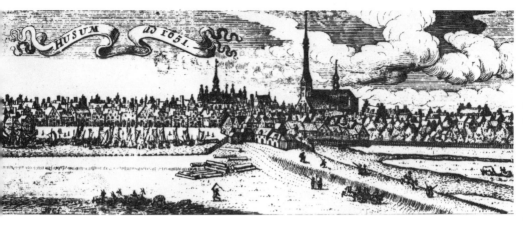

Husum 1651

Um 1500 entstand hier mit der Marienkirche einer der bedeutendsten Kirchenbauten der Herzogtümer mit großen Kunstschätzen der Renaissance, bereits 1507 mit 100 m höchster Turm des Landes. Werke von Hans Brüggemann heute in Kopenhagen und Berlin. 1807 Abbruch, 1832 Neubau der *Marienkirche* nach Plänen von C. F. Hansen, ein Hauptwerk des Klassizismus im Lande. Barocke Bronzetaufe von 1643 letzter Schatz aus der alten Kirche. – Auf dem Platz des einstigen Franziskanerklosters wurde 1576/82 ein herzogliches *Schloß* erbaut als Nebenresidenz von Gottorf, dann Witwensitz, 1752 bedeutend verändert. Rittersaal wieder hergestellt; sehenswert vier Kamine, überragend der Fortuna-Kamin aus Sandstein mit Alabaster, 1615 von H. Heidtrider. – *Torhaus* zum Schloß, 1612, niederländische Renaissance mit prächtigen Giebeln (Abb. 75). – ›*Gasthaus zum Ritter St. Jürgen*‹, Osterende 18, Armen- und Altenstift von 1465 mit Gebäudekomplex von 1562–71; Kirche mit Kanzel, 1565 von Jan von Groningen. – Aus der Gottorfer Zeit stammen noch repräsentative *Bürgerhäuser* des 16.–17. Jh. aus Backstein mit Blenden- und Stufengiebeln: Großstraße 18 u. 30 und Markt 1/3; Nummer 3 ein Herrenhaus des 15. Jh., 1516–1522 Husumer Münze (Hus. Taler). – Stimmungsvolle Partien an Schiffbrücke und Wasserreihe.

Der Husumer Arzt und Bürgermeister Caspar Dankwerth schuf zusammen mit dem Kartographen Johann Mejer und den Kupferstechern Gebr. Petersen 1652 die bekannte Landesbeschreibung von Schleswig-Holstein.

Das *Nissenhaus* – Nordfriesisches Museum, Herzog-Adolf-Str. 25 –, verdankt seine Entstehung einer Stiftung des 1855 in Husum geborenen, in Amerika verstorbenen Ludwig Nissen. Es gibt einen umfassenden Überblick über Natur- und Landschaftskunde mit Küstenschutz, Deichbau und Landgewinnung in Nordfriesland; eine besondere Abteilung gilt der Kunst- und Kulturgeschichte mit drei Gemäldegalerien, Storm-Gedenkstätte, volkskundlichen Schausammlungen.

(T 04841 / 2545). Geöffnet April bis Okt. Mo–Sa 10–12, 14–17; So 10–17. Nov. bis März Mo–Fr 10–12, 14–16; So 10–16.

Freilicht-Museum ›Ostenfelder Bauernhaus‹, Nordhusumer Str. 13, für die Landschaft typisches Bauernhaus, 17. Jh., vollständig eingerichtet, dazu eine wiederaufgebaute mittelalterliche Tafelwandscheune als ältestes Bauernhaus Nordfrieslands. (T 0 48 41 / 6 75 81). Geöffnet April bis Sept. 10–12, 14–17, sonst nach Anmeldung.

Theodor-Storm-Haus, Wasserreihe 31, mit Storm-Archiv, Handschriften, Sitz der Stormgesellschaft. Hier hat der Dichter (geb. 14. 9. 1817 in Husum) von 1866–1880 gelebt. In diesem zweigeschossigen Kaufmannshaus des 18. Jh. befinden sich im Obergeschoß Wohn- und Arbeitszimmer Theodor Storms.

(T 0 48 41 / 6 10 21, App. 47, nur dienstags und donnerstags). Geöffnet Juni bis Sept. Di-Fr 10–12, 15–17; Sa 15–17. Okt. bis Mai Di, Do, Sa 15–17.

Idstedt, Kreis Schleswig-Flensburg

Gedächtnishalle zur Erinnerung an die Schlacht von Idstedt am 25. 7. 1850 mit Dokumenten und Waffen aus dem Kriege 1848/51. Tonbildschau in Deutsch und Dänisch.

(T 0 46 21 / 2 76 25). Ab Sept. 1978 geöffnet April bis Sept. täglich außer Mo 8–18; Okt. bis März Fr-So 9–17, sonst nach Vereinbarung.

Itzehoe

Kreisstadt des Kreises Steinburg, 35 077 E, Stadtrecht 1238. – Den strategischen Wert des Brückenkopfes bei Itzehoe, wo am Geestrand von Norden her aus mehreren Richtungen alte Fernwege am Flußlauf der Stör zusammentreffen, hatte schon Karl der Große erkannt, als er 810 zum Schutze der Nordgrenze des Frankenreiches das Kastell Esesfelde anlegen ließ, dessen Lage am westlichen Stadtrand bei der Oldenburgskuhle vermutet wird.

Unter den Schauenburgern wurde später ein in der Störschleife liegender sächsischer Ringwall zur Burg ausgebaut; Adolf IV. ließ südlich daran anschließend eine Kaufmannsstadt anlegen, der er 1238 das lübische Recht verlieh. Dieser ›Neustadt‹ gegenüber am Geestrand lag eine ältere Siedlung, die schon frühzeitig eine Laurentiuskirche erhalten hatte, in deren Nachbarschaft 1256 ein Zisterzienserinnenkloster verlegt wurde. 1303 wurde das Stadtrecht auf diese, nun ›Altstadt‹ genannte ältere Ansiedlung ausgedehnt. Aus diesen beiden Teilen hat sich Itzehoe entwickelt.

Von älteren Bauten hat sich fast nichts erhalten, da die Stadt im dänisch-schwedischen Kriege 1657 fast vollständig eingeäschert wurde. Durch das Zuschütten der Störschleife im Rahmen neuzeitlicher Sanierungsmaßnahmen ist der Eindruck des alten Stadtbildes verwischt worden. Ein eigener Stempel ist der Landschaft durch die am Stadtrand aufgebaute Zementindustrie aufgedrückt worden, die ihre Rohstoffe aus den Kreidegruben des benachbarten Lägerdorf und dem aus Wacken mittels einer Förderseilbahn herbeitransportierten Ton erhält.

Laurentiuskirche, anstelle der alten Klosterkirche als weiträumiger Barocksaal 1716–18 errichtet, Turm 1894 von J. Otzen, tonnengedeckt mit Emporen. Reicher Altaraufbau 1661, geschnitzte Kanzel 1661/1715, Orgelprospekt 1718. Unter der Kirche zugängliche Gruftgewölbe mit prachtvollen Metallsarkophagen der Rantzaus 16.–18. Jh. Benachbart unter alten Bäumen das *Adelige Damenstift*, das nach der Reformation aus der Umwandlung des Klosters entstand. Gotischer Kreuzgangsrest des alten Klosters, Konventualinnenhäuser in Fachwerk.

St.-Jürgens-Kapelle des Armenstifts, nach dem Stadtbrande von 1657 neu errichtet. Reizender Fachwerkbau mit ausgemalter Holztonne, Lettner und Barockausstattung.

Heimatmuseum Prinzeßhof, Viktoriastraße 20, ein Adelspalais des 17.–18. Jh., später Wohnsitz der Amtmänner des Kreises Steinburg. Im Museum geologische Darstellungen der Kreide- und Tonvorkommen, Vorgeschichte, Esesfeldgrabungen, Ergebnisse der Kaaksburg-Grabung (spätsächsisch), Gegenstände aus der Blütezeit der Bauernkultur in der Wilster- und Krempermarsch.

(T 04821/4961 und außerhalb der Öffnungszeiten 04821/619112). Geöffnet So 10–12; Mi, Sa 14–16.

Germanengrab, auf dem Galgenberg am Lornsenplatz zeigt aus einem Grabhügel der älteren Bronzezeit die drei ältesten Gräber mit Steinbettungen und Steingrenzen. Besichtigung nach Vereinbarung (T 04821/6031).

Kappeln, Kreis Schleswig-Flensburg

11128 E, Stadtrecht 1870. – Den Namen hat der Ort wohl erhalten von einer 1357 erstmals erwähnten Kapelle, die dem Schutzheiligen der Fischer Nikolaus geweiht war. Um diesen hochgelegenen Platz mit Kirchhof und Markt herum entwickelte sich am Schleiufer ein Hafenort für Schiffahrt, Fischerei und Handel. – Seit dem 15. Jh. sind die ›Heringszäune‹ bekannt, die als letzte Zeugen einer eigenartigen Fangmethode auf Heringe in der Schlei noch zu sehen sind. Aus der Grundherrschaft des Bischofs, später des Domkapitels Schleswig geriet der Ort 1533 an den Besitzer des benachbarten Gutes Roest. Die Versuche, die Bewohner Kappelns zu Leibeigenen zu machen, führten 1667 zum Auszug von 62 Familien nach Arnis. Der Gutsbesitzer von Roest ließ 1789–93 nach einem Entwurf des Kieler Landbaumeisters Johann Adam Richter die alte *Kirche* durch einen Neubau ersetzen. Das Innere, durch architektonische Holzeinbauarbeiten gestaltet, ist eine der gelungensten Raumschöpfungen des ausgehenden Barock im Lande. Epitaphartig umgebauter Altar der Vorgängerkirche 1641 von Hans Gudewerdt d. J., ein Prachtwerk des nordischen Knorpelbarock. Kruzifix zweite Hälfte 13. Jh. Marmorepitaph Rumohr um 1680. *Friedhofskapelle* 1767 mit hübscher Straßenfront.

Kiel

262164 E, Stadtrecht 1242. – »Das Land Schleswig-Holstein ist ein Glied der Bundesrepublik Deutschland« (Art. 1 der Landessatzung von 1949). Landeshauptstadt mit Sitz der Landesregierung und des Landtages ist Kiel, das sich aufgrund der historischen Entwicklung dafür anbot. – (Stadtanlage s. Fig. S. 254).

Kiel 1588 ▷

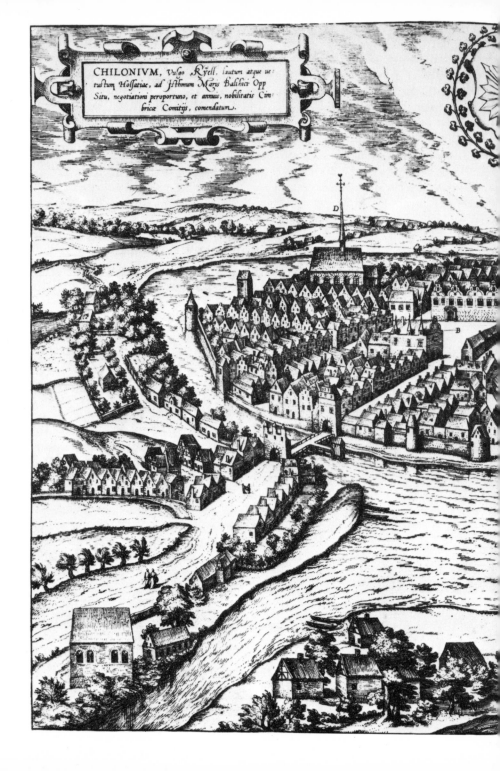

CHILONIVM, *Vulgo Kyell, lautum atque ue:*
rustum Hossatiae, ad Isthmum Maris Balthici Opp
Situ, negotiationi peroportuno, et annuis, nobilitatis Cim:
bricae Comitijs, comendatum.

A. *Ecclesia Christo, D. Nicolai nomine dicata.* B. *Forum*
C. *Curia* D. *Xenodochium.* E. *Domus* HENRICI
RANZOVII *Nobilis Holsati Regis Daniæ vicarij.*
F. *Arx* DVCIS ADOLPHI
G. *Locus, ubi merces exonerantur*

Als Abschluß der Kolonisation Ostholsteins im 13. Jh. wurde am Ende des keilförmigen Wasserarms, der Kieler Förde, die ›Holstenstat tom Kyle‹ angelegt und 1242 mit dem lübischen Recht versehen. Die von Graf Adolf IV. von Schauenburg gleichzeitig für Kiel und Neustadt betriebene Planung und Anlage entsprachen dem bewährten Schema, das mit der Gründung Lübecks im Ostseeraum Eingang fand: Eine unter Ausnutzung der Geländegegebenheiten befestigte Neusiedlung mit Kirche und Markt in der Mitte sowie rechtwinklig abgehenden Straßenzügen. Aber schon die unterschiedlichen Bebauungsflächen (Lübeck 107 ha, Neustadt 21 ha, Kiel 17 ha) zeigen die Bemessenheit der Absichten. Kiel wie Neustadt und ähnlich Heiligenhafen sollten das besiedelte bäuerliche Hinterland dem Ostseehandelsverkehr erschließen. Für den Fernhandel hat Kiel keine größere Bedeutung gehabt, dagegen wickelte der holsteinische Adel, der in Kiel viele Höfe bewohnte, seit dem Mittelalter seine Geldgeschäfte jährlich Anfang Januar auf dem ›Kieler Umschlag‹ ab.

Die bei der Stadtgründung an der schmalen Landbrücke zwischen dem ›Kleinen Kiel‹ und der Förde angelegte gräfliche Burg wurde im 16. Jh. durch die Gottorfer Herzöge zum Schloß ausgebaut; Kiel war zeitweilig Residenzort. 1665 ist die Universität gegründet worden. 1865 wurde Kiel preußischer Flottenstützpunkt, 1871 Reichskriegshafen.

Kiel erlangte internationalen Ruf durch die in der ganzen Welt unter der Bezeichnung ›Kiel-Canal‹ bekannte Seeverkehrsstraße, den in teilweiser Anlehnung an einen 1774–84 gegrabenen Eider-Kanal 1895 erbauten Kaiser-Wilhelm-Kanal, heute und hierzulande Nord-Ostsee-Kanal genannt; er verbindet die Kieler Förde mit der Elbe. Der seit 1871 betriebene Ausbau als Marinehafen mit Flottenbasis und Werftindustrie hatte Kiels Entwicklung zur Großstadt zur Folge. Dadurch büßte die Stadt bei ihrer schönen Lage an der Förde manche Reize ein; die Bombenzerstörungen des letzten Krieges gaben aber Anlaß zu städtebaulichen Erneuerungen, die das Antlitz der Stadt zum Vorteil verändert haben. – Die seit Jahrzehnten im Sommer durchgeführten ›Kieler Wochen‹ haben für den Segelsport und völkerversöhnende Begegnungen eine große Bedeutung.

Nikolaikirche, dreischiffige Backsteinhalle des mittleren 13. Jh. mit Westturm, 1878–84 außen neugotisch verblendet, Chor und Inneres nach Zerstörung 1844/45 neu gestaltet. Erzväteraltar um 1460. Bronzetaufe 1344 von J. Apengeter, ein Hauptwerk des monumentalen Bronzegusses in Norddeutschland (Abb. 51). Kanzel 1705. Triumphkreuz 1490. Außen Bronzegruppe ›Geistkämpfer‹, 1927/28, von E. Barlach.

Ehemaliges *Franziskanerkloster,* erste Hälfte 13. Jh. Nach Zerstörung 1944 Westflügel des Kreuzganges erhalten, mit Grabstein des Stadtgründers Herzog Adolf IV. († 1261).

Schloß, an der Stelle der landesherrlichen Burg, 1944 bis auf den sogenannten Rantzaubau von 1695 zerstört, 1961–65 Neuaufbau unter Wahrung der alten blockhaften Erscheinung.

Kellergewölbe des 1955 zerstörten Rathauses aus dem 13. Jh. auf dem Alten Markt.

Neues Rathaus, 1907–11, von H. Billing, gelungene Verbindung von repräsentativer und funktioneller Gestaltung in strengem Jugendstil; kampanileartiger Turm.

Warleberger Hof, Dänische Straße 19, einziger erhaltener Alt-Kieler Adelshof, im Kern von 1616, 1765 umgebaut. Front 1909 neu. Ursprünglicher Braukeller. Jetzt *Stadtmuseum.*

(T 04 31 / 9 01 29 52). Geöffnet Di–Sa 11–13, 14–17; So 10–13.

Schiffahrtsmuseum, Fischhalle am Hafen.

Kunsthalle, Düsternbrooker Weg 1–7, Gemäldegalerie und graphische Sammlung.

(T 04 31 / 27 81). Geöffnet Di–So 10–13; Di–Sa 15–18, Mi auch bis 20.

Kunsthalle, Düsternbrooker Weg 1–7, Archäologische Sammlung mit Abgüssen antiker Skulpturen.

(T 04 31 / 8 80 20 53). Geöffnet Di, Mi, Fr–So 10–13, außerdem auch Mi 15–20 u. Sa 15–18.

Museum für Völkerkunde, Hegewischstraße 3, mit Schausammlungen und Musikinstrumenten, Südsee, Ostasien, Afrika.

(T 04 31 / 5 97 / 36 31 u. 36 20). Geöffnet Di–Sa 10–17, So 10–13.

Landesgeschichtliche Sammlung, Landeshalle im Schloß.

(T 04 31 / 9 40 57). Geöffnet Di u. Do 10–13, 15–19; Mi 10–13; jeden 1. und 3. So im Monat 11–13.

Stiftung Pommern, Gemäldegalerie im Rantzaubau des Schlosses, Dänische Straße 44.

(T 04 31 / 9 39 22). Geöffnet Di–Fr 10–13, Di–So 14–18.

Schleswig-Holsteinisches Freilichtmuseum, siehe Molfsee (S. 252).

(T 04 31 / 6 55 55). Geöffnet April bis 15. Nov. Di–So 9–17; 16. Nov. bis März So 10–16; Juli u. Aug. auch Mo 9–17.

Keitum auf Sylt, Kreis Nordfriesland

Malerisch schön gelegenes Friesendorf, 1440 zuerst erwähnt, mit vielen alten Häusern vermögender Schiffskapitäne, 18. Jh., in Baumgärten, von Steinwällen umgeben.

Kirche, abseits vom Ort einsam gelegener romanischer Bau mit gotischem Westturm. Romanische Taufe aus Sandstein mit vier Löwen und Ornamenten 12./13. Jh. Fünfflügeliger lübischer Schnitzaltar um 1500. Renaissancekanzel 1580. Gute Kronleuchter des 17. Jh., holländische Arbeit. Friedhof von Feldsteinmauern Sylter Art umschlossen mit bemerkenswerten Grabsteinen.

Altfriesisches Haus, 1739 als Bauernhaus errichteter Backsteinbau, gibt mit seiner Ausstattung einen ausgezeichneten Eindruck der alten Syltringer Lebensweise und Wohnkultur.

Museum (T 0 46 51 / 3 11 01). Geöffnet Mai bis Okt. 10–12, 14–17, sonst nach Vereinbarung.

Sylter Heimatmuseum, in einem Inselfriesenhaus von 1759 mit heimatkundlichen Sammlungen und Hinweisen auf den in Keitum geborenen schleswig-holsteinischen Freiheitskämpfer Uwe Jens Lornsen.
(T 0 46 51 / 3 16 69). Geöffnet Mai bis Okt. 10–12, 14–17.30, sonst nach Vereinbarung.

Kirchnüchel, Kreis Plön

Im Mittelalter als Wallfahrtsort bekannt wegen seiner Marienquelle, unmittelbar neben dem Gut Grünhaus gelegen.
Kirche, höchstgelegene Schleswig-Holsteins (116 m ü. NN), einschiffiger Feldsteinbau, drittes Viertel 13. Jh., Gewölbe rekonstruiert. Kleine Elfenbeinmadonna 15. Jh. Grabkapelle von Brockdorff mit Wappendatum von 1692 nach Gesamtentwurf vom Antwerpener Künstler Thomas Quellinus mit pompösem Marmorgrabmal von 1709, bedeutendste Anlage dieser Art an einer Landkirche.

Kletkamp, Kreis Plön

Ausgedehnte *Gutsanlage,* reizvoll von Fischteichen umgeben. Herrenhaus, im Kern 16 Jh., mit beherrschender dreigeschossiger übergiebelter Fassade 1676. Reich bemalte Holzbalkendecke um 1625. Stukkaturen 18. Jh. Torhaus mit Schweifgiebel 1773.

Knoop bei Kiel

Herrenhaus, 1792 bis um 1800 von A. Bundsen, bestes Werk des reifen Klassizismus im Lande (Abb. 111). Haupträume mit reicher stukkierter und gemalter Dekoration der Bauzeit. – Zwei *Kavaliershäuser* 1783.

Kotzenbüll, Kreis Nordfriesland

Kirche, stattlicher spätgotischer Kreuzbau von 1488 bis 1495, 1859 übergangen. Reste qualitätvoller spätgotischer Ausstattung. Manieristische Epitaphien. Benachbart *Kompastorat* und Küsterhaus, 1773.

Krempe, Kreis Steinburg

2241 E, Stadtrecht 13. Jh. – An der in die Stör mündenden Krempau (krumme Au) wurde bei der durch holländische Siedler betriebenen Kultivierung der Kremper Marsch um 1230 beiderseits der Au der Ort Krempe angelegt, der bald Stadtcharakter annahm und sich dank seiner verkehrsgünstigen Wasserlage zu einem blühenden Handelsort entwickelte, hauptsächlich für die Ausfuhr von Getreide. Um die Wende des 16. zum 17. Jh. fuhren neunzehn Kremper Schiffe bis nach Archangelsk, Lissabon und Venedig. Aus dieser Blütezeit stammt das 1570 erbaute *Rathaus,* das nach einer Erneuerung von 1908 in vorzüglichem Zustand ist (Abb. 58). Krempe war als starke Festung ausgebaut, konnte sich 1628 eine Zeitlang gegen Wallenstein behaupten, hat aber um 1700 bis auf eine Eckbastion und einen Teil des Grabens die Befestigung verloren. (Neuerdings ist im Stadtgebiet auch die Au verrohrt worden.) Das 1614 ge-

gründete, günstiger gelegene Glückstadt übernahm aufgrund der besseren Förderung durch Christian IV. die militärischen und auch wirtschaftlichen Funktionen Krempes. – Die mittelalterliche *Kirche* wurde 1814 bei ihrer Verwendung als Pulverlager durch Explosion und Brand zerstört. An ihre Stelle trat ein spätklassizistischer Neubau von 1828–35 nach den Plänen des königl. Landbaumeisters Friedr. Christ. Heylmann mit einem tonnengewölbten Saal und Seitenschiffsemporen. – Einige hübsche alte Fachwerkhäuser des vorigen Jahrhunderts sind erhalten. Das Rathaus mit Rats- und Sitzungssaal im Obergeschoß, dort eine Sammlung der Alten Kremper Stadtgilde von 1541 – kann während der Dienststunden besichtigt werden.
(T 0 48 24 / 25 32, nach Dienstschluß 0 48 24 / 4 12).

Krummesse, Kreis Herzogtum Lauenburg

Kirche, Backsteinhalle des mitttleren 13. Jh. mit reichgegliedertem Kastenchor; ursprünglich dreischiffig, um 1260/70 zweischiffig verändert, gewölbt. Stämmiger Westturm um 1300. Wandmalerei um 1260/70. Altar um 1720. Kanzel Anfang 17. Jh.

Laboe, Kreis Plön

Marine-Ehrenmal, 1927–1936 von G. A. Munzer. Expressive Turmarchitektur von 87 m Höhe in Gestalt eines Schiffsstevens (Abb. 115). Davor Ehrenplatz über einer Weihehalle.

Landkirchen auf Fehmarn

Alter Mittelpunkt Fehmarns. *Kirche,* dreischiffige, gewölbte Backsteinhalle, im Kern Mitte 13. Jh., das dreijochige Schiff Mitte 14. Jh. innen umgestaltet (Pfeiler, Gewölbe), im späten 14. Jh. unter Einbeziehung des zweijochigen Kastenchors verlängert. Die reiche, meist aus Lübeck bezogene Ausstattung bezeugt Selbstbewußtsein und Wohlstand der Fehmarner Bauernschaft im 17./18. Jh. Altar 1715. Taufgruppe 1735. Stattliche Epitaphien. ›Landesblock‹, urtümliche Archivtruhe 14. Jh. (Abb. 70). Vier Votivschiffe, darunter ein lübisches Kriegsschiff von 1617, eines der ältesten Schiffsmodelle Nordeuropas.

Lauenburg, Kreis Herzogtum Lauenburg

11 077 E, Stadtrecht vor 1260. – Die Altstadt entlang der Elbstraße auf dem schmalen Uferstreifen unterhalb des steilen Geesthanges bildete sich im 13. Jh. als Schiffersiedlung im Schutze einer Hauptburg der Herzöge von Sachsen-Lauenburg. – Von der im 16. Jh. schloßartig ausgebauten *Burg* hat sich nur ein runder Geschützturm von 1474–77 erhalten sowie ein schlichter, vielfach veränderter Flügel des Schlosses aus dem 16. Jh. und Reste des Fürstengartens. – *Maria-Magdalenen-Kirche,* einschiffiges Langhaus um 1300 mit zwei Sandsteinportalen von 1598/99 und Holztonne nach 1700, Chor ab 1595 als herzogliche Grablege angebaut. Neugotischer Westturm. Im Chor Reste des prächtigen Grabmonuments für Herzog Franz II. und seine Gemahlin von R. Cop-

pens, Lübeck, in niederländischen Renaissanceformen. Bronzetaufe 1466. Gemälde ›Lust der Welt‹ um 1470/80. Triumphkreuz um 1500. Zwei Marienleuchter, Ende 15. und Anfang 16. Jh. – In der Elbstraße mehrere *Bürgerhäuser* des 16. bis 18. Jh., meist aus Fachwerk. – *Palmschleuse*, 1726. Kesselschleuse des ehemaligen Stecknitzkanals nach Lübeck. – *Elbschiffahrtsmuseum*, Elbstraße 59, mit Darstellung der Schiffahrtsentwicklung auf Kanal und Elbe sowie der Friesischen Sammlung mit Gegenständen zur Geschichte Lauenburgs.

(T 041 53 / 30 11 App. 1 79). Geöffnet Di, Do, Sa 10–13, 14–16.30; So 10–13.

Lemkenhafen auf Fehmarn
Segelwindmühle des Holländertyps von 1787 als Mühlen- und Landwirtschaftsmuseum zugänglich.

Geöffnet Juni bis 15. Sept. tägl. 14–18, außer Mi.

Hansestadt Lübeck
Turmsilhouette der mittelalterlichen Stadt (Farbt. XIV; s. a. Fig. S. 74/75). – Stadtplan s. Fig. S. 76.

Dom, Backsteinhallenkirche, hervorgegangen aus dem Umbau der spätromanischen Gewölbebasilika (Farbt. XII; Abb. 38). Bedeutendes Zeugnis des frühen Backsteinbaus in Norddeutschland. Romanischer Teil beg. 1173, vollendet um 1220/30 (Chorquadrat, Querschiff, Mittelschiff des Langhauses, Westturmfront), gotische Erweiterung und Umbau nach 1266 sowie im 14. und 15. Jh. (Hallenumgangschor, Langhausseitenschiffe). Vorhalle mit dem Hauptportal am Nordquerarm um 1254/59 von rheinischen Steinmetzen. Reiche Ausstattung: Lettner und Triumphkreuzanlage 1477 von Bernt Notke (Abb. 53), Bronzetaufe 1455, Kanzel 1568, Bronzegrabmal des Bischofs Bocholt um 1341 (Abb. 52), Skulpturen, Grabmäler, Epitaphien, dekorativ ausgestaltete Grabkapellen. – Klostergebäude an der Südseite: Östlicher Kreuzgangflügel um 1250, Schauwand des ›Predigthauses‹ um 1460. – (Vgl. a. Fig. S. 112).

Marienkirche, Hauptbau der norddeutschen Backsteingotik und Vorbild für die großen Kirchen im Ostseeraum, entstanden zwischen 1260 und 1350 (Farbt. XIII, XVII; Abb. 39). Mächtiger Außenbau mit Strebesystem und Doppelturmanlage im Westen. Hochansteigender Innenraum (Mittelschiffshöhe 38 m). An der Südseite Briefkapelle von 1310. Gotische Ausmalung nach 1945 freigelegt und wiederhergestellt. Ausstattung: Marienaltar 1518, Sakramentshaus 1476–79, Bronzetaufe 1337, Chorschranken mit Kalksteinreliefs um 1500. Hutterock-Grabplatte von Bernt Notke 1508, Bronzegrabplatte Wigerinck um 1518 aus der Werkstatt Peter Vischer d. J. in Nürnberg, Holzfigur des Evangelisten Johannes von Henning van der Heide um 1510, Epitaphien, Danziger Paramentenschatz. – (Vgl. a. Fig. S. 113).

Petrikirche, fünfschiffige gotische Backsteinhallenkirche, erbaut vom Ende des 13. Jh. bis gegen die Mitte des 14. Jh., erweitert im 15. und 16. Jh. Westturm heute mit Aussichtsplattform, von welcher gute Übersicht des Altstadtkerns. Inneres noch nicht wie-

der hergestellt, Ausstattung 1942 durch Brand zerstört. – *Jakobikirche*, gotische Back-
steinstufenhallenkirche, vollendet um 1334, mit Westturm, dessen Helm 1657 (Farbt.
XIII). Das Innere mit reicher Ausstattung, darunter gotische Wandmalerei, Brömbse-
Altar von etwa 1500 sowie zwei noch auf gotische Zeit zurückgehende, später erweiterte Orgeln, die ältesten in Lübeck. – *Aegidienkirche*, schlichteste der Lübecker Pfarrkirchen, entstanden 14. und 15. Jh. als dreischiffige Backsteinhallenkirche mit Westturm. Historische Ausstattung der Renaissance (Singechor 1586/87, Orgel 1624–26)
und des Barock (Altar 1701, Kanzel 1706/08, Taufe 1709/10). – *Ev. Reformierte Kirche*,
Königstraße 18. Klassizistische Saalkirche 1824–26 mit streng gegliederter Putzfas-
sade. *Katharinenkirche* des einstigen Franziskanerklosters, erbaut als dreischiffige
turmlose Backsteinbasilika etwa 1300–1360, eine der bedeutendsten Bettelordenkirchen
der Hochgotik. Westfassade mit Figurenzyklus von Ernst Barlach und Gerhard Marcks
(1930/33 und 1947/48). Inneres mit teilweise freigelegter gotischer Ausmalung, Mönchs-
chor zweigeschossig. Ausstattung: Chorgestühl 1320/25, Messinggrabplatte Lüneburg
um 1461. Gemälde ›Auferweckung des Lazarus‹ von Jacopo Tintoretto 1576 (Abb. 83),
barocke Grabkapellen. Gipsabgüsse von Werken lübischer Plastik, u. a. die Stockholmer St.-Georg-Gruppe von Bernt Notke. Reste der einstigen Klostergebäude innerhalb des Katharineums. – Ehemaliges *Burgkloster* der Dominikaner, gegründet 1227,
erweitert im 14. und 15. Jh. Hinter neugotischer Fassade erhalten Erdgeschoß der inneren Klosteranlage mit Kreuzgang und Klausurräumen. Gehört zu Hauptleistungen
der Backsteinarchitektur in Norddeutschland (Abb. 46). Reiche Bauplastik. – Ehemaliges Augustinerinnenkloster, erbaut 1502–15, heute *St.-Annen-Museum* für Kunst
und Kulturgeschichte. Spätgotische Klosterräume.

Heiligengeist-Hospital, entstanden im letzten Drittel 13. Jh., später mehrfach erweitert und umgebaut. Eine der ältesten und besterhaltenen bürgerlichen Hospital-
anlagen des Mittelalters. Kurze, im Mittelschiff nachträglich gewölbte dreischiffige
Hallenkirche mit reicher gotischer Ausmalung und Schnitzaltären, dahinter große
Hospitalhalle mit hölzernen Kammern. Reiche Schaugiebelfront zum Koberg (Abb. 45).

Stadtbefestigung, Burgtor, Torturm von 1444 mit barocker Haube von 1685, westlich und östlich anschließend Reste der Stadtmauer mit Halbtürmen, auf das 13. Jh.
zurückgehend (Farbt. XIII). Links Marstall mit Fachwerktoreinfahrt um 1500, rechts
Zöllnerhaus 1571.

Holstentor, erbaut 1466–78, Wahrzeichen des wehrhaften hansischen Lübeck (Umschlagrückseite). Im Inneren stadtgeschichtliche Sammlung.

Rathaus, eindrucksvoller Komplex mehrerer Gebäude an der Nordostseite des
Marktes, entstanden zwischen 1230 und 1570 (Farbt. XVII). Große gotische Schau-
giebelwand (13.–15. Jh.), davor die von niederländischen Steinmetzen geschaffene Re-
naissance-Laube (1570–71), südlich anschließend Langes Haus (Anf. 14. Jh.) und
Kriegsstubenbau (1440/42). An der Ostseite zur Breiten Straße Hauptportal mit Bei-
schlagwangen 1452, Holzerker 1586 und Prunktreppe 1594. Innen: Audienzsaal
1754/55 mit Gemälden von Stefano Torelli (Abb. 100). Neugotische Treppenanlage.

Kanzleigebäude nördlich des Rathauses, erbaut ab 1484 in Abschnitten bis 1614. Innen: Große Kommissionsstube 1612–15. Ehemaliges *Zeughaus* am Großen Bauhof. Langgestreckter Backsteinbau von 1594.

Ehemalige *Salzspeicher* an der Obertrave. Sechs mehrgeschossige Backsteingiebelhäuser 16.–18. Jh., einst zur Lagerung des Lüneburger Salzes bestimmt.

Platz- und Straßenbilder, unterer Teil der *Mengstraße* mit stattlichen Backsteingiebelhäusern des 14. bis 16. Jh. (Abb. 63), Rest des 1942 zerstörten Kaufmannsviertels zwischen Markt und Untertrave.

Große Petersgrube, neben Mengstraße einzige geschlossen erhaltene Straße mit alten Kaufmannshäusern und hervorragendes Beispiel der Stadtbaukunst, Bürgerhäuser des 14. bis 18. Jh. (s. Fig. S. 100).

Königstraße 5–21, Straßenzug von einheitlicher Wirkung durch die dichte Folge klassizistischer Fassaden des endenden 18. und 19. Jh.

Koberg, städtebaulich bedeutender Platzraum mit Heiligengeist-Hospital, Jakobikirche und deren vorliegenden Pastorenhäusern von 1601/02. – Straßenbilder mit geschlossener gemischter Bebauung von der Gotik bis ins 19. Jh.: Schifferviertel an der Obertrave mit Hartengrube und Dankwartsgrube, Quartier um die Aegidienkirche als ehemaliges Kleinbürgerviertel, alter Hafenbereich zwischen Engelsgrube und Burgkloster mit durchlaufenden Querstraßen, Handwerkerviertel an der Wakenitzseite zwischen Glockengießerstraße und Wahmstraße. Charakteristisch *Stiftungshöfe* und *Wohngänge,* in der Regel hinter Vorderhäusern verborgen, von ihnen die bedeutendsten: Füchtingshof 1639 (Glockengießerstraße 23/27; Abb. 98), Glandorps Hof und Gang (Glockengießerstraße 45/55), Haasen-Hof 1727 (Dr. Julius-Leber-Straße 37/39), Zöllners Hof 1622 (Depenau 10–12), von-Höveln-Gang 1792 (Wahmstraße 75; Abb. 99) sowie Gänge in der Engelsgrube und im Bereich der Obertrave.

Bürgerhäuser (Wohn- und Versammlungshäuser), seit Ende 13. Jh. Entwicklung des Backsteingiebelhauses bis ins 18. Jh. Aufteilung in Diele und Speicherböden, die seit dem 17. Jh. zunehmend durch Wohngeschosse ersetzt wurden. Hauptbeispiele mit alter Einrichtung: *Haus der Schiffergesellschaft* (Breite Straße 2; Abb. 64, 65), Gildehaus von 1535 mit ursprünglich ausgestatteter großer Diele, heute Gaststätte. *Haus der Kaufmannschaft* (Breite Straße 6–8) mit Teilen alter Einrichtungen aus abgebrochenen Häusern im Inneren, darunter sog. Fredenhagensches Zimmer, Hauptbeispiel bürgerlicher Wohnkultur der Renaissance in Norddeutschland, 1572–83. *Schabbelhaus* (Mengstraße 48–50), zwei stattliche Renaissance-Giebelhäuser, eingerichtet als ›Alt-Lübecker Kaufmannshaus‹ mit Gaststätte, großräumige Dielen und reiche Festräume 16. bis 18. Jh. (Fig. S. 118). *Königstraße 81,* 1773, prächtigstes Rokoko-Wohnhaus in Lübeck mit ursprünglicher innerer Raumaufteilung. *Große Petersgrube 21,* 1776 mit Innenhof. *Behnhaus* (Königstraße 11), 1778 erbautes klassizistisches Wohnhaus mit großartiger Diele (Abb. 96) und Wohnräumen von Johann Christian Lillie, heute Museum. – *Hervorragende Bürgerhausfassaden.* Spätromanisch/frühgotisch: Dr. Julius-Leber-Straße 13 (Löwen-Apotheke), rekonstruierter Hintergiebel um 1230; kleine Burg-

111   Knoop, Herrenhaus, Hofseite, 1792/1800

114   Schulensee, Thomaskirche, 1958

112   Eutin, Rundtempel, 1792/96, nach C. F. Hansen   113   Mölln, Eulenspiegel von K. H. Goedtke

115 Laboe, Marine-Ehrenmal, 1927/36

116 Fehmarnsundbrücke, 1963

Hans Peter Feddersen d. J. (1848–1941): Pialtenburg bei Mögeltondern, 1898. Öl a. L., 51 x 73 cm.
Schleswig-Holsteinisches Landesmuseum, Schloß Gottorf, Schleswig
Emil Nolde (1867–1956): Zwei Tänzerinnen, 1913. Farbiges, glasiertes Tonrelief, 28,8 x 32,6 cm.
Schleswig-Holsteinisches Landesmuseum, Schloß Gottorf, Schleswig

119 Wenzel Hablik (1881–1934): Kleiner Falke, etwa 1924, Silber, vergoldet. Höhe 20 cm. Eigentu
Sibylle Sharmer-Hablik, Pondicherry, Indien

120 Günter Haese (1924): Oase II, 1970. Messingdraht, Höhe 44 cm, Tiefe 42 cm

Albert Aereboe (1889-1970): Julies blauer Malkittel, 1927. Öl a. L., 42,5 × 45,5 cm. Eigentum: Kulturring in der Studien- und Fördergesellschaft der S.-H. Wirtschaft e. V. (Dauerleihgabe an das Landesmuseum, Schleswig)

Reimer Riediger (1942): Werft (in Husum), 1972. Blatt 4 aus dem Zyklus ›Zehn Stationen‹. Farbradierung, 33,1 × 40 cm. Eigentum: Kulturring in der Studien- und Fördergesellschaft der S.-H. Wirtschaft e. V. (Dauerleihgabe an das Landesmuseum, Schleswig)

Gerettet durch die Hand der Vorsehung oder
Die Macht der Mutterliebe!

124 Blaudruckerin beim Handdruck

123 Der letzte deutsche Bänkelsänger Ernst Becker bei seinem Abschiedsauftreten in Neustadt 1969

125 Fischer beim Klönschnack ▷

127 Die Gorch Fock beim Einlaufen in den Kieler Hafen

◁ 126 Junger Fischer beim Netzflicken

128 Hansekogge in Wiederaufbau

130 Auf Krabbenfang

129 Krabbenfischer im Hafen von Pellworm

131 Landgewinnungsarbeiten

133 Schafzucht in der Hattstedter Marsch bei Husum

132 Torfstechen bei Barkenholm (Dithmarschen)

straße 22 (Kranen-Konvent), um 1260/80; gotisch: Königstraße 30; Dr. Julius-Leber-Straße 13. Vorderfront; Mengstraße 6; Hundestraße 90 und 94; Große Petersgrube 11, 15 und 25; Renaissance: Mühlenstraße 60, Mengstraße 23, 27 und 31, 41–43, 52; Beckergrube 65–71, Depenau 30, Wahmstraße 33–37, 54, 56; Barock und Rokoko: Mengstraße 4 (›Buddenbrook-Haus‹, 1841–91 im Besitz der Familie Mann); Breite Straße 29, Königstraße 21, Große Petersgrube 23; Klassizismus: Königstraße 5, Große Petersgrube 17–19, Koberg 2, Mühlenstraße 72, Glockengießerstraße 20.

Museen für Kunst und Kulturgeschichte der Hansestadt Lübeck: (T 04 51 / 1 27 94). Öffnungszeiten für alle Lübecker Museen: Di–So April bis Sept. 10–17; Okt. bis März 10–16.

St.-Annen-Museum, St.-Annen-Straße 15, kirchliche Kunst, Lübecker Wohnräume, Bilder und Hausgerät (Farbt. XVI; Abb. 101).

Museum *Behnhaus,* Königstraße 11, Sammlung neuerer Kunst.

Museum *Holstentor,* stadtgeschichtliche Sammlung.

Naturhistorisches Museum, Mühlendamm 1–3. (T 04 51 / 12 93 11–93 13).

Vorstädte:

St.-Jürgen-Kapelle, Ratzeburger Allee 21, Backsteinzentralbau 1645. *Ehem. Lindesche Villa,* Ratzeburger Allee 16, klassizistisches Sommerhaus 1804 von Johann Christian Lillie.

Sommerhaus ›Bellevue‹, Einsiedelstraße 20, Rokokopalais 1754–56.

Lübeck-Gothmund
Fischersiedlung am Traveufer mit alter Bebauung 18./19. Jh. (Fischerweg).

Lübeck-Klein Grönau
Ehem. *Armenhaus St. Jürgen* mit Kapelle von 1409. Spätgotische Gebäudegruppe beiderseits der Landstraße nach Ratzeburg.

Lübeck-Travemünde
Seit 1320/29 lübisch mit älterem Kern und dem seit 1802 (Gründung des Seebades) erweiterten Badebereich. – *St.-Lorenz-Kirche,* einschiffige Backsteinsaalkirche des 16. Jh. mit Westturm vom Anfang 17. Jh. Ausstattung barock: Altar 1723, Kanzel 1735, Epitaphien. – *Alter Leuchtturm* 1539, oberer Teil 1827. – *Lübische Vogtei,* Vorderreihe 7, Renaissance-Backsteingiebelhaus um 1600. – Bezirk um die Kirche mit kleinbürgerlichen *Giebelhäusern,* zum Teil Fachwerk. Die ›Vorderreihe‹ noch überwiegend mit der die ›Badstraße‹ kennzeichnenden Bebauung des 19. Jh.

◁ 134 ›Adebar,‹ Störche im Nest

Lütjenburg, Kreis Plön

5488 E, Stadtrecht 1275 bestätigt. – Die schon in vor- und frühgeschichtlichen Zeiträumen bewohnte Gegend, wovon noch Grab- und Wallanlagen zeugen, gehörte zu den Gebieten, die im 12. Jh. zunächst noch den Wenden verblieben, dann aber bald unter Adolf II. und Bischof Gerold mit zur Kolonisation und Missionierung herangezogen wurden. Um 1156 soll die erste Kirche errichtet worden sein, Gerold hielt dort 1163 kurz vor seinem Tode seine letzte Messe. – Der Ort wurde und blieb eine ländliche Stadt, umgeben von mehreren großen Gutsbezirken, zur Versorgung des auf die Landwirtschaft ausgerichteten Umlandes. – Die älteste Kirche hat sich nicht erhalten. Die jetzige *Michaeliskirche* ist ein einschiffiger gewölbter Backsteinbau, um 1220/30 errichtet mit im Kern zugehörigem Westturm; um 1260/80 wurde in plastischen frühgotischen Formen der Kastenchor umgestaltet und verlängert. Gruftanbauten der Renaissance. Qualitätvoller lübischer Schnitzaltar 1467. Kanzel 1608. Triumphkreuzgruppe Anfang 16. Jh. Reich dekorierte Gutslogen drittes Viertel 17. Jh. Freigrabmal v. Reventlow, Alabaster und Sandstein, 1608 in der Nordkapelle, wohl von R. Coppens, Lübeck, bedeutendste Grabanlage des Manierismus im Lande. – *Bürgerhäuser:* Am Markt 12 Fachwerkgiebelhaus 1576, sog. Färberhaus (Abb. 68); Oberstraße 7 (Rathaus) und 15 von 1790. – *Alter Posthof,* Neuwerkstraße 15, Hofanlage mit Zufahrtsallee des späten 18. Jh.

Lunden, Kreis Dithmarschen

Erstmals 1140 als Kirchspiel erwähnt, hatte im 16. Jh. einige Jahrzehnte Stadtrecht und war zeitweilig Hauptort des Norderteils von Dithmarschen. – *Kirche,* flachgedeckter romanischer Feldsteinbau, beherrschend auf einer Binnendüne. Reformatorenbildnis 1568. *Geschlechterfriedhof,* eindrucksvoll auf dem Kirchhügel mit Grabkammern und -stelen der freien Dithmarscher Bauerngeschlechter des 16./17.Jh. (Abb. 88).

Meldorf, Kreis Dithmarschen

7336 E, Stadtrecht 1265–1598 und ab 1869. – Auf einem dreiseitig von der Marsch umgebenen, einst ans Wattenmeer heranreichenden Geestvorsprung, über die Mündungspriele der Miele und Süderau auf dem Schiffswege erreichbar, bot sich von Natur aus ein sicherer Platz an, der frühzeitig Thingstätte der Dithmarscher gewesen zu sein scheint. Schon in karolingischer Zeit, wohl bald nach 810, wurde hier in Melindorp, höchstwahrscheinlich vom Bremer Bischof eine Taufkirche aus Feldsteinen errichtet. Meldorfs zentrale Stellung blieb erhalten; als sich die festen Bindungen zur Grafschaft Stade und auch zum Bremer Erzbischof lösten, Dithmarschen nach 1227 praktisch ein freier Bauernstaat war, wurde Meldorf Sitz der Landesversammlung, bis diese nach Bildung des Achtundvierziger-Rates 1447 nach Heide zog. Das schon 1265 nachweisbare Stadtrecht ging 1598 verloren. Meldorf wurde 1598 Flecken und erhielt das Stadtrecht erst 1869 wieder. Durch die Gebietsreform 1970 ging der Sitz der Kreisverwaltung nach Heide über, dagegen wurde Meldorf zentraler Gerichtsort des Kreises Dithmarschen. – Die jetzige *Pfarrkirche,* St. Johannes dem Täufer geweiht, von den Dithmarschern Dom genannt, entstand an der Stelle der alten Taufkirche in der zweiten Hälfte des 13. Jh. Sie ist die bedeutendste Kirche an der schleswig-holsteinischen Westküste. Ihr Äußeres wird durch einen 1868–71 erfolgten Turmneubau bestimmt sowie durch die bei einer durchgreifenden Restaurierung 1878–82 vorgenommene Verblendung. Im Kern ist sie eine dreischiffige gotische Gewölbebasilika. Raumbestimmend ist das mächtige Kuppelgewölbe über blendengegliederten Wänden, im Querhaus um 1300 figürlich ausgemalt. Lichte spätgotische Südhalle. Unter der reichen Ausstattung des 13. bis 17. Jh. hervorragend die prächtige hölzerne Chorschranke, 1603 von H. Peper, Rendsburg. – Einige schöne *Fachwerkhäuser* am Markt und an den Straßen sind erhalten geblieben. – *Dithmarscher Landesmuseum,* Bütjestraße 4, Sammlungen der bäuerlichen Wohnkultur Dithmarschens vom 16. bis 19. Jh. mit prächtigen Möbeln und Bauernstuben. Kirchliche Plastik aus verschiedenen Epochen. Gemälde und Graphik, Kunsthandwerk.

(T 0 48 32 / 72 52). Geöffnet Di–Sa 9–18, So 10–16.

Dithmarscher Bauernhausmuseum, Jungfernstieg 4a, neben dem Hotel ›Holländerei‹. Niederdeutsches Fachhallenhaus des 17. bis 18. Jh. als Bauernhausmuseum eingerichtet.

(T 0 48 32 / 72 52). Geöffnet 15. Mai bis 15. Okt. Di–Sa 9–12, 13–17.30; So 10–12, 13–16, sonst nach Anmeldung.

Mölln, Kreis Herzogtum Lauenburg

15 780 E, Stadtrecht 13. Jh. – Über die Deutung des Ortsnamens sind sich die Gelehrten noch nicht ganz schlüssig und einig. Während einige aus dem 1188 überlieferten ›mulne‹, später ›molne‹ auf slawisch mul = trübes Wasser tippen, leiten andere das Wort von Mühlen ab, die wohl sehr früh schon hier angelegt waren und ihren Niederschlag auch im Möllner Stadtwappen mit einem Mühlenrad gefunden haben. – Am Möllner See, der durch die in die Trave ablaufende Stecknitz gespeist wird, entstand auf einem Werder ein Rast- und Brückenort am Handelswege von Lüneburg nach Lübeck, der 1201 schon befestigt ist und im 13. Jh. Stadtrecht erhielt. Lübeck, das durch Barbarossa die Hoheitsrechte auf der Stecknitz bis Mölln zugesichert erhalten hatte, ließ bereits 1335 mit Spezialschiffen das von Süden auf der Salzstraße von Lüneburg herangeschaffte Salz zu Schiff nach Lübeck weiterführen. Es gelang der Hansestadt, sich Mölln von den in Geldnot befindlichen lauenburgischen Herzögen 1359 verpfänden zu lassen, ein Zustand, der bis 1683 anhielt.

Um den Schiffsverkehr zu erleichtern, ließ Lübeck von 1391–98 einen Kanal zwischen Möllner See und der nach Süden in die Elbe abfließenden Delvenau anlegen. Dieser Stecknitz-Delvenau-Kanal als erste künstliche Wasserstraße Nordeuropas ist der Vorgänger des 1895–1900 angelegten Elbe-Lübeck-Kanals. Mölln profitierte von der Zugehörigkeit zu Lübeck, wie es sich noch heute an den erhaltenen mittelalterlichen Bauwerken zeigt, die in dieser Qualität an keiner anderen Stelle im ehemaligen Herzogtum zu finden sind. Von der recht aufwendigen, durch die Lübecker veranlaßten Befestigung mit Stadtmauer, sechzehn Türmen und zwei großen Toren hat sich bis auf schwache Reste nichts erhalten. Mit der ungestörten Grundrißanlage, seiner kleinparzelligen Bebauung und der hübschen Silhouette, die von der auf einer Hügelkuppe in der Werdermitte gelegenen Stadtkirche geprägt wird, gibt Mölln hierzulande die beste Vorstellung einer mittelalterlichen Kleinstadt. Allseits bekannt geworden ist Mölln durch den Schalk Till Eulenspiegel (vgl. Abb. 113), der hier 1350 an der Pest gestorben sein soll und dessen aus gotländischem Kalkstein gefertigte Grabplatte (mit Schriftzeichen aus dem 16. Jh.) an der Kirche steht. – *Nikolaikirche*, kleine gewölbte Backsteinbasilika. Chor nach 1200, das 1471 nach Süden erweiterte Schiff und der stämmige Westturm abschnittweise bis Mitte des 13. Jh. vollendet. Malerei im Chorgewölbe und an der nördlichen Obergadenwand des Mittelschiffs Mitte 13. Jh. Die reiche Ausstattung bestimmt den malerischen Raumeindruck. Hervorzuheben: Triumphkreuz 1507, Taufgruppe 1509, Kanzel 1742, beschnitzte Gestühle 16./17. Jh., kleiner Madonnenschrein Ende 15. Jh., mannshoher siebenarmiger Bronzeleuchter 1436, hölzerner Hängeleuchter 1506. – *Rathaus*, stattlicher Backsteinbau, zweite Hälfte 13. Jh., gibt mit zwei gegenüberliegenden schmucken Fachwerkhäusern von 1582 (links, Museum) und 1632 den kleinen unregelmäßigem Marktplatz sein Gepräge.

Möllner Heimatmuseum, Am Markt 12.
(T 045 42 / 70 11 – 16, App. 49) (Stadtarchiv, 9–11 Uhr). Geöffnet 15. April bis Sept. Di–Fr 9–12, 15–17; Sa 13.30–16, So 9–12, 14–16.

Molfsee, Kreis Rendsburg/Eckernförde

Schleswig-Holsteinisches Freilichtmuseum. Umfassende Darstellung der für das Land charakteristischen Vielfalt bäuerlicher Bautypen in hervorragenden Beispielen (Abb. 66, 69, 107, 110). Siehe dazu auch den gesonderten Abschnitt in diesem Reiseführer, S. 125 f.

(T 04 31 / 6 55 55). Geöffnet April bis 15. Nov. Di–So 9–17; 16. Nov. bis März So 10–16, Juli u. Aug. auch Mo 9–17, sonst nach Vereinbarung.

Munkbrarup, Kreis Schleswig/Flensburg

Der hochgelegene Ort hat seinen Namen von der früheren Zugehörigkeit zum Rüdekloster (Mönche). Die *Kirche*, im Kern ein Hauptwerk des Granitquaderbaues in Nordangeln mit aufwendigem sechssäuligem Süderportal, entstand um 1200. Tympanon mit Christus, Petrus, Paulus (?), im äußeren Bogenscheitel Simson mit dem Löwen. Monumentale Granittaufe mit Löwenkampf, um 1200, ist eines der großartigsten Werke dieser Art in Nordeuropa, wohl symbolisch als Kampf der Christen gegen das Böse zu deuten. Mächtiges Triumphkreuz Ende 15. Jh. Niederländl. Alabasteraltärchen 16. Jh. Die Kirche wurde 1582 eingewölbt.

Nebel/Amrum

Kirche. Schlichter Feldsteinbau frühes 13. Jh., Turm 1908. Dörfliche Ausstattung. Inselfriedhof mit spätbarocken Seefahrergrabstelen (Abb. 89). Windmühle 1771, Erdholländer betriebsfähig.

Heimatmuseum an der Mühle (Mo–Mi 10–12, Do–So 15–18).

Neukirchen bei Malente, Kreis Ostholstein

Kirche, einschiffiger Feldsteinbau des späten 12. Jh., charakteristische ostholsteinische Landkirche der Kolonisationszeit, mit westwärtigem Rundturm (Farbt. XI). Apsis rekonstruiert, Kanzel 1626. – (Vgl. Fig. S. 112).

Neukirchen, Kreis Nordfriesland

Kirche, stattlicher Backsteinbau frühes 13. Jh., Gewölbe teilweise erhalten. Qualitätvoller dreiflügeliger Schnitzaltar um 1520, Kanzel 1682.

Neukirchen bei Oldenburg, Kreis Ostholstein

Kirche, einschiffiger Backsteinbau um 1240/45 mit gewölbtem Kastenchor und Westturm. Das flachgedeckte Langhaus um 1500 nach Süden verdoppelt. Im Chor gemalter Figurenzyklus zweites Viertel 14. Jh., Arbeit einer lübischen Werkstatt, 1953 freigelegt (Abb. 47). Dazwischen sind Reste der ersten farbigen Fassung des Chorraumes (Mitte 13. Jh.) sichtbar gelassen.

Neumünster

Kreisfreie Stadt, 84 777 E, Stadtrecht 1870. – Dieser Ort, inmitten Holsteins gelegen, seit Jahrhunderten Verkehrsknotenpunkt – bis zum Bau der Eisenbahnen waren hier viele Fuhrleute für den Personen- und Frachtverkehr ansässig und im ganzen Lande tätig –, bekannt durch seine seit dem 17. Jh. hierher zugewanderten Tuchmacher und daher im 19. Jh. zum Zentrum der Textil- und auch Lederindustrie emporgewachsen, hat seinen Namen von einer kirchlichen Einrichtung erhalten; der 1127 hergerufene Priester Vicelin baute ein von ihm gegründetes Augustiner-Chorherrenstift zum Stützpunkt seiner Missionsarbeit aus. Die von ihm errichtete Kirche erhielt 1163 bei der Weihe durch den Bremer Erzbischof den Namen ›novum monasterium‹. Das meist ›Kloster‹ genannte Stift wurde 1332 nach Bordesholm verlegt, die dazu gehörige der St. Maria geweihte Kirche bestand bis 1811. Gleich nördlich davon wurde nach Plänen des königl. dänischen Baudirektors Chr. F. Hansen 1828–34 die jetzige *Vicelin-Kirche* errichtet; diese, eine Emporensaalkirche, ist der bedeutendste klassizistische Kirchenbau des Landes. – *Textilmuseum* mit Forschungsstelle für frühgeschichtliche Gewebe, Parkstraße 17, zeigt in Bildern, Geräten und Rekonstruktionen die Geschichte der Textiltechnik von der Frühzeit bis zum Eintritt in das Industriezeitalter. Als einziges norddeutsches Museum zeigt es aus 40jähriger Forscherarbeit von Dr. Schlabow nachgewebte Kleidungsstücke aus bronzezeitlichen Baumsarg- und eisenzeitlichen Moorfunden.

(T 0 43 21 / 40 33 16). Geöffnet Mo–Fr 7.30–16, So 10–13.

Neustadt in Holstein, Kreis Ostholstein

15 333 E, Stadtrecht 1244. – Die fortschreitende Besiedlung im südlichen Teil Wagriens im 13. Jh. erforderte dort einen wirtschaftlichen Mittelpunkt. Krempe (nunmehr Altenkrempe genannt; siehe dort) wies die für die Anlage einer Stadt notwendige Bebauungsfläche nicht auf und war zudem für Handelsschiffe wegen der geringen Tiefe der Kremper Au nicht anschiffbar. Dafür bot sich ein besserer Platz weiter seewärts an. Auf dem Höhenrücken an der engsten Stelle des Binnenwassers wurde nach Plänen Adolfs IV. von Schauenburg (Abb. 44) die ›Nighestad‹ angelegt und 1244 mit Stadtrecht versehen. – Neustadt hat, wie kaum eine andere Stadt, den Gründungsvorgang schriftlich durch die alte Stadtchronik überliefert. Die ins Hochdeutsche übertragene niederdeutsche Fassung lautet: Der ehrbare Fürst und seine Ratgeber halfen mit, die Straßen, Hausstätten, den Kirchhof und Markt dieser Stadt anzulegen sowie den Befestigungsring rundherum, und er gebot den Einwohnern der Umgebung, daß sie den Wallgraben mit aushoben, was sie auch taten. Danach gab der Graf den Einwohnern seinen Brief, wonach sie und alle Nachkommen hier als Bürger das lübsche Kaiserrecht besitzen sollten, wie es seine Bürger in Hamburg schon besaßen. – In Neustadt

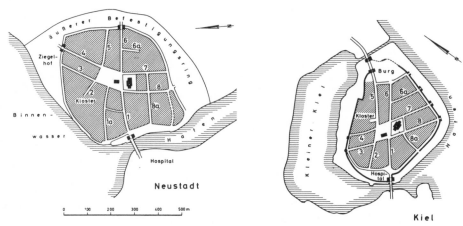

Die Grundrisse von Neustadt und Kiel als Beispiel übereinstimmender mittelalterlicher Stadtplanung

Neustadt: 1 Brückstraße 1a Burgstraße 2 Klosterstraße 3 Rosenstraße 4 Kremper Straße 5 Reiferstraße 6 Hochtorstraße 6a Hören 7 Waschgrabenstraße 8 Königstraße 8a Fischerstraße Stadttore: 1 Brücktor 4 Kremper Tor 6 Hohes Tor Pforten: 8 Krabbentor

Kiel: 1 Holstenstraße 2 Kehdenstraße 3 Küterstraße 4 Haßstraße 5 Dänische Straße 6 Schloßstraße 6a Fischerstraße 7 Flämische Straße 8 Schuhmacherstraße 8a Pfaffenstraße Stadttore: 1 Holstentor 5 Dänisches Tor 6a Ritter- oder Fischertor 7 Flämisches Tor 8 Schuhmachertor Pforten: 3 Kütertor 4 Haßtor 8a Pfaffentor

besteht bis auf den heutigen Tag das Straßenschema und die Grundstücksstruktur der Kolonisationszeit ohne wesentliche Änderungen; von der alten Stadtbefestigung ist das *Kremper Tor* übrig geblieben (Abb. 62), sonst sind nur wenige alte Bauwerke erhalten nach den vielen Stadtbränden, insbesondere dem letzten großen von 1817, bei dem ²/₃ der Stadt abbrannten. – *Kirche*, 1244 als dreischiffige Backsteinhalle mit zweijochigem Kastenchor errichtet, Schiff ab 1334 zur steilräumigen Stutzbasilika umgestaltet. Gleichzeitig Bau des 1846/47 z. T. erneuerten Westturms. Gesamtausmalung des Schiffs um 1350 mit Maßwerkdarstellungen im Obergaden 1957 freigelegt, einzigartig im Lande. Schnitzaltar, 1643, von Zacharias Hübener, aus dem Schleswiger Dom 1669 überführt. Renaissancekanzel von 1571. Kronleuchter 1649 vom Schiff ›Frederik III‹, das auf einer Neustädter Werft für den dänischen König gebaut wurde (Abb. 91). Auf Neustädter Werften sind viele Schiffe gebaut worden. 1863 waren hier noch 23 Segelschiffe unterschiedlicher Größe beheimatet. – Neustadt ist heute Marinegarnison und einziger Standort vom Bundesgrenzschutz See, Handels- und Bootshafen. – Vor der Altstadt, am Hafen, befindet sich ein 1344 gegründetes *Hospital,* heute Wohnstätte für ältere Mitbürger; die Wohngebäude 1853 und 1970 erneuert. Kapelle des Hospitals zum Heiligen Geist, schlichter Backsteinsaalbau von 1408, 1636 erneuert. – *Rathaus,* 1819–20 von F. C. Heylmann, klassizistisch mit zwei dorischen Säulen. – *Pagodenspeicher,* an der Hafenbrücke, mit Luken zum Korntrocknen, 1830; im Kremper Tor *Kreismuseum Ostholstein* mit umfangreichen Beständen aus der Vor- und Frühgeschichte, vielen Geräten aus Handwerk und Landwirtschaft, u. a. Moritatenschilder des Neustädter Malers Adam Hölbing (Abb. 123).

(T 045 61/62 04). Geöffnet Mai, Juni, Sept. Sa 14–17, So 10–12; Juli, Aug. Mo–Sa 14–17, So 10–12; sonst nach Vereinbarung.

Nieblum auf Föhr, Kreis Nordfriesland

Reizendes Ortsbild, Friesenhäuser unter Ulmen. *Johanniskirche,* wuchtiger kreuzförmiger Bau, Ostteile gewölbt, Mitte 13. Jh., mit frühgotischem Turm. Stimmungsvolles Raumbild, z. T. vorzüglicher Ausstattung, u. a. Granittaufe um 1200, Kollossalfigur Johannes des Täufers, zweites Viertel 15. Jh., lübischer Schnitzaltar mit bemerkenswerten mehrfigurigen Gemälden auf den Flügelaußenseiten, 1487 (Abb. 54). *Kirchhof:* Grabstelen in großer Zahl, von hoher Kultur, 18. Jh.

Norderbrarup, Kreis Schleswig/Flensburg

Kirche, eine der bedeutendsten Granitquaderkirchen der Landschaft Angeln, auf lindenumstandenen Friedhof. Einschiffiges Langhaus um 1200, Kastenchor drittes Viertel 13. Jh. mit wiederverwendeten Quadern der Vorgängerapsis. Süderportal Granit mit eingestellten Säulen, im Bogenfeld thronender Gottvater. Abseits hölzerner Glockenturm, einer der ältesten im Lande, noch 13. Jh. (?), jedenfalls vor 1500 (Abb. 43). Dreiteiliger Schnitzaltar lübischer Tradition um 1500, gute Bronzetaufe 1468.

Nordhackstedt, Kreis Schleswig-Flensburg

Kirche, schlichter romanischer Feldsteinbau. Reiche Kanzel 1713. Sehr bedeutende geschnitzte Passionsfolge um 1300 aus acht Holzreliefs, ähnlich wie in Hürup (Abb. 48). Nach vor einigen Jahren erfolgter Restaurierung des Kruzifixes, das nun wieder in den ursprünglichen Zusammenhang eingeführt wurde, wird das Werk als eins der größten Kunstschätze des Landes bezeichnet.

Oland, Hallig, Kreis Nordfriesland

Kirche, kleiner reetgedeckter Saal, 1824 erneuert mit hübscher Ausstattung, Votivschiff 1733. Freistehender Glockenstapel 18. Jh.

Oldenburg in Holstein, Kreis Ostholstein

9201 E, Stadtrecht 1230/40. – Die Stadt liegt an der schmalsten Stelle des einst schwierig zu passierenden Oldenburger Grabens unmittelbar neben der größten Wallanlage des Landes, die hier den Übergang beherrschte und in Nähe der See einen Schiffsverkehr zuließ. Von den slawischen Wagriern wurde ihre Hauptburg schon Starigard = alte Burg genannt. Eine jetzt über Jahre laufende Ausgrabungsaktion versucht auf den Grund zu gehen, der vielleicht schon einen germanischen Kern enthält, welcher dann mehrfach erweitert und erhöht wurde; noch heute haben die Wallreste stellenweise eine Höhe von 18 m. – Das zur Zeit Otto des Großen im 10. Jh. gegründete Oldenburger Bistum ging in den folgenden Wendenstürmen unter wie auch eine Wiederbegründung im Aufstand 1066 einging. Vicelin wurde 1149 zum Bischof ernannt. Sein Nachfolger Gerold begann 1156 hier mit dem ersten großen Backsteinbau im Norden, der heutigen *Johanniskirche;* der Westbau ist im ersten Drittel des 13. Jh. errichtet, der Chor in der Hochgotik. Nach tiefgreifenden Erneuerungen 1774–76 und 1913–16 ist die Gesamtanlage doch von Interesse, da sie im Innern sich noch ursprünglich darstellt in ihrer dreischiffigen Form mit schmalen Seitenschiffen und mächtigen Pfeilerquadern als ein Zeugnis aus der Frühzeit des Backsteinbaues.

Olderup, Kreis Nordfriesland

Kleine romanische *Feldsteinkirche* wohl des 12. Jh. mit Schiff und eingezogenem Kastenchor, dieser mit alten Rundbogenfenstern im Norden und Osten, jener mit altem Norder- und Süderportal, alle übrigen Öffnungen und die Holzbalkendecke von 1939; Granittaufe um 1200. Die Kirche ist ein wohlerhaltenes Beispiel einer alten Dorfkirche mit bescheidenen Ausmaßen. – (Vgl. Fig. S. 111).

Panker, Kreis Plön

Gutsanlage, landschaftlich reizvoll. Residenzartig Ende 18. Jh. eingerichtet für den Fürsten von Hessenstein. Herrenhaus im Kern um 1700, abseits des Hofes dreiflüglig zum See und weitläufigen Landschaftspark gewendet. Imposantes Torhaus Ende 18. Jh. – *Aussichtsturm* Hessenstein auf dem Pilsberg, 1839–41 im Stil der romantischen Neugotik.

Pellworm, Kreis Nordfriesland

Alte Kirche, an der Westküste der Insel gelegen. Einschiffiger romanischer Bau. Der mächtige Westturm, Ziegelbau 13. Jh., seit 1611 Ruine und Wahrzeichen der Insel. Reiche Ausstattung: Schnitzaltar 1470/80 (Abb. 56). Bronzetaufe 1475. Orgel von A. Schnitger 1711. – *Neue Kirche,* Backsteinsaal 1622 mit zahlreicher guter Ausstattung. – (S. a. Abb. 129).

Petersdorf auf Fehmarn, Kreis Ostholstein

Kirche, stattlicher gewölbter Backsteinbau der Gotik; im Kern zweischiffige Halle des mittleren 13. Jh., auf die sich der 1300 erneuerte Chor bezieht, im späten 15. Jh. nach Süden dreischiffig erweitert, Westturm 16. Jh. Altar bedeutende lübische Schnitzarbeit nach 1390, eines der Hauptwerke gotischer Altarkunst im Lande. Hölzernes Sakramentshaus letztes Viertel 15. Jh. Kanzel um 1600. Kreuzgruppe spätes 15. Jh. Zahlreiche prächtige Renaissance- und Barockepitaphien.

Pinneberg

Kreisstadt, 36 844 E, Stadtrecht 1875. – Der 1351 in Verbindung mit einer Burg an der Pinnau urkundlich erstmals genannte Ort gehörte mit der ganzen Umgebung einer Nebenlinie der Schauenburger, nach deren Aussterben 1640 die Herrschaft Pinneberg königlicher Besitz wurde. Die Verwaltung oblag den Drosten (Vögte). Landdrost v. Ahlefeldt ließ als Dienstsitz 1765–67 von E. G. Sonnin die sog. ›Drostei‹, Dingstätte 23, errichten, ein schloßartiges Gebäude mit reich verzierten Stuckdecken, das nach 1867 Wohnung der Landräte des Kreises Pinneberg wurde und seit 1933 das Katasteramt beherbergt. – *Rathaus* mit Bücherei 1966–67 nach Plänen einer Architektengemeinschaft errichtet, städtebaulich interessante Anlage um einen dreiseitig geschlossenen Pflasterhof.

Plön

Kreisstadt, 10 612 E, Stadtrecht 1236. – Eine auf der heute Olsburg genannten Insel im Plöner See (Farbt. V) befindliche slawische Burg Plune wurde 1139 beim Feldzug der Holsten zerstört, 1156 als deutsche Burg von Adolf II. von Schauenburg wieder aufgebaut bei gleichzeitiger Anlage eines Markt- und Kirchortes unterhalb des heutigen Schloßberges, auf den 1173 die gräfliche Burg verlegt wurde. Der Ort erhielt nach weiterer Entwicklung 1236 Stadtrecht. – Plön war 1623 bis 1761 Residenzort des Herzogtums Schleswig-Holstein-Sonderburg-Plön, einer durch Landesteilung entstandenen Nebenlinie. Herzog Joachim Ernst ließ 1633–36 das heutige *Schloß* errichten, eine Dreiflügelanlage des Manierismus, mit zwei barocken Dachreiterlaternen; das Gebäude wurde im einzelnen im 19. Jh. verändert. In mehreren Räumen befinden sich schwere Stukkaturen der 1750er Jahre und um 1700. – Von 1868 bis 1918 war im Schloß die preußische Kadettenanstalt untergebracht, in der auch die Söhne Kaiser Wilhelms II. erzogen wurden; zur Zeit wird das Gebäude als Internat des Gymnasiums

benutzt. – Ehemaliges *Lusthaus*, sog. *Prinzenhaus*, zweigeschossiger, innen prächtig stuckierter Backsteinpavillon gegen 1748, 1896 durch Flügelanbauten für die Söhne des Kaisers verbreitert. – *Marstall* 1745–46 und *Reithalle* 1746 von J. W. Rosenberg. Park 1740 angelegt, 1840 im englischen Landschaftsstil verändert. – *Hauptkirche* St. Nikolai, am Markt gelegen, 1866–68 neu erbaut. – *Johanniskirche*, kleiner Fachwerksaalbau 1685 am westlichen Ende der Langen Straße. – *Ehemaliges Rathaus*, Schloßberg 3, 1816–18 nach Plänen von C. F. Hansen erbaut, jetzt *Museum* des Kreises Plön. Beachtliche vor- und frühgeschichtliche Sammlung sowie jüngere Kulturgeschichte mit den Schwerpunkten bodenständiges Handwerk und Zunftaltertümer, bedeutende Schau holsteinischer Gläser aus heimischen Glashütten.
(T 0 45 22 / 82 69). Geöffnet Mo–Do 10–12, 14–16; Fr 10–12, So 14–18.

Preetz, Kreis Plön

15 305 E, Stadtrecht 1870. – Bei Preetz vereinigen sich zwei Quellflüsse, die über den Lanker See vom Bungsberg kommende Schwentine und die über den Postsee einlaufende Postau (Kührener Au) aus dem Quellgebiet bei Bornhöved, die noch im vorigen Jahrhundert als eigentliche Schwentine bezeichnet wurde. Im Ortsnamen Preetz, 1216 für eine Siedlung Porez bezeugt, steckt der slawische Name *po rece* = am Fluß. 1211 wurde hier ein Benediktiner-Nonnenkloster gegründet, das nach einigem Hin und Her 1260 seinen Platz auf dem heutigen Klostergelände fand. Es wurde seitens der schleswig-holsteinischen Ritterschaft und des Lübecker Bürgertums reichlich bedacht, da deren Töchter hier untergebracht wurden. Dem Kloster gehörten um 1500 mehr als vierzig Dörfer im weiten Umkreis, woraus der Name der Landschaft Probstei entstanden ist. Nach der Reformation kam das Kloster in die Hände des Adels und wurde in ein Damenstift umgewandelt. – Die Probstei blieb bis 1888 rechtlich dem Kloster unterstellt und war während der Zugehörigkeit zu einer bäuerlichen Landschaft mit ausgeprägter Eigenart geworden. – Preetz selbst hatte sich zu einem lebhaften Flecken entwickelt, in dem z. B. über hundert selbständige Schustermeister arbeiteten.

Stadtkirche, barocker Saalbau 1725–28 und hauptsächlich von R. M. Dallin ab 1726, mit abgetrenntem asymmetrischem Chor des frühgotischen Vorgängerbaues. Einheitliche Ausstattung im Régence-Stil nach Entwürfen von Dallin. – *Ev. Damenstift*, ehemaliges Benediktinerinnenkloster. Malerische Anlage, bestimmt durch die nach der Reformation entstandenen Konventualinnenhäuser, die sich in parkartigem Gelände verteilen. Klausur abgebrochen. – *Stiftskirche*, dreischiffige Stutzbasilika aus Backstein 1325–40, beste Ausprägung des Bautyps im Lande (Abb. 50). Nördliches Seitenschiff 1886–89 erneuert. Im Innern die liturgische Raumordnung der Nonnenkirche bewahrt, mit aus dem Mittelschiff ausgegliedertem Chorus, im Barock durch Emporenlogen für die Stiftsdamen überbaut. Chorgestühl an der Schmalseite bedeutend, um 1335–40, langseitig handwerklich, um 1360/70; Bemalung Mitte 17. Jh. Prachtvolles Abschlußgitter 1738. Altar 1743 von Schlichting, Lübeck. Zwei spätgotische Altäre. Mächtiger Torso des Dänischenhagen-Altars von H. Gudewerdt d. J., 1656. Malerischer

Orgelprospekt des Barock, im Kern von 1573, 1686 erweitert. Fragmentarische Schnitz-figuren lübischer Werkstätten um 1300 und Mitte 14. Jh. – *Klosterhof 19,* neugotisch überformter Rest der abgebrochenen Klausur von 1456 mit ehem. Remter und Biblio-thek von 1726. – *Klosterhof 11,* Fachwerkdoppelhaus des 16./18. Jh.; bestes Beispiel eines Konventualinnenhauses. – *Altersheim,* Klosterstraße 5a, von 1755.

Probsteierhagen, Kreis Plön

Kirche, im Kern Feldsteinbau des mittleren 13. Jh., 1787 von J. A. Richter barock um-gestaltet. Der kupplig gewölbte Chor der Frühgotik um 1720 innen prächtig stuckiert. Altar 1695–97, ein Hauptwerk des strengen Akanthusbarock im Lande (Abb. 94). *Herrenhaus Hagen,* Dreiflügelbau von 1648–49.

Pronstorf, Kreis Segeberg

Kirche, einschiffiger Feldsteinbau mit Rundturm, um 1200 begonnen, Chor in der Spätgotik verlängert, mit einheitlicher Rokokoausstattung. Balkendecke des Schiffs 1680 bemalt. – *Herrenhaus* 1726–28, allseitig durchgeformter, nobler Backsteinbau-körper frei vor dem Wardersee, Hauptwerk aus der Blüte der Herrenhausarchitektur im Lande (Abb. 93). Links gleichzeitiges Kavaliershaus.

Rastorf, Kreis Plön

Gutshofanlage 1723–29 von R. M. Dallin, eine der besten des Spätbarock im Lande. Dekorativ gegliederte Schweifgiebel der stattlichen Wirtschaftsgebäude. Herrenhaus 1803–06 von C. F. Hansen mit guten klassizistischen Innenräumen.

Ratekau, Kreis Ostholstein

Kirche, einschiffiger Feldsteinbau mit urtümlichen Rundturm, um 1200, typisch für die Kolonisation in Ostholstein, besterhaltene Kirche dieser Art.

Ratzeburg

Kreisstadt d. Kr. Herzogtum Lauenburg, 12 189 E, Stadtrecht vor 1285. – Einst Hauptburg der wendischen Polaben, von deren Fürst Ratibor, abgekürzt Ratse, der Ort wohl seinen Namen erhielt. Heinrich der Löwe belehnte 1142 den Lüneburger Ritter Heinrich von Badewide mit der Grafschaft Ratzeburg. Dem neugegründeten Bistum Ratzeburg wurde die Nordspitze der Insel zugewiesen zur Errichtung des Domes. Von der slawischen wie auch gräflichen Burg im Westen der Insel, ursprünglich eine gesonderte zweite Insel, wie auch dem späteren Schloß hat sich nichts erhalten. Der daneben ausgebaute Marktort hatte 1285 schon Stadtrecht. Als Festung ausgebaut, wurde die Stadt 1693 bei einer Belagerung durch dänische Truppen restlos abgebrannt und ganz regelmäßig mit sechs quadratischen Blöcken und rechtwinkligem Markt wie-der aufgebaut.

Stadtkirche, schlichter quergerichteter Predigtsaal 1787–91. Am Markt *ehem. Landes-haus* 1726–29 und gleichzeitige klassizistisch umgestaltete *Alte Wache.* – *Dombezirk*

Ratzeburg 1588

auf der Nordspitze der Insel abseits der Altstadt am baumbestandenen ›Palmberg‹.
Auf der Höhe der *Dom,* um 1160–70 begonnen, von Heinrich d. Löwen gefördert, um
1220 vollendet; Frühwerk des monumentalen Backsteinbaus. Dreischiffige gewölbte
Pfeilerbasilika über Kreuzgrundriß mit gotischem Turmblock, daran die Südvorhalle,
ein Kleinod spätromanischer Backsteinbaukunst. Das Innere in der ursprünglichen
Steinsichtigkeit wieder hergestellt (Abb. 37). Kreuzgang 1251 begonnen. Mittelalterliche Bischofsgrabsteine, Reste des ältesten norddeutschen Chorgestühls um 1200, gotischer Dreisitz um 1340, Triumphgruppe um 1260, Passionsrelief im Altarschrein um
1430, Kanzel 1576. Bedeutende Werke des Knorpelbarock von J. G. Tietge: ehem.
Hochaltar 1629, Herzogsepitaph 1649. – Westlich des Doms ›Bischofsherberge‹ und
›Steintor‹, im Kern erste Hälfte 13. Jh., wohl Reste der Bischofskurie. – Domprobstei,
ehem. Herrenhaus der Herzöge von Mecklenburg, 1764–66 als Dreiflügelanlage mit
Ehrenhof errichtet; vorzüglich stuckierter Festsaal. Jetzt Kreismuseum. – *Kirche auf
dem St. Georgsberg,* Backsteinsaal mit Kastenchor 13. Jh. Altar 1720.

Kreismuseum, Domhof 12–13, in der ehem. Domprobstei.
(T 0 45 41 / 1 22 83). Geöffnet ganzjährig Di–So 10–13, 14–17.

Ernst Barlach Gedenkstätte, Barlachplatz 3, mit Sammlungen aus dem Schaffen Barlachs, der von 1878 bis 1884 in diesem Hause wohnte.
(T 0 45 41 / 37 89). Geöffnet Di–So 9.30–12, 15–18.

A. Paul Weber-Haus, Domhof 5, ein großbürgerliches Wohnhaus des 17. Jh. mit Sammlungen der graphischen Werke von Prof. A. P. Weber.
(T 0 45 41 / 1 22 83). Geöffnet Di–So 10–13, 14–17.

Reinbek, Kreis Stormarn
Schloß in den 1570er Jahren als asymmetrische Dreiflügelanlage für den Gottorfer Herzog Adolf I. im niederländischen Renaissancestil erbaut, trotz Veränderungen im einzelnen sehr bemerkenswert.

Rellingen, Kreis Pinneberg
Kirche, achteckiger Zentralbau mit Emporen, 1754–56 von C. Dose, eine der gelungensten Leistungen des protestantischen Kirchenbaus in Nordelbingen, spannungsvoll verbunden mit einem im Kern romanischen Westturm (Abb. 106).

Rendsburg
Kreisstadt, 34407 E, Stadtrecht wohl vor 1253. – An einem alten Übergang des Nord-Süd-Heerweges über die Eider, verbunden mit einer schon frühzeitig befestigten Insel, war unter den Schauenburgern durch einen Deutschen Reinold eine um 1200 erwähnte ›Reinoldesburch‹ ausgebaut, in deren Schutze ein Marktort entstand, der 1253 schon als Stadt bezeichnet wird. Ab 1536 wird der durch die Wasserläufe ohnehin schon geschützte Ort durch die dänischen Könige umwallt und Ende des 17. Jh. – erweitert durch die fächerförmig angelegte Garnisonstadt Neuwerk – zur Hauptfestung des Landes ausgebaut; nach 1852 sind die Befestigungswerke nach und nach bis auf geringe Reste geschleift worden. – Der Bau des Eiderkanals 1777–84 und insbesondere des Kaiser-Wilhelm-Kanals 1887–95 brachten für die Stadt Belebung und Ansatz von größeren Industriewerken. – Bei der Erweiterung des Kanals 1910–14 wurde für die Eisenbahn die 2,5 km lange Hochbrücke errichtet, die den Kanal in 42 m Höhe 140 m frei überspannt; in einer langen Schleife wird auf der Nordseite der Niveauunterschied zum Bahnhof Rendsburg überwunden.
Marienkirche, weiträumige gewölbte, dreischiffige Halle, nach 1286. Reich ausgestattet. Hervorragend manieristischer Schnitzaltar von H. Clausen 1649 in alter Farbfassung. Die Holzkanzel 1621 von H. Peper ein Hauptwerk der Spätrenaissance. Bedeutende Reihe von Epitaphien 16.–18. Jh. – *Christkirche,* 1694–1700 als Garnisonkirche. Karger, kreuzförmiger Backsteinbau unter Holztonne. Prächtig durch die

höfische Chor- und Orgelausstattung sowie die festliche Rankenausmalung. – Reicher Bestand an alten *Bürgerhäusern* (Abb. 67). Städtebaulich imposant der kopfstein-gepflasterte Paradeplatz auf dem Grundriß eines halben Zehnecks mit repräsentativer Umbauung um 1700 und ausstrahlendem Straßennetz. – *Rathaus,* im Kern 16. Jh., stark überarbeitet, geschnitzte Tür von 1609 und Wappentafel von 1566. Im Ober-geschoß Bürgermeisterzimmer mit bemalter Täfelung und Sitzungssaal, noch heute von Senat und Ratsversammlung genutzt. Im Rathaus befindlich *Rendsburger Heimat-museum.*

(T 0 43 31 / 20 62 48). Geöffnet Di–So 10–12, Fr–So 15–17.

Kunstgußmuseum der Ahlmann-Carlshütte, R.-Büdelsdorf, mit Öfen und Kamin-platten des 16.–19. Jh. aus eigener Fertigung und anderen Hütten.

(T 0 43 31 / 35 11). Geöffnet Sa 15–18, sonst nach Vereinbarung.

Roest bei Kappeln, Kreis Schleswig/Flensburg

1498 bis 1797 das Gut der Herren von Rumohr, der derzeitigen Grundherren von Kappeln. *Herrenhaus,* malerisch in einer Talmulde gelegen. Zwei gegeneinander ver-setzte traufenseitig zusammengebaute Giebelhäuser von 1590 (rechts) und 1641. Ur-tümlicher Rittersaal mit emblematischen Wandgemälden 1641.

Roter Haubarg, Gemeinde Witzwort, Kreis Nordfriesland

Haubarg und Museum, eines der stattlichsten Beispiele dieses monumentalen Eider-stedter Bauernhaustyps. Im Kern 17. Jh., im 18. Jh. erweitert. Um 1780 eingebauter Pesel (gekachelter Wohnraum).

Täglich geöffnet.

Rundhof, Kreis Schleswig/Flensburg

Gutshofanlage von breiten Wassergräben umzogen. Der breite Herrenhof ab 1753 von G. Greggenhofer gestaltet. Herrenhaus 1753–55, schloßartiger Charakter, 1785–90 besonders innen verändert. Vestibül als querovaler Kuppelsaal. Frühklassizistische Stukkaturen.

St. Peter-Ording, Kreis Nordfriesland

Kirche im Ortsteil St. Peter, romanischer Backsteinbau mit gotisch verändertem Chor. – *Kirche* im Ortsteil Ording kleiner Backsteinsaal, Kern 1724. – *Haubarg* Matthiesen, Wittendün, 1760, charakteristisches Beispiel dieses Eiderstedter Typs. – *Eiderstedter Heimatmuseum,* Olsdorfer Straße 6, ein langgestrecktes Bauernhaus des 18. Jh. mit korbbogiger Eingangstür, innen für Museumszwecke umgebaut, zeigt bäuerliches und kirchliches Ausstellungsgut der Landschaft Eiderstedt.

(T 0 48 63 / 14 16). Geöffnet Mai bis Sept. Di–Sa 10–12, 15–17; So 10–12. Okt. bis April Di–So 10–12.

Satrup, Kreis Schleswig/Flensburg

Kirche, flachgedeckter romanischer Feldsteinbau um 1200 mit zahlreicher, guter Ausstattung. Am Turm bemerkenswertes Reiterrelief, Granit, aus der Bauzeit (Abb. 33).

Schenefeld, Kreis Steinburg

Kirche, eine der vier Urkirchen im Lande: Vom Bau des frühen 9. Jh. ein Rest vielleicht in der Nordwand, im übrigen 12. Jh., mehrfach verändert. Spätrenaissancealtar 1637, Epitaphien.

Schierensee, Kreis Rendsburg/Eckernförde

Gutshofanlage, landschaftlich reizvoll gelegen, 1776–82 durch J. A. Richter für Caspar v. Saldern, Minister Katharinas d. Gr. von Rußland, gestaltet. Dreiflügliges Herrenhaus mit großem, vom Wirtschaftshof abgeteiltem Ehrenhof. Im Innern der hohe Festsaal in frühklassizistischen Formen und die vorderen Wohnräume sehenswert. Bedeutende Sammlung nordeuropäischer Fayencen.

Schleswig

Kreisstadt, 30 974 E, Stadtrecht 12. Jh. – Den Ortsnamen Schleswig trug schon die an einer südlichen Randbucht der inneren Schlei, dem Haddebyer Noor, gelegene wikingerzeitliche Kaufmanns- und Handwerkersiedlung, die, doppelsprachig, Hedeby/Haethum bzw. Sliasvic/Sleswich genannt wurde und vom 9. bis Anfang des 11. Jh. der zentrale Handelsplatz im Transitverkehr zwischen dem Kontinent und Nordosteuropa war. Der Platz stand unter wechselnder politischer Herrschaft und war Mitte des 10. Jh. Sitz eines Bischofs. Vermutlich Ende des 10. Jh. wurde die vorher offene Siedlung mit einem noch heute vorhandenen 24 ha umfassenden Halbkreiswall umgeben und an das Landwehrsystem der dänischen Grenzbefestigung, das Danewerk, angeschlossen. Schon vor der letzten Zerstörung Haithabus (Abb. 30) 1066 hatte sich auf einem landfesten Werder am gegenüberliegenden Nordufer der Schlei eine Siedlung gebildet, die die Tradition als internationaler Warenumschlagplatz für etwa ein Jahrhundert fortsetzen kann. Ausgestattet mit den Kennzeichen einer ausgebildeten mittelalterlichen Stadt – Stadtrecht, Markt, hoheitliche Rechte ausübende Schwurgilde der Fernhandelskaufleute, sakrales und profanes Herrschaftszentrum, durchorganisiertes Pfarrkirchensystem –, tritt Schleswig vor der Mitte des 12. Jh. als erster nordöstlicher Ableger des entwickelten westfälisch-niederrheinischen Städtetums in die Geschichte: Es ist die älteste Stadt des gesamten Ostseeraumes. Es tritt seinen Rang in der Folgezeit rasch dem 1143 neu gegründeten Lübeck ab. Schleswig ist fortan nurmehr Mittelpunkt einer engeren Region. Bischofssitz und Herzogsresidenz erinnern an seine vormalige internationale Bedeutung. Der St.-Petri-Dom aus der ersten Hälfte des 12. Jh. wird bis zum Ausgang des Mittelalters zu einer gotischen Halle umgebaut, die Türme im Westen stammen erst vom Ende des 19. Jh. (1888/94). Von sieben Kirchen aus dem Ende des 12. Jh. haben sich nur St. Petri und die vermutlich im St.-

Schleswig 1649

Johannes-Kloster aufgegangene Kirche St. Jacob erhalten. Von mehreren Klöstern existieren nur noch das nach der Reformation in ein adliges Damenstift umgewandelte Benediktinerinnenkloster St. Johannis auf dem Holm sowie Teile des Franziskanerklosters (Klosterkirche 1543 zum Rathaus umgebaut, Neubau 1794). Nachdem seine erste Burg Alt-Gottorp (beim Gute Falkenberg nordöstlich der Stadt sind die Reste des mächtigen zweiteiligen Burghügels heute noch zu sehen) schon 1161 zerstört wurde, verlegte der Bischof seine Residenz 1268 nach Schwabstedt. Seinen befestigten Sitz Gottorp auf einer Insel am westlichen Schleiende (1582 Dammbau zwischen Schlei und Insel) übernahm der Herzog. Nach der Landesteilung 1490 wurde die Inselburg Residenz für den ›Gottorfer Anteil‹ und blieb es auch für Herzog Friedrich 1523 nach seiner Wahl zum dänischen König (1538 als einziger dänischer König im Dom beigesetzt). Von 1544 bis 1713 Sitz der herzoglichen Linie Schleswig-Holstein-Gottorf, wurde die Residenz unter begabten Fürsten Mittelpunkt geistigen und künstlerischen Lebens mit Kunstsammlung, bedeutender Bibliothek und berühmten Gartenanlagen. – Die bis etwa 1580 errichtete, einst reich geschmückte Vierflügelanlage der Renaissance

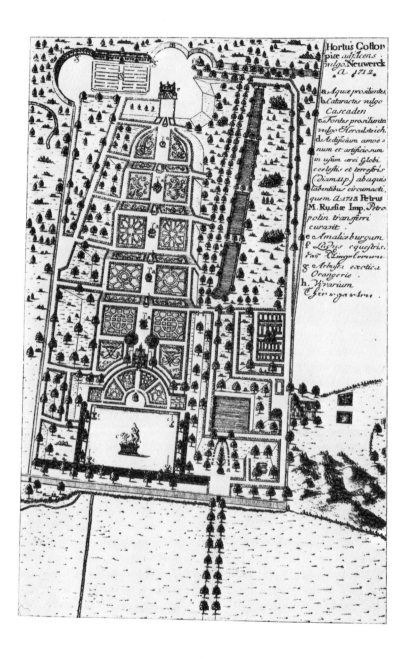

Der Gottorfer Schloßpark Neuwerk 1743

erhielt 1698 bis 1703 einen mächtigen Südflügel mit der bekannten Schaufassade (Abb. 108). Geldnot und die politischen Veränderungen verhinderten einen weiteren Ausbau. Innen sind erhalten die Schloßkapelle mit reich geschnitzter Herzogsloge 1609–13 (Abb. 78) und die historischen Räume: Königshalle, Blauer Saal, Hirschsaal. Das wertvolle Inventar wurde nach 1721 etappenweise zum größten Teil nach Kopenhagen überführt. – Seit 1948 hat dieser bedeutendste Profanbau des Landes durch die Aufnahme des Landesarchivs und der Landesmuseen endlich wieder eine würdige Bestimmung erhalten.

Das heutige Schleswig, das sich 6 km um die Schlei herumzieht, seit 1711 zur ›combinirten Stadt Schleswig‹ vereinigt, hat sich ausgeweitet in Anlehnung an den mittelalterlichen, vom Dom beherrschten Altstadtkern mit Markt und Rathaus – benachbart am Schleiufer die wohl ältere Fischersiedlung Holm – und an das Schloß Gottorf mit seinen durch die gottorfische Hofhaltung entstandenen Ortsteilen Lollfuß und Friedrichsberg.

Sehenswert: *Dom*, als flachgedeckte romanische Basilika schrittweise bis um 1500 zur gewölbten gotischen Halle erweitert, stadtbeherrschender Turm erst 1888–94. Romanisch noch das Petersportal, Granit, erste Hälfte 12. Jh. und die stimmungsvolle Kanonikersakristei. Die z. T. überragende Ausstattung Zeugnis der historischen Bedeutung des Doms: Dreikönigsgruppe um 1300, Schnitzaltar von Hans Brüggemann 1521 (Abb. 57), Kanzel 1560, Freigrab König Friedrich I. von Dänemark 1551–55 von C. Floris, Fürstengruft 1661–63, barocke Adelsgrüfte (Abb. 87), Gemälde ›Blaue Madonna‹ von J. Ovens (Abb. 86). Kreuzgang ›Schwahl‹ gotisch mit Resten monumentaler Wandmalerei Anfang 14. Jh. (Abb. 49). – *Adeliges Johanneskloster*, am Schleiufer auf dem Holm. Schlichte, ursprünglich romanische Kirche. Malerischer Raum barock ausgestattet. Gotisches Sakramentshaus, Holz. Rustikaler gotischer Kreuzgang. Im Remter romanisches Chorgestühl. Zahlreiche *Adelshöfe* und *Bürgerhäuser* des 17. bis 19. Jh. *Präsidentenkloster*, Stadtweg 57: Armenstift von 1656 mit zentraler Kapelle, spätgotischem Schnitzaltar von 1520. – *Fischersiedlung Holm*, liebenswerte Anlage mit Rosenstöcken vor den Giebelhäusern.

Im Schloß Gottorf:

1. *Schleswig-Holsteinisches Landesmuseum für Vor- und Frühgeschichte.* 1835 in Kiel als ›Museum Vaterländischer Alterthümer‹ gegründet, ab 1873 der Universität angegliedert, nach Zerstörung 1944 Neuaufstellung ab 1947 in Schleswig. Größte prähistorische Sammlung in der Bundesrepublik, mit Ausstellungen zu allen Bereichen der Vor- und Frühgeschichte des Landes und Schwerpunkten: Mooropfer (Nydam, Thorsberg, Nydamschiff; Abb. 25–27, 29), Moorleichen, Marschen- und Wurtenforschung (Siedlung und Küstenverläufe an der Nordsee), wikingerzeitlicher Handelsplatz Haithabu (geplant Bergung und Ausstellung eines Wikingerschiffes).

(T 0 46 21 / 3 25 70). Geöffnet April bis Okt. Di–So 9–17; Nov bis März Di–Sa 10–16, So 9.30–17, Feiertagsregelung.

2. Schleswig-Holsteinisches Landesmuseum. Hervorgegangen aus der Privatsammlung Thaulow in Kiel (um 1850), 1875 der Provinz geschenkt, 1878 als Kunstgewerbesammlung in eigenem Museumsbau (Thaulow-Museum), ab 1948 in Schleswig. Ausstellung zu allen Bereichen der Kulturgeschichte des Landes vom 12. Jh. bis in die Gegenwart, mit Schwerpunkten: Volkskunst in landschaftlicher Abfolge, Volkskundliche Gerätesammlung, Porträtsammlung, zeitgenössische Kunst und Kunstgewerbe (ab Mitte 1977 in Nebengebäude auf der Schloßinsel) (Abb. 79–82, 84, 102, 103, 117, 118, 121, 122), Friedrich Karl Gotsch-Stiftung.

(T 0 46 21 / 3 25 01). Geöffnet wie Landesmuseum für Vor- und Frühgeschichte.

Städtisches Museum Schleswig, Friedrichstraße 7–9 (von Günderoth'scher Hof); aus Sammlungen des Schleswiger ›Alterthumsvereins‹ (ab 1879) erwachsen, 1900 erster Museumsbau im Hause Gallberg 3, ab 1932 an heutiger Stelle: ehemaliger Adelshof (Haupthaus 1633/34 als herzogliches Gästehaus, Torhaus 1675, nach Renovierung 1960 Neuaufbau der Sammlungen); Ausstellungen zur Geschichte und Entwicklung der Stadt bis in die Gegenwart, Schwerpunkte: bedeutende Ergebnisse der archäologischen Stadtkernuntersuchungen, Schleswiger Fayencen, Fischersiedlung Holm, Wechselausstellungen; angegliedert: Hoe'sche Bibliothek mit seltenen Erstdrucken, z. T. aus Schleswiger Verlagen; Bürgerzentrum Friedrichsberg (geplant).

(T 0 46 21 /2 40 31). Geöffnet Mo, Mi–Sa 9–17, So 9–13.

Schobüll, Kreis Nordfriesland

Einzige Stelle der schleswig-holsteinischen Nordseeküste, an der die See direkt bis an den Geestrand heranreicht; von hier aus weiter Blick auf Wattenmeer und Inseln. – *Kirche,* gedrungener frühgotischer Backsteinbau mit Kastenchor und Westturm aus der Mitte des 13. Jh. Zahlreiche gute Ausstattung, Emporenkanzel 1735.

Schönkirchen, Kreis Plön

Kirche, flachgedeckter Feldsteinsaalbau, spätes 13. Jh., mit 1838 in Ziegeln erneuertem Westturm. Schnitzaltar 1653 von H. Gudewerdt d. J., Hauptwerk des nordischen Barock. – *Gildehaus,* altertümliches Flettdielenhaus, im Kern 15.–16. Jh., war kirchlicher Besitz und diente seit 1560 der ›Großen Brand- und Kirchengilde‹ als Versammlungshaus.

Schwabstedt, Kreis Nordfriesland

Am steil zur Treene abfallenden Geestrand gelegen. Neben dem jetzigen Fährhaus, wo noch ein tiefer Schloßgraben zu sehen ist, stand ein Schloß des Bischofs von Schleswig, der 1268 seine Residenz hierher verlegte; das baufällige Schloß wurde 1705 abgebrochen. Unter dem Altar der nach der Reformation abgebrochenen gotischen Marienkapelle des Bischofs wurde später ein etwa 4000 Jahre altes germanisches Hockergrab entdeckt. Ein bronzezeitlicher Grabhügel trägt den hölzernen Glockenturm, 1777 errichtet. Daneben die *Kirche,* ein flachgedeckter Feldsteinbau um 1200. Bedeutender geschnitzter Passionsaltar um 1515 mit Gemälden 1604 von M. v. Achten. Taufe um 1605, Kanzel 1606 und Orgel 1615, fürstliche Stiftungen hoher Qualität.

Seebüll, Gemeinde Neukirchen, Kreis Nordfriesland
Nolde-Museum mit über 200 Werken aus dem Nachlaß von Emil Nolde, geb. 1867 in Nolde/Nordschleswig, gest. 1956 in Seebüll. Das 1927 nach eigenen Entwürfen erbaute Haus diente als Atelier und Wohnhaus.
(T 046 64 / 3 64). Geöffnet März bis Nov. tägl. 10–18.

Seedorf, Kreis Segeberg
Gutshofanlage des späten 16. Jh. mit großartigem *Torhaus* von ca. 1583, Hauptbeispiel der niederländisch bestimmten Renaissance im Lande (Abb. 71). Herrenhaus bescheidener, innen mit Rokokostuck 1758.

Selent, Kreis Plön
Kirche, Feldsteinschiff des späten 12. Jh. mit langem Kastenchor und Sakristei, zweites Viertel 13. Jh., spätgotischem Nord- und nachgotischem Südquerarm sowie stämmigem, im Kern spätgotischem Westturm. Schnitzaltar von 1470. Kanzel 1595. Gemälde ›Hirtenanbetung‹, 1566 von P. Aertsen. – *Blomenburg,* 1842–55, einziges Beispiel neugotischer Burgenromantik im Lande.

Sörup, Kreis Schleswig/Flensburg
Kirche, frühester und besterhaltener Granitquaderbau des Landes (Abb. 34). Flachgedeckte Saalkirche mit eingezogenem Chor und außen arkadengeschmückter Apsis, begonnen Ende 12. Jh. Viersäulenportal mit Relief im Bogenfeld auf der Nordseite (Abb. 35). Westturm Spätgotik. Figürlich reich geschmückte gotländische Steintaufe Anfang 13. Jh. (Abb. 36). Prachtvolle geschnitzte Kanzel des Knorpelbarock 1663, wohl von H. Gudewerdt d. J.

Steinhorst, Kreis Herzogtum Lauenburg
Herrenhaus, 1721–22 von J. N. Kuhn, mit Vorplatz und Zufahrtsallee, Hauptwerk der Herrenhausarchitektur im Lande. Innen Vestibül, Treppe und zwei schwere Régence-Stuckdecken bemerkenswert.

Struxdorf, Kreis Schleswig/Flensburg
Kirche, romanisch. Kleines flachgedecktes Schiff mit gewölbtem Chor. Prächtiger frühbarocker Altaraufsatz 1656 von Claus Heim in alter Farbfassung. Abseits hölzerner Glockenturm 16. Jh.

Süderende auf Föhr, Kreis Nordfriesland
Laurentiuskirche, einsam gelegener einschiffiger Bau 12.–15. Jh. Spätgotisch der Turm und die Schiffsgewölbe. Schnitzaltar spätes 15. Jh. Gewölbemalerei primitiv um 1670. – *Kirchhof* mit zahlreichen Seefahrergrabstelen der besterhaltene der Insel.

Süderwöhrden, Kreis Dithmarschen
Kirche Wöhrden, geräumiger Backsteinsaal 1786–88. Festliche, die Architektur ergänzende gleichzeitige Gesamtausstattung mit Kanzelaltar, Logen, Emporen, Orgel und Taufengel. – *Materialienhaus,* Hafenstraße. Fachwerkspeicher 1519 mit Massivgiebel des späten 16. Jh.

Süsel, Kreis Ostholstein
An der Nordseite des Süseler Sees liegen die Wallreste der ›Süseler Schanze‹, einst Mittelpunkt des wendischen Gaues Süsel. – Der Kirchort liegt am Westufer. Nach Helmolds Bericht verteidigten sich 1147 beim Überfall von Abotriten etwa hundert der hier angesiedelten Friesen unter der tapferen Führung ihres Priesters Gerlav erfolgreich gegen eine dreißigfache Übermacht; in dieser Zeit waren die übrigen Friesen »in die Heimat zurückgekehrt, um ihr dort hinterlassenes Vermögen zu ordnen«. – Die jetzige *Kirche* ist in der zweiten Hälfte des 12. Jahrhunderts entstanden, als einschiffiger Feldsteinbau eine typische Landkirche der Kolonisationszeit (Abb. 32). Ostteile und Halle des im Kern romanischen Westturms gewölbt. Ausdrucksvolles Triumphkreuz Ende 13. Jh. Vortragekreuz, Silber, um 1130/40.

Tating, Kreis Nordfriesland
Kirche, flachgedeckter romanischer Saal mit gewölbtem Kastenchor und gotischer Chorverlängerung. Westgiebelturm. Interessante Kanzel 1601, zahlreiche Emporenbilder, Orgelprospekt Spätrenaissance, barockisiert. *Hauberg Hochdorf* 1764 mit Park, Allee und Kanälen. *Hauberg Hamkens* 18.Jh. (Umschlagvorderseite) in Park mit Grachten.

Tetenbüll, Kreis Nordfriesland
Kirche, langgestreckter spätgotischer Backsteinsaal mit Turm von 1491. Szenische Ausmalung der Balkendecke 1741. Spätgotischer Schnitzaltar 1523 in Knorpelwerkrahmen montiert 1654. Epitaph Dresscher 1654, wohl von Claus Heim, Hauptwerk des Knorpelbarock. *Hauberg Trindamm,* Vierständerbau von 1825. *Hauberg Osterkoog-Staatshof* 17./18. Jh., Pesel mit bemalter Holzbalkendecke Mitte 17. Jh.

Tönning, Kreis Nordfriesland
5082 E, Stadtrecht 1590. – Hauptort der Halbinsel Eiderstedt, ursprünglich wohl um 1000 n. Chr. Wurtsiedlung; durch Veränderung des Eiderlaufes vom 14. Jh. an am Fluß gelegen, daher für die landwirtschaftlichen Überschüsse als gelegener Ausfuhrhafen ausgebaut, der durch schmale Kanäle mit dem Landinneren verbunden war.

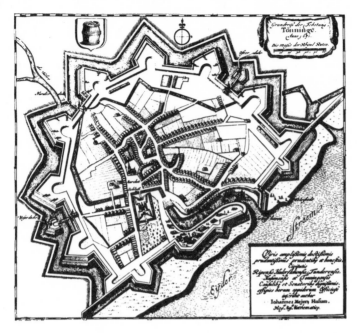

Tönning 1651

1624 zählte die Handelsflotte 54 Schiffe. Zu dieser Zeit wurden jährlich z. B. 300 000 bis 400 000 Pfund Käse über die Nordsee verschifft. Nach der Eröffnung des Eiderkanals 1784 weiterer Aufschwung; 1794 z. B. passierten den Hafen 741 Schiffe. Um 1870 wurden jährlich 50 000 Stück Hornvieh und 6000 Schafe ausgeführt. Durch den Nordostseekanal verlor der Eiderhafen an Bedeutung. – Mit Garding zusammen hatte Tönning 1590 Stadtrecht erhalten. Von einem 1580–83 erbauten stattlichen Schloß der Gottorfer Herzöge ist außer dem Platz nichts nachgeblieben. Auch sieht man kaum Spuren davon, daß Tönning 1644 zur Hauptfestung der Gottorfer ausgebaut worden war. Die Anlagen wurden von den Dänen 1714 gründlich geschleift. – *Kirche,* langgestreckter Backsteinbau mit Tuff- und Granitresten 12.–17. Jh. mit Westturm, dessen schlanker dreifach geschweifter Helm von 1703–06 die Landschaft beherrscht. Ausgezeichnete Barockausstattung unter der 1704 lebhaft illusionistisch ausgemalten Holztonne: spätmanieristischer Altar 1634, geschnitzter Emporenlettner 1635/1703, Epitaph des Rembrandtschülers J. Ovens (geb. 1623 in Tönning) mit Selbstbildnis 1691. Einige gute *Bürgerbauten,* vor allem am Hafen, dort auch das *Kanalpackhaus,* 1783. Am Markt schöner Brunnen von 1613.

Uetersen, Kreis Pinneberg

16 330 E, Stadtrecht 1870. – Uetersen, am ›äußersten Ende‹ der Geest an der Pinnau gelegen, wird 1235 erstmals genannt. Ein in diesem Jahre gestiftetes Nonnenkloster

der Zisterzienser wurde nach der Reformation umgewandelt in ein *Adeliges Damenstift*, in parkartigem Gelände am Stadtrand. Kirche, straffgegliederter Backsteinkubus unter hohem Mansarddach mit eingezogenem Ostturm 1748–49. Weiter Predigtraum mit umlaufender Empore und festlichem Altar-Kanzel-Orgelaufbau, gegenüber Fräuleinchor. Im Gewölbe großartige Verherrlichung der Dreieinigkeit, 1749 von G. B. Colombo. – Verbaute Reste des mittelalterlichen Kreuzgangs. Stiftsgebäude 17.–18. Jh.
Auf dem Fliegerhorst (Marseille-Kaserne) befindet sich das Luftwaffenmuseum; geöffnet Mo–Fr 17–18, Sa 15–17, So 9–16.

Ulsnis, Kreis Schleswig/Flensburg
Kirche, eindrucksvoll über der Schlei auf eichenumstandenem Friedhof. Beachtenswerter Feldsteinbau mit Tuff und Granitquaderverwendung, drittes Viertel 12. Jh. Ungewöhnlich das Süderportal, Granit: Urtümliche Reliefs Kain, Abel und Drachen. Zwei weitere Bildquadern im Osten: Tanz der Salome (?), um 1150. Abseits hölzerner Glockenturm, wohl 16. Jh. Reiche Innenausstattung, u. a. geschnitzte St. Jürgensgruppe, lebensgroß, Anfang 16. Jh.

Volksdorf, Stadtteil von Hamburg
Museumsdorf Volksdorf, Hamburg 67, Im alten Dorfe 46 an der Stelle des alten Dorfes im Zentrum des heutigen Ortes. Hier wurden drei alte Bauernhäuser sowie eine Grützmühle, eine Schmiede und eine Durchfahrtsscheune wieder aufgebaut. (T 040/603 52 25). Geöffnet tägl. außer Di und Fr 9–12, 14–18.

Wahlstorf, Kreis Plön
Gutshofanlage, reizvoll am Lanker See, um 1500, Herrenhaus, im Kern spätmittelalterliches Doppelhaus mit ehemaligem Treppenturm zwischen Anbauten von 1613 und 1924. Walmdächer spätbarock. Ursprüngliche Raumaufteilung erkennbar (vgl. Fig. S. 109). Fachwerkscheunen des 16., 17. und 18. Jh.

Warder, Kreis Segeberg
Kirche, einschiffiger, flachgedeckter Feldsteinbau mit Kern des veränderten Westturms um 1200. Chor in der Spätgotik verlängert. Stuckierter Gruftanbau um 1700. Altar drittes Viertel 15. Jh.

Waterneverstorf, Gemeinde Behrensdorf, Kreis Plön
Gutshofanlage, am Neverstorfer Binnenwasser 18.–19. Jh. Im Herrenhaus reiche Wandvertäfelung des Gartensaals nach 1736. Stukkaturen gleicher Zeit und um 1790.

Wedel, Kreis Pinneberg
30 045 E, Stadtrecht 1875. – In Wedel, wo zwischen den Ortsteilen Wedel (= Furt) und Schulau die Wedeler Au in die Elbe fließt, stoßen Geest-Nordufer und Marschen-

271

land zusammen. Vom 15. bis zum 18. Jh. wurde auf den von Norden kommenden Ochsenwegen von der Marsch und der Geest hier hier das Vieh zu Markt getrieben, um nach Verkauf über die Elbe gesetzt zu werden (i. J. 1600 z. B. ca. 30000 Ochsen). Als Symbol der Marktgerechtigkeit wachte wie anderenorts der vom Landesherrn errichtete *Roland* hier in Wedel als derbe Steinfigur von 1558, der auch als Wahrzeichen der Stadt im Stadtwappen auftritt (Abb. 60).

Wesselburen, Kreis Dithmarschen

3601 E, Stadtrecht 1899. – Beherrschende Wurtsiedlung im flachen Marschland aus der Besiedlung des ersten nachchristlichen Jahrtausend, 1281 erstmals erwähnt als Wislincgeburin = Siedlung des Wesling (aus dem Geestdorf Wesseln). Inmitten des ovalen Marktplatzes die *Kirche*. Neubau nach Brand 1737–38 von J. G. Schnott unter Einbeziehung des romanischen Feldsteinturms und der gotischen Apsis: mächtige Baugruppe mit zwiebelbekröntem Dachreiter. Weiter Innenraum unter hölzernen Muldengewölbe mit Emporen und einheitlicher Innenausstattung 1738, einer der beachtlichsten barocken Kirchenräume Schleswig-Holsteins. Romanische Sandsteintaufe um 1200. Maria und Johannes als spätgotische Standfiguren von einer Kreuzgruppe um 1520–30.

Hebbelmuseum in der Kirchspielvogtei von 1737. Erinnerungen an den Dichter Christian Friedrich Hebbel (geb. 1813 in Wesselburen, gest. 1863 in Wien), der von 1827–35 in diesem Hause gelebt hat.

(T 0 48 33 / 20 77). Geöffnet Mai bis Okt. Mo–Sa 10–12, 14–18, So 10–12, 15–17. Nov. bis April Di u. Fr 15–18.

Westensee, Kreis Rendsburg/Eckernförde

Kirche, flachgedecktes Feldsteinschiff Mitte 13. Jh., stattlicher gewölbter Backsteinchor um 1300, Westriegel mit Turm 1505. Mehrere Gruftanbauten des 17.–19. Jh. Reste des aufwendigen Renaissancegrabmals für Daniel Rantzau nach 1569.

Wewelsfleth, Kreis Steinburg

Kirche, Backsteinsaal um 1500 mit achteckigem verbrettertem Glockenturm. Origineller Schnitzaltar des Knorpelbarock um 1690, gute Kanzel 1610. Auf dem Friedhof besonders Sandsteinstelen des Rokoko. – *Kirchspielvogtei*, Giebelhaus 1698 mit Ausstattung.

Wilster, Kreis Steinburg

4575 E, Stadtrecht 1282. – An der schiffbaren Wilsterau gelegen, von der wohl auch der Ortsname abgeleitet wird, wurde W. während der durch die Holländer vorgenommenen Besiedlung und Bedeichung der Wilstermarsch (Farbt. II) als Kirchort begründet, 1163 erstmals erwähnt, 1282 mit Stadtrecht versehen. Die Ausfuhr von Getreide aus den Marschgebieten, auch von Dithmarschen brachte durch Handel und Schiffahrt dem Ort Wohlstand; um 1600 zählte die Handelsflotte 26 Schiffe, die bis nach Schottland und Südspanien fuhren. – Heute ist die Au nach dem Bau des Nordostseekanals verschlickt und innerhalb des Stadtgebietes verrohrt. – An älteren Bauten haben sich gehalten: *Kirche*, Neubau 1775–81 durch E. G. Sonnin unter Verwendung des älteren Turmes; anspruchsvolle protestantische Predigtkirche, beherrschend auf dem Markt gelegen. Vorzügliche Gliederung des Backsteinäußeren, das Innere bestimmt von ausschwingenden Emporen und dem Kanzelaltar. – *Bürgermeisterhaus* (neues Rathaus), Rathausstraße 4. Aufwendiges spätbarockes Bürgerhaus, Backstein um 1785 mit reicher Raumausstattung, 1829 der Stadt vermacht. – *Gaststätte Trichter*, Zingelstraße 13, ursprünglich Gartenhaus, um 1777. – *Altes Rathaus*, stattlicher Fachwerkbau auf Massivsockel 1585, an dem damals noch schiffbaren Stadtarm der Wilsterau gelegen. Gildezimmer mit bemalten Wänden. ›Gerichtszimmer‹ im Obergeschoß mit geschnitztem Spätrenaissanceportal um 1600. Sammlungen zur Geschichte der Wilstermarsch sowie umfangreiche Bibliotheken.

(T 0 48 23 / 5 03). Geöffnet Di–Sa 15–17, sonst nach Anmeldung.

Wotersen, Gemeinde Roseburg, Kreis Herzogtum Lauenburg

Herrenhaus, 1736 vollendet, von J. P. Heumann. Schloßartige Dreiflügelanlage mit axialer Zufahrtsallee und Park. Große Porträtsammlung.

Wulfshagen, Gemeinde Tüttendorf, Kreis Rendsburg/Eckernförde

Gutshofanlage des 17./18. Jh. axial auf das schlichte Herrenhaus von 1699 bezogen. Alte Ausstattung. Stukkaturen um 1790.

Wyk/Föhr

Nordseebad seit 1819 mit Ulmenallee ›Sandwall‹ am Oststrand. Windmühle, Zwickstellholländer, 1855.

Haeberlin-Friesen-Museum, Rebbelstieg (Heimatmuseum mit Friesenhaus, tägl. geöffnet).

Ein Blick nach Nordschleswig

Die Beschreibung Schleswig-Holsteins wäre nicht vollständig ohne einen Hinweis auf Nordschleswig (Amt Sønderjylland), das durch eine 1920 gezogene Grenze seinen staatlichen Zusammenhang mit dem südlichen Teil des ehem. Herzogtums Schleswig verlor.

Von der Landschaft her gibt es, wenn man die Grenze überschreitet, zunächst keine wesentlichen Unterschiede zu vermerken. Auffallend ist eine geringere Besiedlungsdichte nördlich der Grenze. Ortstafeln, Straßennamen und Beschriftungen der Geschäfte in dänischer Sprache machen dem Reisenden bewußt, daß er ein anderes Land betreten hat. Da im Grenzland von Deutschen und Dänen beide Sprachen beherrscht werden, kommt der Deutsche im üblichen Umgang mit seiner Muttersprache zurecht. Der deutschsprachige Anteil verliert sich, je weiter man nach Norden kommt. Die Nordgrenze des alten Herzogtums Schleswigs liegt an der Königsau.

Das Emmerleffer Kliff nordwestlich von Tondern ist nach Schobüll bei Husum die zweite Stelle, an der der Geestrand an das Wattenmeer heranreicht. Hier endet auch das Marschenland, denn weiter nördlich wird die Nordseeküste zur Sandlandschaft, Schlickanspülungen gibt es nur noch am Damm nach Röm (Römo).

Ein Besuch Nordschleswigs ist zu empfehlen. Auch der Tourist, der nach Jütland unterwegs ist oder die dänischen Inseln besuchen will, sollte sich die Gelegenheit nicht entgehen lassen und sich die wichtigsten Sehenswürdigkeiten anschauen.

Vorgeschichtliche Denkmäler findet der Interessierte an vielen Stellen Nordschleswigs in großer Zahl, bronzezeitliche Grabhügel allein über 5000. Auf der Insel Alsen zählt man weit über 2000 Hünengräber, im Norderholz alleine schon 400 Gräber. Bei Wittstedt (Vedstedt) südostwärts von Hadersleben am Pothoij (Topfhügel, 84 m hoch) liegt ein großes Gräberfeld, darunter Langbetten, von denen eins über 220 m lang ist.

Das im Schloß Gottorf ausgestellte Nydam-Boot (Abb. 29) wurde 1863 am Alsensund geborgen; es ist ein mastloses Ruderboot für 28 Riemen, 24 Meter lang und 3,40 m breit aus dem 5. Jh. n. Chr. – Bei Hirschsprung auf Alsen fand man 1921 ein 10 m langes Boot mit Waffen und Gerät, im Moor versteckt, das aus der Zeit um 400 v. Chr. als ältestes bekanntes Schiff des Nordens heute im Kopenhagener Nationalmuseum zu sehen ist.

Wertvolle und rätselhafte Zeugnisse frühgeschichtlicher Kunst stammen aus der Umgebung von Tondern: Bei *Gallehus* wurden zufällig 1639 und 1734, 10 Schritte auseinander, goldene Hörner ausgegraben, 1³/₄ Kilo und 1¹/₄ Kilo schwer. Nach dem Stil der Runeninschrift und des Bilderschmuckes zu urteilen, stammen sie aus dem 5. Jh. n. Chr. Die Hörner sind 1802 in Kopenhagen gestohlen und eingeschmolzen worden. 1860 nach Zeichnungen angefertigte Rekonstruktionen entziehen sich mit den dargestellten Tier- und Menschensymbolen nach wie vor einer einwandfreien Deutung hinsichtlich Herkunft und Verwendung.

Die Goldhörner von Gallehus, 1639 und 1734 gefunden

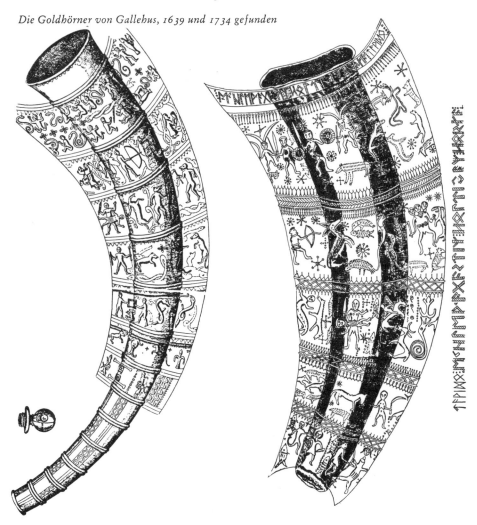

Auch in Nordschleswig finden wir aus dem Jahrhundert des Kirchenbaues von 1150–1250 eine stattliche Anzahl romanischer, gut erhaltener Dorfkirchen. Als die Gotik um 1230 ins Land kam, waren die meisten Orte schon mit Kirchen versorgt, daher finden wir nur wenige gotische Bauten. Baukünstlerisch bedeutsamstes Kirchengebäude Nordschleswigs ist die *Klosterkirche der Zisterzienser in Lügumkloster.* Der ältere östliche Teil entstand am Anfang des 13. Jh., der westliche Bauteil im frühgotischen Stil ab 1250. Der wirkungsvolle Backsteinbau mit kreuzförmigem Grundriß wird durch einen monumentalen Treppengiebel beherrscht und gekrönt durch einen gotisierenden Dachreiter. Der an das Südschiff anstoßende Bau mit einem hübschen Renaissanceportal und gewölbter Durchfahrt dürfte 1614 vom Herzog als Witwensitz errichtet worden sein; er beherbergt heute eine Pastorenhochschule.

Eindrucksvoll ist auch die *Marienkirche in Hadersleben.* Eine ursprünglich romanische Stiftskirche, von der am Westteil des Querschiffes noch Reste sichtbar sind, wurde im 15. Jh. zu einer stattlichen spätgotischen Kirche umgebaut; der 22 m hohe Chor ist der höchste im Herzogtum Schleswig. Durch die das Stadtbild beherrschende Lage ist die Kirche zum Wahrzeichen Hadersleben geworden; das äußere Bild wird durch eine Reihe angebauter Kapellen bestimmt.

Man beachte auch die in *Starup,* ostwärts von Hadersleben an der Förde gelegene Kirche, die aus einheimischem Tuffstein (dänischer Kalksinter aus örtlichem Steinbruch) vor 1100 in reinem romanischen Stil errichtet wurde und ursprünglich wohl als Bischofskirche gedacht worden war; sie ist vollendet restauriert worden.

Wer die Rundfahrt durch Nordschleswig im Westen beginnt, kommt zunächst nach *Tondern* (Tønder), bis ins 17. Jh. Lütken-Tondern genannt im Gegensatz zum benachbarten Mögeltondern (Mögel = Groß). Tondern hat heute rund 11 000 Einwohner, 1920 noch mit 76 % deutscher Bevölkerung. Der Ort erhielt 1243 das lübische Stadtrecht verliehen. Tondern weist wie die gleichalten Städte Kiel und Neustadt mit dem Boot in seinem Stadtwappen auf seine einstige Aufgabe als Seehandelsstadt hin.

Auf der Wiedau konnten Schiffe bis zur Stadt fahren, doch ist die Nordsee durch die Marschenbildung nun seit Jahrhunderten schon entrückt. – Die *Christkirche* in Tondern ist 1591/92 anstelle einer abgebrochenen älteren Nikolaikirche in Backstein als Basilika erbaut; sie zeigt im Inneren eine reiche Ausstattung, aus der älteren Kirche nur noch den Taufstein. – Am Markt steht noch ein gotisches Giebelhaus, um 1520 gebaut. In den Straßenzügen sieht man eine Reihe alter Häuser mit hübschen Giebeln, Portalen, Türen und viele niedrige Kleinbürgerhäuser mit Ausbauten (Utluchten) der Wohnstuben. – Durch die im 17. Jh. von Frankreich und Flandern her bekannt gewordene Klöppelkunst hat Tondern sich einen Namen gemacht; die Spitzenklöppelei brachte Wohlstand und wird auch heute noch in Heimarbeit, wenn auch nicht mehr in dem früheren Umfange, ausgeübt. Vom einstigen Schloß ist nur das Torhaus (um 1570) erhalten, das im Zusammenhang mit einem beachtlichen Neubau das *Tønder-Museum* aufnimmt, Kongevej 55. Außer vielem Ausstellungsgut, vor allem friesischen aus dem alten Amt Tondern, zeigt das Museum als Kunstgewerbemuseum des ganzen Landesteiles Nordschleswig kostbare Schätze an Fayencen, Kacheln, Silberschmiedearbeiten und Gemälden.

Leiter: Museumsinsp. Schoubye, Tel. (04) (0 04 54) 72 26 57. Geöffnet 1. Mai bis 31. Okt. 10–17, 1. Nov. bis 30. April 13–17.

Am Wege von Tondern zur Küste liegt der kleine denkmalgeschützte Ort *Mögeltondern* (Møgeltønder) mit der von Wassergräben umgebenen *Schackenburg*. Diese wurde 1664 von Hans Schack anstelle eines schon im 13. Jh. genannten Bischofsschlosses erbaut und im 18. Jh. neu hergerichtet mit einem hübschen Torhaus. Die Nikolaikirche als ehem. Bischofskirche mit ältesten Teilen um 1100 weist Kalkmalereien aus sieben verschiedenen Epochen auf und ist gerade gründlich restauriert worden. Die charaktervollen Kleinbürgerhäuser des Ortes können friesischen Baueinfluß nicht leugnen.

Auch das benachbarte *Hoyer* (Højer), dort der ehemalige Hafen nach Sylt, weist eine ganze Anzahl schöner Häuser auf. – Weiter nördlich zwischen Hoyer und Lügumkloster, kurz vor Visby, liegt die *Troyburg* als bedeutendste Ruine der jütischen Halbinsel; sie ist der Rest eines 1580 von Peter Rantzau erbauten Schlosses mit noch hohen Mauern, doppeltem Graben und ist erst 1854 durch einen Großbauern als derzeitigen Besitzer soweit abgebrochen worden.

12 Kilometer nördlich von Hadersleben ist 1773 planmäßig *Christiansfeld* durch die aus Sachsen kommende Herrenhuter Brüdergemeinde angelegt worden (jetzt rund 1000 Einwohner). Die 1760 errichtete Kirche bietet mit ihrem großen Saal 2000 Gläubigen Platz. Der Friedhof beeindruckt durch seine Schlichtheit. Das ehemalige Hospiz dient heute als Hotel.

Hadersleben (Haderslev), rund 29 000 Einwohner, ist die nördlichste Stadt des ehemaligen Herzogtums Schleswig, 1292 mit Stadtrecht versehen. Die Stadt ist mit der Ostsee durch eine 20 Kilometer lange Förde verbunden, die ihre westliche Fortsetzung in einem großen See, dem sog. Dam findet. Durch seine Brückenanlage hier am Ochsenweg gewann der Ort früh Bedeutung. Frühzeitig schon Sitz eines Bischofskapitel, seit 1923 Sitz des Bischofs. Die schon erwähnte Marienkirche war 1528 die erste lutherische Kirche des Nordens. – Für den Landesteil Nordschleswig befinden sich die bedeutenden vorgeschichtlichen Sammlungen in Anlehnung an ein Freilichtmuseum in *Haderslev Amts Museum*, Dalgade 7, Tel. 52 75 66.

Leiter: Museumsinsp. Hans Neumann, Tel. (04) (0 04 54) 52 23 62. Geöffnet: Mo–Sa 10–16.30, Sa auch 19.30–21.30, So 13–16.30.

Eben ostwärts der Straße von Hadersleben nach Apenrade liegt als höchste Erhebung Nordschleswigs der *Knivsberg* (97 m) mit guter Aussichtsmöglichkeit. Seit 1894 ist er deutsche Begegnungsstätte und heute Treffpunkt der deutschen Minderheit mit eigenem Jugendhof und Sportanlagen. Vom 1899/01 errichteten Denkmal wurde die Bismarckstatue 1920 zum Aschberg in den Hüttener Bergen gebracht, 1945 der Turm von den Dänen gesprengt. Mit dem aus den Trümmern aufgebauten Steinmal erreicht der Berg heute 100 m Höhe. Eine würdevolle Gedenkstätte mahnt an die Gefallenen beider Weltkriege.

Apenrade (Aabenraa, nach neuerer Schriftart Åbenrå), 20 000 Einwohner, liegt in schöner Lage am Ende einer breiten Förde und zeichnet sich durch einen tiefen Hafen aus. Der Ort ist aus einem Fischerdorf entstanden, das Stadtwappen trägt drei Makrelen; 1335 eigenes Stadtrecht. Fischerei, Schiffbau und Seehandel bestimmten die wirtschaftliche Entwicklung. In der Umgebung der alten Nikolaikirche (13. Jh.) liegen Straßenzüge der Altstadt mit kleinen Häusern aus dem 18. Jh. Als Schiffahrtsmuseum des Landesteiles gilt das *Aabenraa Museum*, H. P. Hanssensgade 33.

Leiter: Holger Jacobsen, Tel. (04) (0 04 54) 62 26 45. Geöffnet 15. Mai bis 14. Sept. 10–12, 14–18, 15. Sept. bis 14. Mai 10–12, 14–17.

Gravenstein (Gråsten) 3400 Einwohner, an der Flensburger Förde, ist durch sein Schloß bekannt; es wurde auf der Stelle eines 1616 errichteten Herrenhauses 1709 neu erbaut, aber mehrfach umgeändert. Die Schloßkirche im Nordflügel, noch von 1709, ist eine der besterhaltensten und schönsten Barockkirchen des Nordens. Das Schloß steht dem dänischen Königshaus zur Verfügung.

Sonderburg (Sønderborg), fast 30 000 Einwohner, am Alsensund gelegen, ist nach dem Schloß (an der Hafenausfahrt) benannt, auf dessen Grundmauern von 1169 der heutige Bau im 18. Jh. entstand. – Die in der Stadt liegende Marienkirche, 1595 umgebaut, weist ein reiches Renaissanceinventar auf. – Im Schloß befindet sich das historische Museum des Landesteiles *Museet pa Sonderborg* Slot.

Leiter: Museumsinsp. Slettebo, Tel. (04) (0 04 54) 42 25 39. Geöffnet 1. Mai bis 30. Sept. 10–17, 1. Okt. bis 30. April 13–16.

Augustenburg auf Alsen (Augustenborg, Als), 3000 Einwohner, ist durch seine dort wohnenden Herzöge in der Geschichte Schleswig-Holsteins bekannt geworden. Das gleichnamige Schloß, ursprünglich 1651 erbaut, in seinem jetzigen Zustand von 1770/76, dient heute als Nervenheilanstalt. Die klassizistische Schloßkirche ist sehenswert.

Im Nordteil der Insel Alsen liegt *Norborg* (Nordborg), 3000 Einwohner, mit einem 1786 erbauten Schloß auf der Stelle einer alten Burganlage, die schon 1157 erwähnt ist.

Unsere Nordschleswig-Rundfahrt beenden wir, wieder auf dem Festland, auf den *Düppeler Höhen* (68 m). Die als Brückenkopf Alsens ausgebauten dänischen Stellungen, 1849 von schleswig-holsteinischen Truppen besetzt, wurden 1864 von den Preußen im Sturmangriff genommen. 1920 feierten die Dänen in Gegenwart ihres Königs, der Regierung und des Reichstages hier ein ›Wiedervereinigungsfest‹. – Die Reste der Schanzen und die vielen Gräber künden von blutiger Vergangenheit. Ein Grabstein auf dem Friedhof trägt in dänischer Sprache die Inschrift:

> »Hier liegen im Frieden des Todes vereint,
> die die Kämpfe des Lebens trennten.«

Wir dürfen diese umkämpften Höhen verlassen mit der tröstenden Hoffnung, daß die gegenwärtigen europäischen Aufgaben Deutsche und Dänen bereits im Leben vereinen.

Wissenswertes in Kürze

Landeswappen Schleswig-Holstein
In gespaltenem Schild rechts auf goldenem Grund zwei blaue, nach innen gewandte, rot bewehrte, schreitende Löwen, links in rot ein silbernes Nesselblatt (s. hintere Umschlaginnenklappe).

Das Nesselblatt in Rot und Weiß als die Farben des alten Deutschen Reiches wurde durch die schauenburgischen Grafen, vermutlich 1238, als holsteinisches Landeswappen eingeführt. – Das schleswigsche Wappen mit den zwei Löwen, abgeleitet vom dänischen Wappen mit drei Löwen (bzw. Leoparden), nahm Graf Gerhard VI. 1386 zum Nesselblatt hinzu, als er mit dem Herzogtum Schleswig belehnt wurde.

Landesfarben blau-weiß-rot, zuerst 1843 bei der Schleswiger Liedertafel gezeigt, durch das Sängerfest 1844 allgemein bekannt und beliebt geworden, 1845 regierungsseitig verboten. Die Fahne wurde gebildet aus dem blau-gelben Wappen Schleswigs und dem weiß-roten Wappen Holsteins. Die gelbe Farbe der goldenen Litzen und Trotteln fiel später weg.

Landeshymne, nach älterer Vorlage vom Schleswiger Advokaten M. F. Chemnitz verfaßt, sieben Strophen; Komponist der Schleswiger Kantor C. E. Bellmann. Erstmalig auf dem Schleswiger Sängerfest 1844 vor 12000 Teilnehmern gesungen und bald im ganzen Land und in Deutschland bekannt geworden.

Schleswig-Holstein-Lied
Schleswig-Holstein, meerumschlungen
deutscher Sitte hohe Wacht,
wahre treu, was schwer errungen
bis ein schön'rer Morgen tagt.
Schleswig-Holstein, stammverwandt,
wanke nicht, mein Vaterland.

Fremdenverkehr 1977

4,9 Millionen Gäste mit 36,1 Millionen Übernachtungen davon 9,3 Millionen Übernachtungen auf Zeltplätzen

Geographische und statistische Angaben

Fläche 15 678 qkm; 1. 1. 1976 Einwohnerzahl 2 582 412, davon
rund 1 Million erwerbstätig und zwar produzierendes Gewerbe   37,0%
                                    Sonstiges, Dienstleistungen   36,5%
                                    Handel und Verkehr   20,3%
                                    Landwirtschaft, Fischerei,
                                    Forstwirtschaft   6,2%

1164 Gemeinden, davon 60 Städte.

Größte Inseln:	Fehmarn	185 qkm	
	Sylt	99 qkm	
	Föhr	82 qkm	
Größte Seen:	Plöner See	29 qkm	60 m tief
	Selenter See	22 qkm	34 m tief
	Großer Ratzeburger See	14 qkm	24 m tief
Höchste Erhebung:	Bungsberg	168 m	

Wilster Marsch an der Elbe mit 3,50 NN Tiefpunkten das tiefstgelegenste Gebiet in Deutschland. Hemmelsdorfer See (bei Niendorf/Ostsee) mit Seegrund in 44,5 m Tiefe, tiefstgelegenster Punkt der deutschen Erdoberfläche.

Kanäle, Flüsse, Seen

Nord-Ostsee-Kanal	99 km lang	11 m tief	2 Schleusen
Elbe-Lübeck-Kanal	62 km lang	2 m tief	7 Schleusen
zum Vergleich:			
Suez-Kanal	163 km lang	13 m tief	
Panama-Kanal	82 km lang	13 m tief	6 Schleusen
Eider	188 km lang	davon 120 km schiffbar	
Trave	118 km lang	davon 53 km schiffbar	
Küstenlänge Ostsee mit Fehmarn	384 km		
Küstenlänge Nordsee mit Inseln	536 km		

Praktische Reisehinweise

Wie erreiche ich Schleswig-Holstein?

1. Mit dem Auto

Von Süden her Anfahrt *über Bundesautobahn* (BAB)
BAB 7 Elbtunnel Hamburg
auf der Europastraße E 3 (BAB) nach Kiel und Flensburg
Bundesstraße 5 ›Grüne Küstenstraße‹ zur Nordsee

BAB 1 durch Hamburg oder Ostumgehung Hamburg
auf der E 4 nach Lübeck–Neustadt (BAB)
und weiter auf Bundesstraßen ins Binnenland,
zur Ostsee und nach Fehmarn

über Bundesstraßen
Bundesstraßen 3, 4, 73, 75 über Hamburger Elbbrücken ins
Land
404 über Elbbrücke Geesthacht zur Bundesstraße 5
209 über Elbbrücke Lauenburg nach Schwarzenbek,
von dort Bundesstraße 207 Lübeck–Fehmarn
404 über Segeberg nach Kiel

über Autofähren
Unterelbe Cuxhaven–Brunsbüttel
Wischhafen–Glückstadt

Von Osten her Grenzübergänge DDR/BRD bei Lauenburg (Horst)
bei Lübeck–Schlutup

Von Norden her Grenzübergänge Tondern–Niebüll
Flensburg
Autofähren von Norwegen, Schweden, Dänemark

2. Mit der Eisenbahn

Von Süden her Fernschnellzüge und internationale Züge
über Hamburg nach Lübeck–Puttgarden (Vogelfluglinie)
     nach Neumünster–Kiel
     nach Neumünster–Rendsburg–Flensburg
     nach Heide–Husum–Niebüll
      (Autoverladung nach Westerland)

Von Lüneburg über Lauenburg direkt nach Lübeck–Kiel–Flensburg
und nach Puttgarden

Von Osten her Aus Richtung Berlin über Grenzübergang Schwanheide/
     Büchen
     Stralsund über Grenzübergang Herrenburg–
     Lübeck

Von Norden her über Puttgarden aus Richtung Kopenhagen
über Pattburg–Flensburg
     Tondern–Niebüll

Auto-Reisezüge verkehren nach Hamburg und nach Westerland auf Sylt

3. Mit dem Flugzeug nach Hamburg-Fuhlsbüttel

Im Fluglinien- und Flugcharterverkehr werden angeflogen:

die Regionalflughäfen Flensburg-Schäferhaus,
     Kiel-Holtenau,
     Lübeck-Blankensee und
     Westerland/Sylt, sowie

Wyk-Föhr, Heide, Büsum, St. Peter-Ording, Helgoland,
Pellworm und Hooge im Seebäderdienst.

Außerdem stehen für den privaten Geschäfts- und Flugreiseverkehr die Verkehrs-
landeplätze Grube, Hartenholm, Itzehoe, Neumünster, Rendsburg, St. Miachelis-
donn und Uetersen zur Verfügung.

Fährverbindungen

nach Helgoland von   Büsum, Cuxhaven, Hamburg, Bremerhaven, Wilhelms-
haven, Hörnum/Sylt, Husum, Tönning, Wittdün/Am-
rum, Wyk/Föhr.

nach Dänemark von   Eckernförde (nach Ärø), Flensburg, Gelting, Glücksburg,
Kappeln, Kiel, Langballigau, Lübeck–Travemünde, Neu-
stadt, Puttgarden, Sylt

in die UdSSR von Lübeck–Travemünde
nach Finnland von Lübeck–Travemünde
nach Polen von Lübeck–Travemünde
nach Norwegen von Kiel
nach Schweden von Kiel, Lübeck–Travemünde

Auskünfte über alle Fährverbindungen sowie die Verbindungen zu den Nordfriesischen
Inseln und Halligen, über die vielfältigen Ausflugsfahrten von den Küstenorten an
Nord- und Ostsee, die Fährverbindungen zwischen den Inseln und Halligen und dem
Festland geben Ihnen die Kurverwaltungen und die örtlichen Verkehrsämter.

Beratungen

Wenn Sie sich vor Ihrer Reise bis ins kleinste Detail informieren wollen, dann wenden
Sie sich bitte direkt an die jeweilige Kurverwaltung, den Fremdenverkehrsverein Ihres
ausgewählten Urlaubszieles oder an den Fremdenverkehrsverband Schleswig-Holstein e. V., 2300 Kiel, Adelheidstraße 10, Tel. 04 31 / 6 40 11.
Ihr Quartier können Sie bei Ihrem Reisebüro, bei der Allgemeinen Deutschen Zim-
merreservierung (ADZ), 6000 Frankfurt (Main), Untermainanlage 6, Tel. 06 11 / 23 44),
Telex 04 16 666, oder bei den Kurverwaltungen, den Zimmervermittlungen, den Frem-
denverkehrsvereinen des Ortes Ihrer Wahl oder auch direkt beim Vermieter buchen.

Routenvorschläge

Die Hauptverkehrswege in Schleswig-Holstein laufen wegen der internationalen Strecken in Nord-Süd-Richtung; Ost-West-Verbindungen haben sowohl bei den Landstraßen wie auch den Eisenbahnen nur provinzielle Bedeutung.

Wer Schleswig-Holstein kennenlernen will, braucht dazu einige Tage. Die nachstehenden Routenvorschläge sind so ausgearbeitet, daß auf einer Rundfahrt – an der Ostseeküste nach Norden, der Nordseeküste gen Süden gerichtet – mit entsprechenden Abzweigern alle wichtigsten Sehenswürdigkeiten aufgesucht werden können. Fahrtstrecken und Aufenthaltsorte richten sich nach der Auswahl der Objekte in den einzelnen Landschaften, daraus ergibt sich auch die benötigte Reisedauer. Die wichtigsten Orte sind fettgedruckt. In der Nähe der Hauptroute liegende Orte werden mitaufgeführt; es bleibt dem Besucher überlassen, ob er sich die Zeit nehmen will, sie aufzusuchen.

Da viele Reisende am Anfang oder Ende ihrer Fahrtstrecke Hamburg aufsuchen, empfiehlt es sich, die im engeren Umland Hamburgs liegenden schleswig-holsteinischen Orte wegen der guten Verkehrsverbindungen von dort aus aufzusuchen. Im übrigen beginnen die Reisevorschläge im südöstlichen Landesteil an der Elbe; die Rundreise kann selbstverständlich von jedem anderen Ort aus angetreten werden und auch in umgekehrter Richtung als angegeben gefahren werden.

Im Hamburger Umland

(Kurzausflüge, sofern man die Orte nicht auf einer anderen Rundreise aufsucht): Reinbek (Schloß) – **Friedrichsruh** bei Aumühle (Bismarck-Mausoleum und Museum) – Sachsenwald mit Hünengräbern – Grande (Wassermühle mit Restaurant) – Trittau (Luftkurort und Waldgebiet Hahnheide) – Linau (Rest mittelalterlicher Burganlage) – Hoisdorf (Stormarnsches Dorfmuseum) – **Ahrensburg** (Schloß mit Museum, mittelalterliche Burgreste Arnesfelde) *(Farbt. XX)* – Tremsbüttel (Automobilmuseum) – [Oldesloe]. Rellingen (Kirche) *(Abb. 106)* – Pinneberg (Drostei, neues Rathaus) – Uetersen (Damenstift, Luftwaffenmuseum auf dem Fliegerhorst) – Haseldorf (Kirche und Herrenhaus) – Wedel (Roland, Schulauer Fährhaus) *(Abb. 60)*. Elmshorn und Barmstedt mit Heimatmuseum. **Altonaer Museum.** – Volksdorf (Museumsdorf).

Im Herzogtum Lauenburg

Geesthacht (Elbstaustufe, Pumpspeicherwerk) – Grünhof (-Tesperhude, Totenhaus als Hünengrab) – Schnakenbek (Ertheneburg) – **Lauenburg** (Altstadt, Burgturm, Kirche, Museum) –– Büchen (Kirche) – Wotersen (Herrenhaus) – Gudow (Kirche, Herrenhaus) – Horst bei Lehmrade (slawischer Ringwall) – **Mölln** (Altstadt, Kirche, Rathaus, Till Eulenspiegel, Museum) *(Abb. 113)* – Breitenfelde (Kirche mit Glasmalerei 13. Jh.) – Sirksfelde (Sächsischer Ringwall) – **Ratzeburg** (Dom, Kreismuseum) *(Abb. 37)* – Einhaus (Steinkreuz) – Berkenthin (Kirche) – Steinhorst (Herrenhaus) – Krummesse (Kirche) – Groß-Grönau (Kirche) – [Klein-Grönau].

Lübeck und Umgebung

Stadtrundgang siehe Objekte in der ABC-Kurzbeschreibung unter **Lübeck** (S. 230ff.). Blankensee (Großsteingrab), Klein-Grönau (St. Jürgen Armenhaus mit Kapelle), [Groß-Grönau, Krummesse]. Gothmund (Fischersiedlung) – Waldhusen (Großsteingrab) *(Abb. 12)* – Pöppendorf (slawischer Ringwall) – Travemünde (Kirche, alter Leuchtturm, Giebelhäuser, Hafen) – **Ratekau** (Feldsteinkirche) – Alt-Lübeck bei Schwartau (Reste der slawischen Königsburg mit Kirche). Über Reinfeld (›Karpfenstadt‹, Großsteingrab, Heimatmuseum, So 11–12.30) nach Bad Oldesloe (Museum – Alt-Fresenburg – Mennokate – Nütschau) – Grabau (bronzezeitliche Grabhügel) *(Abb. 21)* – Borstel (Herrenhaus, jetzt Institut). Nach **Bad Segeberg** (Kalkberg, Kirche, Museum) *(Abb. 40 u. S. 2)* – Groß-Rönnau (Großsteingrab) – Warder (Kirche, Insel mit ehem. slawischer Burg) – **Seedorf** (Torhaus) *(Abb. 71)* – Pronstorf (Herrenhaus) *(Abb. 93)*.

Ostholstein, entlang der Ostseeküste

Ratekau (Feldsteinkirche) – Garkau (Gutshofanlage) – **Süsel** (Feldsteinkirche, Rest eines slawischen Ringwalls) *(Abb. 32)* – **Neustadt** (Hospital, Pagodenspeicher, Hafen, Kirche, Kremper Tor mit Kreismuseum) *(Abb. 62)* – Ostseebäder der Lübecker Bucht – **Altenkrempe** (Kirche) *(Abb. 41, 42)* – **Hasselburg** (Torhaus, Herrenhaus) *(Abb. 92)* – Brodau (Windmühle, Fachwerkspeicher) *(Abb. 61)* – **Cismar** (Klosterkirche) *(Farbt. XV)* – Grömitz (Kirche) – Grube (Kirche) – Oldenburg (Reste der slawischen Hauptburg) – Neukirchen (Kirche) *(Abb. 47)* – **Heiligenhafen** (Kirche, Hafen, Museum). Grammdorf, Dazendorf, Großenbrode und an anderen Orten Hünengräber.

Insel Fehmarn: Burg (Kirche, St.-Jürgen-Kapelle, Museum, Ruine Glambek Burgtiefe) – Hünengräber bei Vitzdorf, Katharinenhof und Albertsdorf – **Landkirchen** (Kirche) – **Lemkenhafen** (Segelwindmühle mit Museum) – Petersdorf (Kirche) – Bannesdorf (Kirche) – Puttgarden (Fährhafen).

Nach Lütjenburg und Umgebung: Farve (Herrenhaus, Windmühle) – Futterkamp (Hünengräber) – **Lütjenburg** (Kirche, Fachwerkhäuser) *(Abb. 68)* – Waterneverstorf-Behrensdorf (Gutshofanlage) – **Panker** (Gutsanlage, Gaststätte Ole Liese, Aussichts-

turm Hessenstein) – Giekau (Kirche, Gut Neuhaus) – Selent (Kirche, Blomenburg) –
Schönweide (mittelalterlicher Burgwall Nienslag).

Holsteinische Schweiz: Eutin (Michaeliskirche, Schloß mit Museum, Park, Voss-
haus, Geburtshaus Carl-Maria von Weber, Heimatmuseum) *(Abb. 112)* – Sielbek
(Jagdpavillon) – **Ukleisee.** – Kolksee mit den Kasseedorfer Tannen – Bungsberg
mit Aussichtsturm. **Malente-Gremsmühlen** (Fünf-Seen-Bootsfahrt, »Alte Räucher-
Kate« als Museum), **Neukirchen** (Feldsteinkirche) *(Farbt. XI)*, [Schönweide (Burg
Nienslag)] – **Plön** (Schloß, Heimatmuseum) – Bosau (Kirche) – [Seedorf (Torhaus)] –
Wahlstorf (Herrenhaus).

Rund um Kiel

Preetz und die Probstei: Preetz (Klosterkirche und Kloster, Kirche) *(Abb. 50)* –
Rastorf (Gutsanlage mit alten Scheunen) – Dobersdorf (Herrenhaus) – Schönkirchen
(Kirche, Gildehaus) – Probsteierhagen (Kirche) *(Abb. 94)* – **Laboe** (Marine-Ehrenmal) *(Abb. 115)* – **Kiel** (Schloß, Kirche, Museen) *(Abb. 51)* – **Freilichtmuseum Molfsee** *(Abb. 66, 69, 110)* – Bothkamp (Gutshof) – Schierensee (Herrenhaus) – Emkendorf (Herrenhaus) *(Farbt. XXI)* – Westensee (Kirche) – **Bordesholm** (Klosterkirche,
Hünengräber).

Dänischer Wohld: Knoop (Herrenhaus) – Birkenmoor (Hünengräber) *(Abb. 11)* –
Gettorf (Kirche) – Wulfshagen (Gutsanlage) – Behrensbrook und Klein-Waabs (Hünenbetten).

Eckernförde und Schwansen

Altenhof (Herrenhaus, Museum, Großsteingrab) – **Eckernförde** (Kirche, Ratskeller,
alte Häuser, Hafen) *(Abb. 85)* – Borby (Kirche) – Hemmelmark (Gutshof 1711, 1740
mit Herrenhaus 1903/04, alter Burgwall im Park, Großsteingräber) – Ludwigsburg
(Wasserburg mit Herrenhaus 1742/44, Torhaus) – Loose (Großsteingrab) – **Damp**
(Gutshofanlage, Armenstift, Ostseeferienzentrum) *(Abb. 95)* – Karby (Kirche). Eichthal, Missunde, Ramsdorf bei Owschlag Hünengräber. Hütten in den Hüttener Bergen
(Kirche), Aschberg *(Abb. 6)*.

Schleswig, Angeln und Flensburg

Schleswig (Gottorf, Haithabu, Danewerk) *(Abb. 30, 49, 57, 78, 86, 87, 108)* siehe
ABC-Kurzbeschreibung. Hüsby (Großsteingrab) – Idstedt (›Räuberhöhle‹ = Großsteingrab) *(Farbt. VI)* (Gedächtnisstätte der Schlacht von 1850) – Stenderup-Poppholz und Torsballig (Hünengräber). Sorgbrück-Kropp (Heerweg) *(Abb. 8)*.

Ulsnis (Kirche) – Süderbrarup, **Norderbrarup** (Mittelpunkt Angelns, Thorsberg-
moor, Kirche) *(Abb. 43)* – **Arnis** (Schiffersiedlung) – Mehlby (Herrenhaus Roest) –
Kappeln (Altstadt, Kirche) – Gelting (Gutsanlage, Kirche) *(Abb. 73)* – Rundhof (Guts-

anlage) – **Sörup** (Kirche) *(Abb. 34–36)* – Satrup (Kirche) *(Abb. 33)* – Struxdorf (Kirche) – Hürup (Kirche) *(Abb. 48)* – Husby (Kirche) – Munkbrarup (Kirche) – **Glücksburg** (Wasserschloß, Museum) *(Abb. 74)* – Mürwik (Marineschule) – **Flensburg** *(Abb. 77)* siehe ABC-Kurzbeschreibung S. 191ff. Kupfermühle, Munkwolstrup, Frörup (Hünengräber). Eggebek und Nordhackstedt (Kirchen).

Nordfriesland und seine Inselwelt
Seebüll (Nolde-Museum) – Neukirchen (Kirche) – Niebüll (Fries.-Heimatmuseum, tägl. geöff.) – Drelsdorf (Kirche) – Olderup, Hattstedt, Schobüll (Kirchen) – **Husum** *(Abb. 75)* siehe ABC-Kurzbeschreibung S. 220ff.

Sylt: Morsum (Kirche) *(Abb. 55)*. Morsum-Nösse (Grabhügelgruppe) – Archsum (Großsteingrab) – Keitum (Friesenhäuser, Kirche mit Friedhof, Altfries. Haus und Sylter Heimatmuseum, Großsteingrab) – Tinnum (Ringwall) – Wenningstedt (Großsteingrab Denghoog) – Kampen (Großsteingrab).

Föhr: Wyk (Windmühle, Museum) – Boldixum (Kirche, Kirchhof) – Nieblum (Friesenhäuser, Kirche, Kirchhof) *(Abb. 54)* – Borgsum (Lembecksburg) – Utersum (Grabhügel) – Süderende (Kirche, Kirchhof, Großsteingrab).

Amrum: Nebel (Kirche, Friedhof, Windmühle und Heimatmuseum, Hünengräber und vorgesch. Dorfanlage) *(Abb. 89)*.

Pellworm: (Alte Kirche mit Turmruine und Neue Kirche) *(Abb. 56)*.

Halligen: Oland (Kirche) – **Langeneß** (Friesenstube Honkenswarf, tägl. zu besichtigen) – **Hooge** (Kirche, Königshaus mit Pesel) *(Abb. 104, 105)*.

Eiderstedt
Roter Haubarg, Gem. Witzwort (Bauernhaus und Museum) – Oldenswort (Kirche) – Hoyerswort (Herrenhaus) *(Abb. 72)* – Kotzenbüll (Kirche und Küsterhaus) – Tetenbüll (Kirche, Haubarge) – Garding (Kirche) – Tating (Kirche, Haubarge) – St. Peter-Ording (Kirche, Museum, Haubarg) – Eiderdamm (Sperrwerk gegen Überflutungen mit Straßendamm) – Tönning (Kirche, alte Häuser, Hafen).

Stapelholm (zwischen Eider, Treene und Sorge), von dort erreichbar **Friedrichstadt** (Kirchen und Bürgerhäuser) *(Abb. 76)* – Schwabstedt (Kirche, Holz-Glockenhaus auf Hünengrab, Wallreste).

Dithmarschen
St. Annen (Kirche) – Lunden (Kirche, Geschlechterfriedhof) *(Abb. 88)* – Hemme (Kirche) – Weddingstedt-Stelle (Stellerburg – sächsischer Ringwall) – **Heide** (Kirche, Museen) *(Abb. 109)* – Süderwöhrden (Kirche Wöhrden, Materialienhaus) – Wessel-

buren (Kirche, Hebbelmuseum) – [Eiderdamm] – Büsum (Nordseebad, Hafen, Tier-paradies = Vogelsammlung am Hallenschwimmbad). [Dampferverbindung nach Helgoland]. Bunsoh (Großsteingrab mit Schalenstein) *(Abb. 13)* – Albersdorf (Steinkammer Brutkamp) – Dellbrück (Großsteingrab) *(Abb. 14)*. **Meldorf** (Dom, Museen) – Brunsbüttel (Kirche, Museum) – Burg (Bökelnburg = sächs. Ringwall).

Helgoland
Schiffsverbindung von Büsum und Cuxhaven, Flug ab Hamburg *(Abb. 1)*.

Elbmarschen
Wewelsfleth (Kirche, Friedhof, Kirchspielvogtei) – Wilster (Kirche, Rathaus, Bürger-häuser) – **Itzehoe** (Kirche, adeliges Damenstift, St.-Jürgens-Kapelle, Museum) – Kremperheide (Tempel von Nordoe) – Breitenburg (Schloß) – **Krempe** (Rathaus, Kirche, Gildesammlung) *(Abb. 58)* – [Wewelsfleth] – **Glückstadt** (Kirche, Bürgerhäuser, Brockdorff-Palais, Wasmer-Palais, Museum, Hafen) *(Abb. 90)*. [Elmshorn].

Rendsburg
(Kirchen, Bürgerhäuser, Rathaus mit Museum, Eisenbahn-Hochbrücke) *(Abb. 67)*.

Mittelholstein
Itzehoe – Kaaksburg (sächsische Burgreste) – Schenefeld (Kirche) – Hanerau-Hademarschen (Hünengräber) – Hohenwestedt (Heimatmuseum, Schalenstein) – Aukrug-Bünzen (Heimatmuseum) – Willenscharen (sächsischer Ringwall) – Kellinghusen (Fayencenwerkstatt, Museum im Rathaus) *(Farbt. XXV)* – Bad Bramstedt (Kirche, Roland, Torhaus ›Marstall‹) – Großenaspe (Kirche) – **Neumünster** (Textilmuseum, Vizelinkirche, Heimattierpark) – Einfeld (sächsischer Burgwall) – Bornhöved (Schwentinequelle, Schlachtfeld von 1227, Kirche) – Tarbek und Gönnebek (Hünengräber).

ABC – Kurzbeschreibung vorgeschichtlicher Stätten

Von Hans Hingst

Einführung

Megalithgräber der jüngeren Steinzeit (3000–1800 v. Chr.).
Einfache Megalithgräber sind ›Großsteingräber‹ folgender Bauart: Auf rechteckiger Grundfläche sind an den Längsseiten je zwei und an einer Schmalseite ein großer Findlingsblock (Tragsteine) senkrecht aufgestellt und mit einem oder zwei bis zu fünf Tonnen schweren Findlingen (Decksteinen) überdeckt. Auf der zweiten Schmalseite liegt ein halbhoher Eintrittsstein. Bei größeren Steingräbern werden mehrere Trägerpaare nebeneinandergesetzt und die Zahl der Decksteine entsprechend vermehrt. Den Eintritt zu diesen größeren Grabanlagen ermöglicht ein kurzer, mit Findlingen begrenzter und überdeckter Gang. Die Lücken zwischen den Findlingen sind mit sorgfältig übereinander gelegten kleinen Steinplatten geschlossen. Die Gesamtanlage wurde mit einer Packung aus Lehm und kopfgroßen Steinen abgedichtet und mit einem Erdmantel beschichtet. Am Hügelrand befindet sich ein Kranz aus kleinen Findlingen. Bei manchen Hünengräbern wurde ein bis zu 100 m langer, im Grundriß rechteckiger Erdhügel aufgeschüttet und am Rande mit Findlingen begrenzt (Hünenbetten).

Bronzezeitliche Grabhügel (große Hügel bis etwa 1100 v. Chr.).
Im Kern dieser Hügel liegen häufig Megalithgräber. Darüber befinden sich mehrere Schichten mit Baumsarggräbern in Rollsteinpackungen und entsprechenden Aufhöhungen des Hügels sowie Ausweitungen der Steinkränze. Auch diese Hügel sind Sippengräber.

Die **jüngere Bronzezeit und die Eisenzeit** haben keine oberirdisch sichtbaren Denkmäler in der Landschaft hinterlassen. Die eindrucksvollen **Denkmäler des Mittelalters** sind slawische und sächsische Ringwälle sowie mittelalterliche Turmhügel (Motten). Die Ringwälle auf den Inseln Föhr und Sylt sind in ihrer Funktion noch nicht eindeutig geklärt. Innerhalb der Wälle sind in tiefen Schichten kleine Wohnhütten aus den ersten Jahrhunderten nach Chr. und in höheren Lagen Siedlungsspuren der Wikingerzeit nachgewiesen worden.

Eine einmalige Denkmälergruppe sind die von der Schlei bis zur Treene-Niederung reichenden 4–6 m hohen Wallzüge des Danewerks: Entstehung vor und in der Zeit der

Auseinandersetzungen zwischen dem Reich Karls des Großen und dem dänischen Großreich des Königs Göttrik; Ausbau bis ins frühe 13. Jh. (7 m hohe Ziegelsteinmauer des Dänenkönigs Waldemar); die Geschichte und Befestigung der Handelsstadt Haithabu (Abb. 30) ist eng mit der Geschichte des Danewerks verbunden.

Die großen, an der Westküste und durch den Mittelrücken Schleswig-Holsteins laufenden Heer- und Handelswege sind in der Zeit des Danewerks bereits vorhanden (Toranlagen im Hauptwall und im Kograben). Sie werden später bis in die Neuzeit als Ochsenwege zum Treiben der Ochsen auf die Märkte in den Städten benutzt.

Kurzbeschreibung vorgeschichtlicher Stätten

Abkürzungen

Dithmarschen	DIT	Rendsburg-Eckernförde	RDE
Herzogtum Lauenburg	LAU	Schleswig-Flensburg	SLF
Nordfriesland	NF	Segeberg	SEG
Ostholstein	OH	Steinburg	STEIN
Pinneberg	PI	Stormarn	STOR
Plön	PLÖN	Gemeinde	Gem.

Albersdorf, DIT. ›Brutkamp‹; vieleckige Steinkammer mit 5 Trägersteinen und einem großen Deckstein; Eingang in der Südostecke. Rundhügel, dessen Randsteine teilweise sichtbar sind.

Albertsdorf, Gem. Avendorf, Fehmarn, OH. Megalithgrab; 2 Trägerpaare u. 1 Deckstein; Träger an östl. Schmalseite fehlt; Eintrittsstein an Westseite. Grabhügel abgetragen.

Altenhof, RDE. Ostwestl. liegendes Hünenbett (Länge etwa 60 m) mit teilweise ergänzter Einfassung aus Findlingen; im Westteil liegende Steinkammer zerstört. Am Rastplatz der B 76 gelegen.

Altenhof, RDE. Umgesetztes u. restauriertes Megalithgrab aus Hohenkamp; 2 bzw. 3 Tragsteine an den Längsseiten, 1 großer Tragstein an der Schmalseite; 1 großer Deckstein; Eingangsstein ergänzt. Ca. 90 m nördl. des Eingangs z. Schnellmarker-Gehölz beim Grünen Jäger.

Archsum, Sylt, NF. Megalithgrab; Kammer aus 3 Trägerpaaren und 3 Decksteinen; ein 4. Deckstein liegt teilweise auf den Trägerpaaren des Ganges auf der Ostseite. Rundhügel, der teilweise in den Deichkörper einbezogen ist.

Behrensbrook, Gem. Neudorf-Bornstein, RDE. Hünenbett (Länge 35 m); Randsteine teilweise erhalten; am Ostende Steinkammer aus 2 Tragsteinpaaren an den Längsseiten; auf Schmalseite 1 großer Stein im Norden u. Eintrittsstein im Süden. Im Wald gelegen.

Birkenmoor, Gem. Schwedeneck, RDE. *(Abb. 11)*.

a) *Kuhholzberg,* Megalithgrab, unvollständige Kammer mit Trägersteinen, Abschlußstein u. Deckstein. Ursprünglich in Rundhügel angelegt. Etwa 30 m südl. der Straße Gettorf–Sprenge.

b) *Birkenmoor-Gut,* Megalithgrab; rechteckige Kammer; 2 Tragsteinpaare, großer

Deckstein, breiter Abschlußstein im Norden u. niedriger Eintrittsstein im Süden. Ursprünglich in Rundhügel angelegt. In Höhe des Gutes etwa 80 m südl. der Straße Gettorf–Sprenge.

c) *Birkenmoor,* Hünenbett (Länge 28 m); Randeinfassungssteine teilweise erhalten; im Hünenbett 2 rechteckige Kammern, von denen die Trägersteine sichtbar sind. Etwa 100 m westl. der Straße Gettorf–Sprenge in Höhe der Abzweigung nach Kaltenhof.

d) *Kaltenhof,* kurzes Hünenbett (Länge 22,5 m); Einfassungssteine erhalten, im Bett rechteckige Kammer mit 2 Trägerpaaren; Abschluß- bzw. Eintrittsstein an den Schmalseiten; Deckstein zur Seite geräumt. Nordöstl. der Straße nach Birkenmoor–Kaltenhof.

Bordesholm, RDE. Brautberg. Auf beherrschender Höhe an der Verbindungsstraße Autobahn–E 3 liegt ein großer, mit Bäumen bestandener Grabhügel; darin nach Voruntersuchungen Grabanlagen der Bronzezeit; neben dem Grabhügel ehemals 2 Megalithgräber, zahlreiche kleine Grabhügel u. eisenzeitl. Urnenfriedhof, der vollständig ausgegraben worden ist.

Borgsum-Föhr, NF. Lembecksburg; Ringwall (Innendurchmesser 95 m, Höhe etwa 10 m); Tordurchlaß im Süden; nach Probegrabungen am Wallfuß Hüttengrundrisse aus dem 1. Jh. n. Chr. und darüber Siedlungsspuren bis ins Mittelalter.

Bunsoh, DIT. Megalithgrab; 3 Trägerpaare u. je 1 Abschlußstein an den Schmalseiten; Eingang an östl. Längsseite; auf dem westl. der 3 Decksteine Schälchen, Sonnenzeichen und Fuß- sowie Handsignaturen ausgepickt, auf dem Grunde eines bronzezeitl. Grabhügels liegend; jetzige wallartige Aufschüttung ist Erdaushub *(Abb. 13).*

Burg, DIT. Bökelnburg, sächsischer Ringwall, auf hoher Moränenkuppe angelegt; Innenfläche heute als Friedhof genutzt; in Quellen des 12. Jh. als uneinnehmbares Bollwerk in Zusammenhang mit der Burg von Itzehoe erwähnt.

Dannewerk, SLF. Zwischen der Schlei im Osten u. den Niederungen der Rheider-Au u. der Treene im Westen befinden sich die teilweise in 3 Reihen geordneten Wallzüge des Danewerks.

Dazendorf, Gem. Gremersdorf, OH. Mehrere sehr große bronzezeitl. Grabhügel auf langgestrecktem Moränenzug mit weitem Blick über Landschaft und Meer.

Dellbrück, Gem. Bargenstedt, DIT. Megalithgrab; 2 Tragsteinpaare, Abschluß- und Eintrittsstein, 2 Decksteine. Hügelaufschüttung abgegraben; in kleiner Parkanlage am Nordausgang des Ortsteiles Dellbrück vor der Dellbrückau-Niederung *(Abb. 14).*

Eichthal, Gem. Gammelby, RDE. Restauriertes Megalithgrab; 3 Tragsteinpaare; Eingang an östl. Schmalseite; von 3 Decksteinen fehlt einer. Ursprünglich in Rundhügel gelegen. Unmittelbar östl. der Straße Gammelby–Eichthal.

Einfeld, Stadtgebiet Neumünster. Sächsische Burg, Halbkreiswall, teilweise abgetragen; Durchmesser etwa 60 m. Am Westufer des Einfelder Sees etwa 200 m nördl. der südl. Uferstraße.

Felm, RDE. Megalithgrab, 2 Trägerpaare; Abschluß- u. halbhoher Eintrittsstein an Schmalseiten; großer Deckstein. Nördl.

der Straße Felm–Gottorf, 200 m westl. der Abzweigung nach Osdorf.

Friedrichsruh-Sachsenwald, LAU. 2 Hünenbetten; Randsteine teilweise erhalten; darin je eine Kammer mit mehreren Tragsteinpaaren u. Abschlußsteinen; Decksteine fehlen. An der Straße Friedrichsruh–Dassendorf an der Gemarkungsgrenze nach Dassendorf.

Frörup, SLF. Großer bronzezeitl. Grabhügel auf Geländekuppe mit weitem Blick über Landschaft. Am E 3, 50 m westl. der Straße am Bauerngehöft, 2 km südl. des Ortskerns.

Futterkamp, Gem. Blekendorf, PLÖN. a) 4 Hünenbetten; Umfassungssteine teilweise, Steinkammern gut erhalten; einige Decksteine fehlen; am nördl. Hünenbett keine Kammer festgestellt. Im Waldstück 1 km nordwestl. des Gutes am Wirtschaftsweg bei landw. Versuchsanstalt. b) Großer u. kleiner Schlichtenberg; mittelalterl. Burghügel (Motten). In der Mühlenauniederung nordöstl. des Gutes.

Gönnebek, SEG. Gruppe sehr großer bronzezeitl. Grabhügel. 1 km südöstl. des Ortskerns.

Grabau, STOR. Gruppe großer bronzezeitl. Grabhügel mit Baumbewuchs. Zwischen Grabau u. Sülfeld nördl. der Straße (*Abb. 21*).

Großenbrode, OH. Großes nordsüdl. liegendes Hünenbett (Länge 97 m) mit Umfassungssteinen; gestörte Kammer im Gebüsch verborgen.

Groß-Rönnau, SEG. Megalithgrab; Trägersteinpaar u. Deckstein sowie Abschlußstein sind Teilstück eines ehemals größeren Grabes. Etwa 1 km östl. des Ortes auf Koppel nördl. der Traveniederung. Zugang am Knickwall.

Grünhof-Tesperhude, Gem. Geesthacht, LAU. Rekonstruiertes Totenhaus, das zusammen mit Baumsarg vor der Errichtung eines Grabhügels verbrannt worden war; liegt in Gruppe bronzezeitl. Grabhügel nördl. der B 5.

Hademarschen-Hanerau, RDE. Megalithgrab; 3 Trägerpaare, Abschlußsteine u. 2 erhaltene Decksteine; Eingang an südl. Längsseite. Ehemals Grabhügel mit bronzezeitl. Nachbestattung. Im Waldpark am Sportplatz.

Heide, DIT. Umgesetztes Megalithgrab aus Schalkholz. Im Park vor dem Heimatmuseum.

Hemmelmark, Barkelsby, RDE. Megalithgrab; 3 Trägersteinpaare, entsprechende Decksteine und Abschlußsteine an den Schmalseiten; in Rundhügel mit Baumbewuchs; unmittelbar westl. des westl. Feldweges vom Gut zum Hemmelmarker Gehölz. Auf dem Gutsgelände liegen zahlreiche weitere Megalithgräber mit schlechterem Erhaltungszustand.

Hohenwestedt, RDE. Schalenstein mit Sonnenrad auf Rückseite und Schälchen auf der Vorderseite. Vor Schule auf Marktplatz aufgestellt.

Hoisdorf, STOR. Schalenstein, der außer zahlreichen Schälchen eingepicktes christlich Kreuz aufweist. Vor Dorfmuseum Hoisdorf aufgestellt.

Horst, Alt-Horst, LAU. Slawischer Ringwall auf Moränenkuppe in Niederung. Am landwirtschaftl. Weg 2 km südl. von Neuhorst.

Hüsby, SLF. Umgesetztes u. restauriertes Megalithgrab; 2 Tragsteinpaare, Eintrittsstein und Deckstein; der mit zahlreichen Schälchen besetzte Deckstein ist gegen einen einfachen Findlingsstein ausgewechselt. Das Grab lag im Kern eines großen bronzezeitl. Grabhügels. An der Straße Hüsby–Dannewerk vor der Schmiede.

Idstedt, SLF. Megalithgrab ›Räuberhöhle‹; völlig erhaltenes Großsteingrab in Erdhügel; durch erweiterten Eingang an einer Längsseite zugänglich. Im Wald am Eingang zum Idstedter Forst neben der E 3, alte Trassenführung Schleswig–Idstedt, gelegen *(Farbt. VI)*.

Itzehoe, STEIN. ›Germanengrab‹; Steinpackungen bronzezeitl. Baumsarggräber mit Steingewölbe überbaut u. von Erdhügel überschichtet, der die Konturen des ehemaligen Grabhügels wiedergibt. Im Park im Stadtzentrum.

Kaaks, STEIN. Stark beschädigter Ringwall einer sächsischen Burg; ehemals Wegesperre. Nördl. der Bekau-Niederung. Von B 204 durchschnitten.

Kampen-Sylt, NF. a) Megalithgrab mit 7 Tragsteinen und großem Deckstein; vom Gang nur Träger erhalten. Unmittelbar nördl. des ehemal. Kampener Bahnhofs. b) Umgesetztes u. restauriertes Megalithgrab; 3 Trägerpaare ohne Decksteine; an einer Schmalseite setzt ein kurzer, von Trägersteinen begrenzter Gang an. Auf der Heide zwischen Kurhaus und Kliffende.

Keitum-Sylt, NF. Megalithgrab; umgesetztes Großsteingrab mit 2 Tragsteinpaaren u. Abschluß- bzw. Einstiegsstein unter großflächigem Deckstein; Kammer liegt am Ende des Hünenbettes, dessen Randsteine ebenfalls am neuen Grab aufgestellt worden sind. Hügelaufschüttung fehlt. Am Kliff neben Keitumer Schwimmbad.

Klein Waabs, RDE. Hünenbett, Randsteine mit Zwickelpackung vollständig restauriert; Erdaufschüttung ergänzt; am Ost- und Westende je eine Kammer. Straße Eckernförde–Klein Waabs, an der Zufahrtsstraße nach Karlsminde.

Kupfermühle, Gem. Harrislee, SLF. Steinkiste der frühen Bronzezeit; an Längsseiten und Schmalseiten mehrere Tragsteine, überdeckt mit flachen Findlingsplatten; darin bronzezeitl. Bestattung; aus großem bronzezeitl. Grabhügel; etwa 100 m nördl. des alten Standortes in Straßengabel der Zufahrtsstraße zum Grenzübergang Kupfermühle aufgestellt.

Loose, RDE. Megalithgrab; 2 Trägerpaare, Abschluß- u. Eintrittsstein an Schmalseiten; darauf sehr großer Deckstein. Hügel nicht erhalten. Zwischen Loose u. Holzdorf westl. der Straße.

Lübeck-Blankensee. Gut erhaltenes Megalithgrab; mehrere Tragsteine an Längsseiten u. je einer an Schmalseiten; 4 Decksteine; Gang ohne Deckplatte an Südseite; von Randsteinen des Hügels einige erhalten. 1 km südwestl. von Blankensee am Wege westl. der Eisenbahn im Wald.

Lübeck-Pöppendorf. Slawischer Ringwall auf Geländekuppe, umgeben von Niederung (Durchmesser etwa 110 m, höchste Höhe über Niederung etwa 12 m). Nördl. des Weges Waldhusen–Pöppendorf westl. des Ortes.

Lübeck-Waldhusen. Gut erhaltenes Megalithgrab; 3 Trägerpaare; 3 mächtige Decksteine; im Süden überdeckter Eingang; in Rundhügel, dessen Randsteine teilweise erhalten sind. Am Weg zum Forst Waldhusen, etwa 1 km südwestl. von Pöppendorf *(Abb. 12)*.

Meeschendorf, Fehmarn, OH. a) *Vitzdorf.* Megalithgrab; 6 Tragsteinpaare; Decksteine teilweise erhalten; in der Mitte einer Längsseite Eingang mit 2 Trägerpaaren. Etwa 250 m westl. des

Weges zwischen Katharinenhof und dem Ortsteil Pavillon.

b) *Gahlendorf*. 3 von Nordost nach Südwest hintereinanderliegende Megalithgräber, von denen das südl. gut erhalten ist: 5 Tragsteinpaare an den Längsseiten; Decksteine fehlen; Eingang nicht sicher zu bestimmen. In stark abgeflachtem Erdhügel.

c) *Katharinenhof*. Abgeflachtes Hünenbett; Umfassungssteine nicht sichtbar; darin kleine Steinkammer mit 1 bzw. 2 Tragsteinen an Längsseiten unter großem Deckstein; an Schmalseiten je 1 Abschluß- bzw. Eintrittsstein. Etwa 1 km südöstl. von Katharinenhof in Schlucht am Meer.

d) *Hinrichsberg*. Langrechteckiges Megalithgrab; 7 Tragsteinpaare; 5 Decksteine erhalten; an Schmalseiten 1 bzw. 2 Tragsteine; Eingang wahrscheinlich an Ostseite. In stark abgeflachtem Hügel auf beherrschender Kuppe 1,5 km östl. von Meeschendorf.

Missunde, Gem. Brodersby, RDE. Restauriertes Megalithgrab; 4 Tragsteinpaare u. Abschlußsteine an Schmalseiten; 3 Decksteine erhalten; Gang an südl. Längsseite. Rundhügel abgetragen. Liegt im Bereich einer Gedenkstätte für Gefallene des Krieges 1864.

Morsum-Nösse, Sylt, NF. Gruppe großer und kleiner Grabhügel aus der Bronze- und Wikingerzeit; vorgeschichtl. Terrassenäcker in Heidegebiet; hervorragender Blick über Land und Meer.

Munkwolstrup, SLF. Gruppe von mehreren Hünenbetten; hohe langgestreckte Erdwälle (Länge 20–60 m, Breite 6–7 m, Höhe 1,5–2 m); von den Umfassungssteinen nur wenige erhalten; Steinkammern ausgebrochen. Südwestl. u. nordöstl. des

Weges, der von der E 3 in Höhe der Grenzakademie Sankelmark nach Munkwolstrup abzweigt.

Nebel, Amrum, NF. Im Dünengebiet nördl. der Vogelkoje liegen:

a) Hünenbett mit sichtbaren Umfassungssteinen des Ostendes; Erdhügel größtenteils abgeweht; darin 2 Steinkammern, von denen nur der Deckstein der östl. Kammer sichtbar ist.

b) Dorfanlage des 1. Jh. n. Chr.: Pflaster von Mistgängen, Hauseingängen u. Herdstellen von 4 jeweils 50–200 m voneinander entfernt liegenden Hausgrundrissen; die meisten Pflaster sind mehrfach überbaut worden. Humusverfärbungen der Sodenwände u. der Eingrabungslöcher der Dachträger nicht mehr sichtbar.

Nebel, Steenodde, Amrum. a) Megalithgrab; Kammer in Erdhügel; Trägerpaar des Ganges in Ausgrabungsschacht sichtbar.

b) Gruppe großer, bronzezeitl. u. kleiner wikingerzeitl. Grabhügel sowie eine Gruppe ostwestl. ausgerichteter u. in Nordsüdrichtung gestaffelter vorgeschichtl. Ackerbeete. In Heidegebiet an der Straße Süddorf-Steenodde nördl. des Friesencafés.

Oldenburg in Holstein, OH. Oldenburger Wall; slawische Befestigung auf Moränenzunge an Niederung des Oldenburger Grabens angelegt: Ringwall im Westen mit Vorburgen im Osten; zentraler Fürstensitz u. Kultplatz. Oberfläche u. Wälle in Neuzeit stark planiert. Nordwestl. des Marktplatzes in Oldenburg.

Ramsdorf, Gem. Owschlag, RDE. Umgesetztes u. restauriertes Megalithgrab; 2 Trägerpaare; 2 Abschlußsteine im Westen u. Einstiegsloch im Osten. An der Straße Ramsdorf–Eckernförde.

Reinfeld, STOR. Restauriertes Megalithgrab; 4 Trägerpaare; 2 Abschlußsteine; 2 Decksteine; Eingang wahrscheinlich an südl. Längsseite. Im Südostteil des Forstes nördl. des Ausbaus Weizenkoppel.

Schönweide, PLÖN. Mittelalterlicher Burgwall ›Nienslag‹; haushoher Turmhügel, umgeben von Graben u. Vorwall; Zugang im Osten; auf Südseite weitere Vorwälle mit Gräben. 500 m südwestl. des Gutes Schönweide zwischen dem Tesdorfer und dem Rottensee (Zugang über Hof; Erlaubnis einholen).

Schwabstedt, NF. Großer bronzezeitl. Grabhügel; darauf Glockenturm der Kirche des 12. Jh.

Sirksfelde, LAU. Sächsischer Ringwall, vom Graben umgeben; Innendurchmesser 90 m; Wallhöhe etwa 6 m; ehemal. Zugang im Süden. Am Rande des Koberger Moores westl. der Straße Koberg–Sirksfelde im Wald.

Sorgbrück-Kropp, SLF. Teilstück des vorgeschichtl. Heer- u. Handelsweges, der in historischer Zeit als Ochsenweg benutzt worden ist. Im Waldgelände etwa parallel östl. der E 3, südl. der Gastwirtschaft Kropper Busch *(Abb. 8).*

Stenderup-Poppholz, SLF. Megalithgrab; 2 Trägerpaare; breiter Tragstein an nördl. Schmalseite; ein Deckstein erhalten, dessen Oberfläche mit ausgepickten Schälchen bedeckt ist; Eingang wahrscheinlich in Südostecke. Östl. der B 76; über Steinplattenweg vom Rastplatz am Helligbek zu erreichen.

Süderende-Föhr, NF. Wikingerzeitl. Hügelgräberfeld, von Erdwall umgeben. Neben Lorenz-Braren-Gedächtnisstein nahe der Kirche St. Laurentii.

Tarbek, SEG. Hünenbett (Länge 78 m, Höhe 1 m); die meisten Einfassungssteine

sind erhalten; in Westhälfte des Hünenbettes Steinkammer mit 2 Tragsteinpaaren, einem Abschluß- u. einem Eintrittsstein; Decksteine beiseite geräumt. Ein weiteres, schlecht erhaltenes Hünenbett liegt auf der nordöstl. angrenzenden Koppel. Östl. des Weges von Tarbek nach Schmalensee.

Timmaspe, RDE. Teilstück eines mittelalterl. Weges: in Heidegelände verlaufen mehrere Wagenrinnenspuren nebeneinander u. werden an der Westseite von einem gepflasterten Teilstück eines neuzeitl. Weges begleitet. Am Nebenweg, der von Nortorf nach Timmaspe führt, nördl. der Behmsbek-Niederung gelegen.

Tinnum, Sylt, NF. Tinnum Burg: Ringwall auf Moränenzunge an altem Priellauf (Durchmesser 80 m, Höhe etwa 7 m über der Niederung); im Inneren Siedlungsschichten d. 1. Jh. n. Chr. u. aus dem 9.–10. Jh. nachgewiesen. Südl. des Ortskerns von Tinnum.

Torsballig, SLF. Gruppe großer, das Landschaftsbild beherrschender Grabhügel aus der Bronzezeit; hervorragender Ausblick.

Utersum, Föhr, NF. 2 sehr große, bronzezeitl. Grabhügel in Heidestück, zwischen ihnen frühgeschichtl. Ackerbeete. Guter Überblick über Landschaft und Meer. Hinter dem Deich nördl. der Badestelle weiterhin ein Megalithgrab; kleine rechteckige, mannslange Kammer ohne Deckstein; in Rundhügel.

Wangels-Grammdorf, OH. Megalithgrab; von 3 Trägerpaaren nur das mittlere erhalten; darauf Deckstein, Abschlußsteine am Nord- und Südende beschädigt; Eingang mit Schwellstein an südl. Längsseite. Auf halber Strecke westl. des Wirtschaftsweges von Meischenstorf zum Ausbau Farver Burg bei Grammdorf.

Weddingstedt-Stelle, DIT. Stellerburg: im Grundriß breitovaler, sächsischer Ringwall; alte Tordurchlässe im Osten u. Norden; Durchbruch im Süden ist ein bei Ausgrabungen angelegter Wallschnitt. Nördl. des Ortes Stelle in der Nähe des Wasserwerkes gelegen.

Wenningstedt, Sylt, NF. Megalithgrab ›Denghoog‹: vieleckige Kammer mit 6 mächtigen Decksteinen; in großem Erdhügel gelegen; Grabstelle ist durch künstlich geschaffenes Einstiegsloch betretbar. In Höhe der Kirche westl. der Straße nach Kampen.

Willenscharen, STEIN. Sächsischer Ringwall (Innendurchmesser etwa 60 m); an 3 Seiten von Niederungen umgebene Wälle überragen die Umgebung um 6–7 m. Wegesperre am Übergang über die Stör. Bei der ehemal. Meierei gelegen.

ABC der Fremdenverkehrseinrichtungen

Schleswig-Holstein – zwei Meere und ein Land voll Erholung: Das ist der Slogan, mit dem der Fremdenverkehrsverband der nördlichsten deutschen Urlaubslandschaft sein Angebots-Kaleidoskop umreißt. Zwei Küsten (Nord- und Ostsee) und dazwischen liebliche Landschaft und reizvolle Städte. Urlaub kann man hier nicht nur an der See und den Seen machen. Auch als Gast auf Bauernhöfen, als Städtetourist, als Kurgast, Angler oder Camping-Anhänger, als Tagungs- oder Kongreßbesucher oder Museumsfreund, als Ausflügler oder Ferienkind. Und außerhalb der Saison vor allem als sparsamer Pauschal-Bucher. Für alle Urlaubsarten und Urlaubertypen und für viele Fragen mehr hat der *Fremdenverkehrsverband* (Adelheidstr. 10, 2300 Kiel) Prospekte und Informationsmaterial.

Die bedeutendsten Urlaubsorte in Schleswig-Holstein

Nordsee

Büsum
2242, Seeheilbad, Zimmernachweis, Tel.: 0 48 34 / 26 19.
Campingplatz, Kurmittelhaus, Haus des Kurgastes, Meerwasser-Hallenbad

Helgoland
2192, Seeheilbad, Kurverwaltung, Tel.: 0 47 25 / 7 01.
Campingplatz, Kurmittelhaus, Haus des Kurgastes, beheiztes Meerwasser-Freischwimmbad

Hörnum/Sylt
2284, Seebad, Kurverwaltung, Haus des Kurgastes, Tel.: 0 46 53 / 2 65.
Campingplatz

Kampen/Sylt
2285, Kampen, Seebad, Kurverwaltung, Tel.: 0 46 51 / 4 10 91.
Campingplatz, Haus des Kurgastes

List/Sylt
2282, Seebad, Kurverwaltung, Tel.: 0 46 52 / 2 15.
Campingplatz, Kurmittelhaus, Haus des Kurgastes, Süßwasser-Hallen-Schwimmbad

Nebel/Amrum
2279, Seebad, Kurverwaltung, Tel.: 0 46 82 / 5 44.
Haus des Kurgastes

Nieblum/Föhr
2271, Seebad, Kurverwaltung, Tel.: 0 46 81 / 25 59.
Haus des Kurgastes

Norddorf/Amrum
2279, Seeheilbad, Tel.: 0 46 82 / 8 11.
Beheiztes Meerwasser-Frei-Schwimmbad, Kurmittelhaus

Pellworm
2251, Kurverwaltung, Tel.: 0 48 44 / 5 44.
Haus d. Kurgastes, Süßwasser-Hallenbad

Rantum/Sylt
2281, Seebad, Kurverwaltung, Tel.: 0 46 51 / 60 76 – 78.
Campingplatz, Haus des Kurgastes

St. Peter-Ording
2252, Seeheilbad, Kurverwaltung, Tel.: 0 48 63 / 20 44.
Campingplatz, Kurmittelhaus, Meerwasser-Hallenbad

Sylt-Ost
2286, Keitum, Luftkurort, Kurverwaltung, Tel.: 0 46 51 / 3 18 60.

Haus des Kurgastes, Meerwasser-Hallenbad, beheiztes Meerwasser-Frei-Schwimmbad, Campingplatz

Wenningstedt/Sylt
2283, Seeheilbad, Zimmernachweis, Tel.: 0 46 51 / 4 16 92.
Campingplatz, Kurmittelhaus, Haus des Kurgastes

Westerland
2280, Seeheilbad, Zimmernachweis, Tel.: 0 46 51 / 85 82, 85 81.
Kurmittelhaus, Haus des Kurgastes, Meerwasser-Hallenbad, Campingplatz

Wittdün/Amrum
2278, Seeheilbad, Kurverwaltung, Tel.: 0 46 82 / 8 61.
Kurmittelhaus, Campingplatz, Meerwasser-Hallenbad, beheiztes Meerwasser-Frei-Schwimmbad

Wyk auf Föhr
2270, Seeheilbad, Zimmernachweis, Tel.: 0 46 81 / 7 65.
Kurmittelhaus, Meerwasser-Hallenbad

Binnenland

Bad Bramstedt
2357, Sol- und Moorbad, Kurverwaltung, Tel.: 0 41 92 / 30 11.
Campingplatz, Kurmittelhaus, beheiztes Süßwasser-Frei-Schwimmbad

Bad Schwartau
2407, Jodsol- und Moorheilbad, Kurverwaltung, Tel.: 04 51 / 2 21 82.
Kurmittelhaus, Haus des Kurgastes, Süßwasser-Hallenbad

Malente-Gremsmühlen
2427, Kneipp-Heilbad, Kurverwaltung, Tel.: 0 45 23 / 23 56.

Campingplatz, Kurmittelhaus, Haus des
Kurgastes, beheiztes Süßwasser-Frei-
Schwimmbad, Süßwasser-Hallenbad
Mölln
2410, Kneippkurort, Kurverwaltung,
Tel.: 0 45 42 / 70 90 + 70 99.
Kurmittelhaus, Haus des Kurgastes,
Campingplatz, Süßwasser-Hallenbad
Plön
2320, Luftkurort, Kurverwaltung,
Tel.: 0 45 22 / 27 17.
Campingplatz, Süßwasser-Hallenbad
Preetz
2308, Erholungsort, Fremdenverkehrs-
verein, Tel.: 0 43 42 / 22 07.
Campingplatz
Ratzeburg
2418, Luftkurort, Verkehrsamt,
Tel.: 0 45 41 / 27 27.
Campingplatz, Süßwasser-Hallenbad

Ostsee

Burg a. F.
2448, Seeheilbad, Zimmernachweis,
Tel.: 0 43 71 / 30 51
Kurmittelhaus, Haus des Kurgastes,
Meerwasser-Hallenbad
Dahme
2435, Seeheilbad, Kurverwaltung,
Tel.: 0 43 64 / 80 11 – 13.
Campingplatz, Kurmittelhaus, Haus des
Kurgastes, beheiztes Meerwasser-Frei-
Schwimmbad
Damp 2000
2335, Seeheilbad, Tel.: 0 43 52 / 8 01.
Campingplatz, Meerwasser-Hallenbad,
beheiztes Süßwasser-Frei-Schwimmbad,
Kurmittelhaus, Haus des Kurgastes

Eckernförde
2330, Seebad, Kurverwaltung,
Tel.: 0 43 51 / 54 00 + 60 11.
Campingplatz, Meerwasser-Hallenbad
Glücksburg
2392, Seeheilbad, Kurverwaltung,
Tel.: 0 46 31 / 22 01.
Campingplatz, Kurmittelhaus, Haus des
Kurgastes, Meerwasser-Hallenbad
Grömitz
2433, Seeheilbad, Kurverwaltung,
Tel.: 0 45 62 / 2 10 + 2 11.
Campingplatz, Kurmittelhaus, Haus des
Kurgastes, Meerwasser-Hallenbad,
beheiztes Meerwasser-Frei-Schwimmbad
Großenbrode
2443, Seebad, Kurverwaltung,
Tel.: 0 43 67 / 80 01.
Campingplatz, beheiztes Süßwasser-Frei-
Schwimmbad, Süßwasser-Hallenbad
Heiligenhafen
2447, Seebad, Kurverwaltung,
Tel.: 0 43 62 / 73 71.
Kurmittelhaus, Haus des Kurgastes,
Meerwasser-Hallenbad
Hohwacht
2322, Erholungsort, Kurverwaltung,
Tel.: 0 43 81 / 70 85 – 86.
Campingplatz, beheiztes Meerwasser-
Frei-Schwimmbad
Kellenhusen
2436, Seeheilbad, Kurverwaltung,
Tel.: 0 43 64 / 4 24.
Campingplatz, Kurmittelhaus, Meer-
wasser-Hallenbad, beheiztes Meerwasser-
Frei-Schwimmbad
Laboe
2304, Seebad, Kurverwaltung,
Tel.: 0 43 43 / 78 17.
Haus des Kurgastes, Meerwasser-Hallen-
bad, Campingplatz

Neustadt-Pelzerhaken-Rettin
2431, Pelzerhaken, Seebad, Kurverwaltung, Tel.: 0 45 61 / 70 11.
Campingplatz, Kurmittelhaus, Süß-
wasser-Hallenbad, beheiztes Süßwasser-
Frei-Schwimmbad

Scharbeutz
2409, Seeheilbad, Kurverwaltung,
Tel.: 0 45 03 / 71 11.
Campingplatz, Kurmittelhaus, Haus des
Kurgastes, Meerwasser-Hallenbad

Schönberg
2306, Seebad, Kurverwaltung,
Tel.: 0 43 44 / 20 52.
Campingplatz, Kurmittelhaus

Sierksdorf
2409, Seebad, Kurverwaltung,
Tel.: 0 45 63 / 4 33.
Campingplatz, Süßwasser-Hallenbad,
Haus des Kurgastes

Timmendorfer Strand
2408, Seeheilbad, Kurverwaltung,
Tel.: 0 45 03 / 40 61.
Meerwasser-Hallenbad, Kurmittelhaus,
Haus des Kurgastes

Travemünde
2400, Seeheilbad, Kurverwaltung,
Tel.: 0 45 02 / 8 41.
Campingplatz, Kurmittelhaus, Haus des
Kurgastes, Meerwasser-Hallenbad,
beheiztes Meerwasser-Frei-Schwimmbad

Weißenhäuser Strand
2440, Seebad, Kurverwaltung,
Tel.: 0 43 61 / 49 07 31 / 7 30.
Campingplatz, Kurmittelhaus, Süßwasser-Hallenbad

Wendtorf
2304, Tel.: 0 43 43 / 2 35 oder 6 31.
Campingplatz, Haus des Kurgastes,
beheiztes Süßwasser-Frei-Schwimmbad

Essen und Trinken hält Leib und Seele zusammen
– Eten un Drinken höllt Lief un Seel tohopen

Jutta Kürtz, Autorin vom ›Kochbuch aus Schleswig-Holstein‹, gibt lukullischen Rat für das Land zwischen den Meeren

Eine Schlemmer-Reise durch Deutschlands Norden – das kann ein rechtes Abenteuer werden. Denn so manches mag so mancher nicht, was ihm im Land zwischen Nord- und Ostsee auf die Teller kommt. Das wenigstens behaupten die Schleswig-Holsteiner selbst, die ihre Gäste nur zaghaft an norddeutsche Gerichte gewöhnen mögen. Wenn's um internationale Köstlichkeiten geht, da sind die norddeutschen Küchenmeister weit oben. Sie verwöhnen ihre Topfgucker nach allen Regeln ihrer Kunst; manch international gerühmter Gastronom mit sterngekröntem Eßplatz und erlebenswerter Atmosphäre wartet auf Ihren Besuch.

Die einheimische Küche aber will wahrhaftig erst erobert werden. Das Suchen nach ländlichen Gasthäusern oder Spitzenrestaurants mit Schleswig-Holsteinischem auf vielversprechenden Speisekarten lohnt sich. Meine ich. Und so empfehle ich Ihnen vor dem Studium der Speisekarten einen Blick in dieses – gewiß nicht alles umfassende – Eß-Alphabet:

Aalsuppe – das ist eine der ganz großen norddeutschen Köstlichkeiten. Sie ist so gut, daß sich zweierlei Landeskinder um ihre Urheberschaft streiten – die Holsteiner und die Hamburger. Denn obgleich die Aalsuppe seit Jahrhunderten zu vielgepriesenen Festessen gehört, ist bis auf den heutigen Tag ungeklärt, wo sie herkommt, wo sie hingehört und was nun wirklich alles hineingehört. Jede Familie mit Tradition pflegt im Norden ihr ererbtes Rezept, und sicher weiß man noch nicht einmal, ob dieser Eintopf seinen Namen von den Aalen bezieht, die eigentlich hineingehören, von den frisch aus dem Garten gepflückten ›Alles-Kräutern‹ (die schon vor Jahrhunderten von Gastronomen ›Aal-Kräuter‹ getauft wurden und im Plattdeutschen ›Aalkruut‹ heißen), oder ob es gar die Verdrehung des plattdeutschen ›All-Supp‹ bedeutet, also eine ›Alles-Suppe‹ ist. In der Tat stellt sie sich als ein landestypisches Durcheinander dar, die **Holsteiner Aalsuppe,** auf Schinkenknochen mit vielerlei Fleisch gekocht, mit reichlich Gemüse und mindestens dreierlei Obst, mit Klößen und Kräutern. Und natürlich gehört, wenn sie ganz zünftig ist, eine tüchtige Portion frischer Aal hinein!

Buttermilchsuppen mögen die Schleswig-Holsteiner gern. Und auch der Reisende wird solche hier und da auf den Speisekarten finden. **Bottermelksupp mit rökerte Wust** zum Beispiel (Buttermilchsuppe mit geräucherter Wurst), eine sättigende, eigenwillige Suppe. Da gibt es aber auch **Bottermelk mit Klümp un Beer,** eine warme Buttermilchsuppe mit Mehlklößen und Birnenstücken – in anderen Landesteilen leicht verändert mit Schwemm- und Grießklößen und Äpfeln zubereitet. Überhaupt sind die gleichen Gerichte regional sehr unterschiedlich zubereitet. Als Nachtisch findet man an kalten Tagen eine köstliche heiße Buttermilchsuppe, in die im Augenblick des Servierens sahniges Eis gegeben wird. An heißen Tagen schmeckt vorzüglich die mit vielen Eiern abgeschlagene süße Buttermilch-Kaltschale.

Das **Christkindl** der südlichsten Deutschen ist bei den nördlichsten Schleswig-Holsteinern das **Kindjees.** Ihm zu Ehren backen traditionsbewußte Angeliter auch heute noch zur Weihnachtszeit das fast weiße, ziemlich geschmacklose Figuren-Gebäck, dem die Konturen mit Rote-Beete-Saft aufgemalt werden. Reiter und Tiere schmücken die Fenster der Bäckerläden und die Weihnachtsbäume in Angeln. Für ein richtiges Kind aus Angeln gehören **Kindjeeskoken** unbedingt zu Weihnachten!

Dickmusik ist ein Eintopf, der vor allem im Kieler Umland und in der nahen Probstei beliebt ist. Große Bohnen, Erbsen, Möhren, Lauch und Kartoffeln gehören neben anderem hinein – vor allem aber gut geräucherter Schinkenspeck. Schleswig-Holstein kennt viele deftige

und schmackhafte Eintöpfe. Dem Unkundigen wird der immer wiederkehrende Dreiklang von Fleisch-Gemüse-Obst auffallen, der regional typisch und in vielem wiedererkennbar ist. Die Namen wechseln häufig von Ort zu Ort. Aber stets werden die Eintöpfe mit gutem Fleisch und kräftigen Schinkenknochen gekocht und mit frischen Kräutern gewürzt. Der rauchige Geschmack, der sich mit der Süße des Obstes oder anderer Zutaten vereinigt, wird vom Schleswig-Holsteiner ›broken sööt‹ genannt, gebrochene Süße. Man muß sich sehr daran gewöhnen . . .

Enten und anderes Geflügel hat sich immer in norddeutschen Pütt un Pann zu Schmackhaftem verwandelt. Sei es die auf traditionelle, nämlich **lübsche Art** gefüllte Ente, sei es die **süß-saure Gänsekeule** (Goosküül söötsuur), sei es ein ordentlicher **Truthahn-Braten** oder kräftige **Hühnersuppe,** die immer schon zu Feiertagsgerichten zählte. Zu allen Jahreszeiten flattert Federvieh auf die Teller der Gourmets.

Fisch schwimmt durch alle Speisekarten Schleswig-Holsteins. **Heringe** gibt es frisch gebraten oder sauer eingelegt, **Matjes** ist besonders gut und reichlich in Glückstadt. **Butt** und **Scholle** werden oft in tellerfüllender Größe in reichlich Speck gebraten (und in der Kieler Gegend mit Stachelbeerkompott und Förtchen serviert, das ist dann **Fisch, Förn** und **Stickelbeermus).** Der **Kabeljau** aus der Nordsee und sein Ostsee-Halbbruder **Dorsch** liefern viele bunte Fischgerichte. **Hecht** gespickt oder in traditioneller Rosinensauce ergibt ebensolche Edelgerichte wie der beliebte **Aal** oder **Lachs** und **See-zunge.** Man findet entlang der Küsten ›Fischertöpfe‹ und ›Fischsuppen‹, ›Frikadellen‹ und ›Fischklöße‹ serviert. Und natürlich vielerlei aus vielerlei Sorten Räucherfisch.

Groter Hans und **Groten Heini** – das sind zwei beliebte Vertreter der norddeutschen Küchenkunst. Der **Hans** steckt meist in der ›Beuteldose‹, wie man in Schleswig-Holstein die Puddingform fürs Wasserbad nennt. Es ist eine kräftige, sättigende Mehlspeise, die mit süßem Saft oder Kompott gegessen wird – auf echt Holsteiner Art mit Rauch im Geschmack! Der **Heini** hat auch einen informativeren Namen, es ist das Eintopfgericht **Birnen, Bohnen, Speck.** Kennern läuft schon das Wasser im Mund zusammen, wenn sie die kleinen braunen Perlbirnen reifen sehen. Denn sie gehören unbedingt hinein in den großen Topf, in dem sich grüne Bohnen und viel Rauchspeck prächtig vertragen und vor allem ihren Geschmack austauschen. Am Ende schmecken die Birnen nach dem Speck, die Bohnen nach den Birnen und der Speck nach den Bohnen. Alles drei zusammen aber unvergleichlich!

Hagebutten und **Holunderbeeren** reifen im Land zwischen den Meeren nicht nur an den Wegerändern – sondern auch in den Töpfen einiger Kochkünstler. Auf Fehmarn sollte man sich das Gildegericht nicht entgehen lassen, **Ochsenzunge in Hagebuttensauce!** Auch im übrigen Land ist Hagebuttensauce bekannt. Die Holunderbeeren geben vor allem die das ganze Jahr hindurch beliebte **Flieder-beersuppe.** Schön kräftig muß sie nach den Flieder- oder Holunderbeeren schmecken und mit Äpfeln oder Quitten und lockeren Schwemm- und Grießklößchen gegessen werden. In manchen Familien soll es alljährlich Streit geben, ob man aus den Holunderblüten den aromatischen **Holunderblütensaft** oder den etwas ›gehaltvolleren‹ **Hollersekt** ansetzen soll, oder ob man die dunkelblauen perlengroßen Früchte reifen läßt …

Igittigitt sagen nur Fremde zu Gerichten wie **Schwarzsauer** (auf Plattdeutsch auf manchen Speisekarten **Swattsuer).** Dieses Schlachtegericht, mit Blut gekocht, schmeckt nicht nur zur Schweine-Schlachte-Zeit. Man kennt es im Norden auch als **Gänseschwarzsauer,** mit dem etwas süßlicheren, nicht so herben Gänseblut zubereitet. Und wer sich erst einmal langsam an solche ländliche Kost gewöhnen will, der fange mit **Gänseweissauer** an, demselben sozusagen in Weiß. Es kann außerordentlich schmackhaft sein.

Jagdgerichte zieren vor allem in den waldreicheren Gegenden des inneren Schleswig-Holstein zahlreiche Tafeln renommierter Häuser. **Reh** und **Rebhuhn, Fasan** und **Hirsch** werden von Kennern ebenso gekonnt zubereitet wie **Damwild** und Selteneres. Im Binnenland sollte man zur Herbsteszeit stets danach fragen.

Krabben heißen die schmackhaften zehnfüßigen Kurzschwanzkrebse, die es an Schleswig-Holsteins Küsten frisch vom Kutter gibt. Man kann sie auch gleich frisch vom Fang aus der Hand essen – wenn man sie ausziehen kann. Und wer darin noch ungeübt ist, sollte sich in

Krabben-Puhl-Kursen schulen lassen. Krabben schmecken kalt auf **Toast** oder in **Salaten,** zu herrlichen **Suppen** verarbeitet oder in Hauptgerichten. Auf Pellworm gibt es als sättigende Insel-Kost die **Porren-Kartoffeln** – dort nämlich wechseln die kleinen Krabbeltiere beim Abbrühen nicht nur die Farbe, sondern auch den Namen ...

Labskaus ist das an Land wohl bekannteste Seemannsgericht. Ursprung des Namens und ursprüngliche Zusammensetzung dieses wie ›vorgekaut‹ wirkenden Eintopfes liegen im Dunkel. Nur der Smutje soll jeweils gewußt haben, was er am Ende langer Seereisen aus den restlichen Bordvorräten zusammengekocht hatte. Heute kocht man Labskaus auch gern an Land. Bestes gepökeltes Fleisch gehört hinein, Matjes, Rote Beete und Kartoffeln. Und vor allem reichlich Würze. Unter einem Spiegelei versteckt sich ein wohlduftendes, prächtig schmeckendes Mus, zu dem man außerdem Rollmöpse ißt. Wobei – das ist bei Seemannsgarn stets gewiß – alle nur denkbaren Varianten erlaubt zu sein scheinen ...

Mehlbüddel ist die Leib-(-weh)speise der Dithmarscher. Sie nehmen gern ein Dutzend Eier, um den deftigen ›Mehlbeutel‹ recht gehaltvoll zu machen. Aber: Auch hier gleicht kein Rezept dem anderen. Mehlbeutel werden mit Hefe gebacken oder mit Backpulver, mit Dörrobst oder mit Räucherwurst, mit Schweineblut oder ganz einfach ganz ohne. In ein Tuch eingeknotet gart ein riesiger Teigkloß im Wasserbad. Beim Essen schmückt er sich gern mit einer **Sirup-Speck-Sauce** oder mit einer **Kirschsauce mit Speckaugen.** Für ungewohnte Zungen und Mägen ist es etwas recht Besonderes.

National heißt ein Lübecker Eintopf, der auch außerhalb der Hansestadt bekannt und beliebt ist. Dafür werden Kaßler und gestiftelte Steckrüben gemeinsam gegart – und getrennt gegessen (was so allerdings nicht mehr jeder Gastronom anbietet). Eben dieses ›Zwei-Teller-Gericht‹ ist etwas für Schleswig-Holstein Typisches. Häufig ißt man von zwei Tellern gleichzeitig Zweierlei. Beim **Lübecker National** werden die Steckrüben mit Milch und Mehl gestovt (sämig gekocht) und von dem einen Teller gegessen, während man vom zweiten das aufgeschnittene Fleisch mit Kartoffeln dazu ißt.

Ofenkater ist ein Vetter des norddeutschen Mehlbeutels und früher eigentlich ein Gericht gewesen, das am Brot-Back-Tag aus einem Teigrest zusammen mit Speck und Birnen mitgebacken wurde. **Abenkater** sagte man dazu auch auf den nordfriesischen Inseln. Über das ganze Land verstreut gibt es Varianten dieses Namens und dieses Rezeptes – aber immer handelt es sich um eine deftige Mehlspeise, zu der Süßes gegessen wird.

Pansen findet man zwar selten auf norddeutschen Speisekarten, aber danach fragen sollte man auf jeden Fall. Von manchem wird im Norden noch heute nach dem Rinderschlachten das Fest der ›Pansenköst‹ gefeiert. Und besonders an der Westküste ist die **Saure Rolle** bekannt, ein wohlschmeckend gefüllter und sauber abgekochter, gekühlter Pansen. Die ›Rolle‹ wird in Scheiben geschnitten und aufgebraten. Wer's deftig mag, sollte nicht versäumen, solches zu probieren. Mehr Innereien findet man schmackhaft zubereitet in dem Eintopf-Gericht **Plockfinken.**

Quetschmadame ist der Spitzname einer Birnensorte und eines Birnen-Reisbreis – entstanden im Lauenburgischen, wo die aromatische Glockenbirne reichlich wuchs und verkocht wurde. Im Französischen heißt diese Birnensorte noch heute ›Cuisse-madame‹ – die plattdeutsche Sprache machte daraus ›Quetschmadame‹ und erhielt diesen aus dem vorigen Jahrhundert stammenden Spitznamen bis in die heutige Zeit.

Rode Grütt – das ist *die* Nachspeise im Norden (wozu in diesem Fall unbedingt auch der dänische Nachbar gerechnet werden muß, der seine ›rødgrød med fløde‹ ganz exzellent zuzubereiten versteht). Für **Rote Grütze** scheint es im Land soviele Rezepte wie Familien zu geben – zumal mancher sie noch kocht wie einst, mit Buchweizen-, Gersten-, Hafer- oder Weizengrütze angedickt. Moderne Hausfrauen kochen Früchte oder Saft – alles, was von Johannisbeeren bis zu Himbeeren an Rotem zusammenpaßt – mit Sago, Gries, Puddingpulver, Maismehl oder Kartoffelmehl und bringen die Rote Grütze je nach Jahreszeit heiß oder kalt auf den Tisch. Dazu gehört – regional verschieden – kalte Milch oder Sahne (flüssig oder geschlagen). Wie auch immer gekocht – eine süße Schleckerei!

Schnüsch ist ein Eintopf aus Angeln. (In Nordangeln sagt man ›Schnusch‹, in

Südangeln ›Schnüsch‹.) Einheimische übersetzen das mit ›Quer durch den Garten‹ – und das ist es auch, ein Gericht aus vielen Gemüsesorten. Ein dicker Schnüsch wird vom flachen Teller gegessen, ein dünner, mit Milch aufgekochter, aus einem tiefen Napf. Dazu gibt es rohen Schinken oder geräucherten Speck und mancherorts auch Salzheringe. Sagte einst ein schleswig-holsteinischer Volkskundler: »Schnüsch kann zu Ehezwistigkeiten Anlaß geben, wenn nicht zufällig beide Ehepartner aus Angeln stammen ...«

Teepunsch, Pharisäer, Grog, Glühwein, Angler Muck – diese und andere Getränke sorgen im Norden für Wärme und Stimmung. Je steifer das Getränk, so sagt man, desto lockerer die ›kühlen‹ Norddeutschen.

Umwerfend sind für fremde Zungen die typischen **Helgoländer Gerichte!** Man muß sie mal probieren, wenn man auf der Insel in der Nordsee ist und die um originale Gerichte bemühten Insel-Gastronomen besucht. Da gibt es **Wittqual** und **Mehlpeas** (eine Art Kohl-Eintopf mit einem Mehlbüddel obenauf), wozu man hinterher Aprikosen- und Zitronensuppe essen muß. Da wird **Ol Fesk** (getrockneter Fisch) zubereitet und **Grotpés** gekocht (ein Festtagsgericht aus Grütze, Kabeljaumägen, Schellfischköpfen und Sirupsoße). Zugestanden sei, daß umwerfend auf andere Weise die köstlichen **Hummer-Gerichte** sind. Köstlich und eine Reise wert ...

Vullbuuksabend nennt man noch heute in Schleswig-Holstein den Weihnachtsabend. Das verspricht gute Kost – und in der Tat biegen sich Tische und Bäuche beim Festmahl. Lange Zeit war Grünkohl das Hauptgericht, schleswig-holsteinisch zubereitet mit geräuchertem Schweinekopf oder Schweinebacke und süßen Kartoffeln. Wenngleich heute zu den Weihnachtsgerichten vor allem große Braten und vorzügliche Fischgerichte gehören, so ist Grünkohl dennoch in der ganzen Winterzeit ein Festessen geblieben.

Weinsuppe gehört zu den nordfriesischen Spezialitäten, die man leider nicht überall im Lande essen kann. Denn je nach dem Gehalt der Suppe, die neben dem Wein Schinkenfleisch, Graupen, Rosinen und manch' anderes enthalten kann, richtet es sich, ob es ein Vor- oder Hauptgericht ist. Immer aber ist es ein Fröhlichmacher – der nicht umsonst vornehmlich

bei großen, auch traurigen Familienfesten serviert wurde. Löffelweise schluckte man so gute Stimmung in sich hinein.

Zu guter Letzt sollte verraten werden, daß man in Schleswig-Holstein herrlich **kaffeeklatschen** kann. Denn Kuchen sind ein test-würdiges Kapitel norddeutscher Küchen-Geschichte. Von **Förtchen (Futtjens)** und **Heißwecken (Hedewige)** muß man da sprechen, von Blechkuchen und mächtigen Schichttorten. Von der Sitte des **Nötigens** und des **Anschneidens** der Torten, was man in Dithmarschen immer schon dem Gast überließ – auf daß er selbst bestimmen möge, wieviel vom Tortenrund er auf seinen Teller und in seinen Magen balancieren will. In der Winterszeit duftet es überall nach **Peepernööten (Pfeffernüssen)** und nach den so beliebten **weißen** und **braunen Kuchen.**

›Guten Appetit‹ möchte ich Ihnen nun zurufen! Haben Sie den Mut, nach regional Typischem zu fragen. Ich bin sicher, daß Sie nicht nur Ungewohntes, sondern überraschend Wohlschmeckendes entdecken werden. Und denken Sie ab und zu mal an das, was Schleswig-Holsteiner ganz selbstsicher über ihre Küchenkünste sagen: Wer's mag, der mag's, und wer's nicht mag, na, der mag's wohl nicht mögen . . .

Raum für Ihre Reisenotizen

Anschriften neuer Freunde, Foto- und Filmvermerke, neuentdeckte gute Restaurants, etc.

Raum für Ihre Reisenotizen

Anschriften neuer Freunde, Foto- und Filmvermerke, neuentdeckte gute Restaurants, etc.

Ausgewählte Literatur

Zur Erdgeschichte

Wolff und Heck, *Erdgeschichte und Bodenaufbau Schleswig-Holsteins*. Cram, de Gruyter & Co, Hamburg 1949
Schott, Carl, ›Die Naturlandschaften Schleswig-Holsteins‹, in: *Geschichte Schleswig-Holsteins*, 1. Bd. Wachholtz, Neumünster 1955
Gripp, K., *Erdgeschichte von Schleswig-Holstein*. Wachholtz, Neumünster 1964
Wohlenberg, E. und Ligges, W., *Die nordfriesischen Inseln*. DuMont, Köln 1970

Zur allgemeinen Geschichte

Geschichte Schleswig-Holsteins; lfd. Herausgabe im Auftrage der Gesellschaft für Schleswig-Holsteinische Geschichte. Wachholtz, Neumünster
Rust, Alfred, *Vor 20 000 Jahren, Rentierjäger der Eiszeit*. Wachholtz, Neumünster 1972
Degn, C. und Muuß, U., *Topographischer Atlas Schleswig-Holstein*. Wachholtz, Neumünster 1966
Handbuch der historischen Stätten Deutschlands, I. Bd. ›Schleswig-Holstein und Hamburg‹, hrsg. von Dr. Olaf Klose. Kröner-Verlag, Stuttgart 1964
Scharff, Alexander, *Schleswig-Holsteinische Geschichte*. Ploetz-Verlag, Würzburg 1966
Jankuhn, Herbert, *Haithabu, ein Handelsplatz der Wikinger*. Wachholtz, Neumünster 1963
Führer zu vor- und frühgeschichtlichen Denkmälern, Bd. 7: ›Hamburg-Harburg, Sachsenwald, Nördliche Lüneburger Heide‹, 1976; Bd. 9: ›Schleswig, Haithabu, Sylt‹, 1968; Bd. 10: ›Hansestadt Lübeck, Ostholstein, Kiel‹, 1972. Hrsg. v. Röm.-Germanischen Zentralmuseum Mainz. Verlag v. Zabern, Mainz
Brandt, Otto: *Geschichte Schleswig-Holsteins*, überarbeitet von Dr. W. Klüver, mit Beiträgen von Prof. Dr. Jankuhn. Walter G. Mühlau, Kiel 1976
Klüver, Wilhelm, *Schleswig-Holsteinische Geschichte seit 1866*. Walter G. Mühlau, Kiel 1972
Spanuth, Jürgen, *Die Atlanter*. Grabert, Tübingen 1976
Stadtkernatlas Schleswig-Holstein, bearb. von Johannes Habich. Wachholtz, Neumünster 1976
Harms Heimatatlas: Schleswig-Holstein in Karte, Bild und Wort, bearb. von Gerhard Pieske. List-Verlag, München 1976

Kunst und Kultur

Baedeker, Karl, *Schleswig-Holstein*. Freiburg 1963

Dehio-Handbuch der Deutschen Kunstdenkmäler: Hamburg/Schleswig-H., bearbeitet von Johannes Habich. Deutscher Kunstverlag, Stuttgart 1971

Hootz, Reinhardt, *Bildhandbuch Hamburg Schleswig-Holstein* (Deutsche Kunstdenkmäler). Deutscher Kunstverlag, Stuttgart 1968

Reclams Kunstführer: Niedersachsen, Hansestädte, Schleswig-Holstein. Stuttgart 1964

Beseler, Hartwig, *Kunsttopographie Schleswig-Holstein*. Wachholtz, Neumünster 1974

Beseler, Hartwig, *Bauten in Schleswig-Holstein zwischen Vergangenheit und Gegenwart, 1830–1930*. Westholsteinische Verlagsanstalt Boyens & Co, Heide 1971

Ellger, Dietrich, *Schleswig-Holstein*. Deutscher Kunstverlag, Stuttgart 1974

Hasse, Max, *Lübeck*. Deutscher Kunstverlag, Stuttgart 1973

Kamphausen, Alfred, *Schleswig-Holstein als Kunstlandschaft*. Wachholtz, Neumünster 1973

Schlee, Ernst, *Kunst in Schleswig-Holstein*, versch. Veröffentlichungen für das Schleswig-Holst. Landesmuseum Schleswig seit 1961

Schlee, Ernst, *Kulturgeschichte Schleswig-Holst. Rathäuser*. Westholsteinische Verlagsansalt Boyens & Co, Heide 1976

Enns, A. B., *Lübeck. Ein Führer durch die Bau- und Kunstdenkmäler der Hansestadt*. Hansisches Verlagskontor, Lübeck 1975

Lübeck-Führer, Weilands Karten und Führer. Weiland, Lübeck

Lühning, Arnold, *Schleswig-Holst. Museen und Sammlungen*. Christian-Wolff-Verlag, Flensburg 1976

Bedal, Konrad, *Ländliche Ständerbauten des 15. bis 17. Jahrhunderts in Holstein und im südlichen Schleswig*. Wachholtz, Neumünster 1977

Kulturkarte Schleswig-Holstein/Hamburg, bearbeitet von Hartwig Beseler und Johannes Habich. Wachholtz, Neumünster 1972

Hirschfeld, Peter, *Herrenhäuser und Schlösser in Schleswig-Holstein*. Deutscher Kunstverlag, Stuttgart 1974

Rumohr, Henning von, *Dome, Kirchen, Klöster in Schleswig-Holstein und Hamburg*. Weidlich, Frankfurt a. M. 1976

Rumohr, Henning von, *Schlösser und Herrensitze in Schleswig-Holstein und Hamburg*. Weidlich, Frankfurt a. M.

Nordelbingen, *Beiträge zur Kunst- und Kulturgeschichte*. Westholsteinische Verlagsanstalt Boyens u. Co, Heide, lfd. Herausgabe im Auftrag der Ges. f. Schl.-H. Geschichte

Klose, Olaf und Martius, Lilli, *Ortsansichten und Stadtpläne der Herzogtümer Schleswig, Holstein und Lauenburg*. Wachholtz, Neumünster 1962

Neugebauer, Werner und Nissen, Nis R., *Schönes Schleswig-Holstein*. LN-Verlag, Lübeck 1978

Abbildungsnachweis

Amt für Denkmalpflege der Hansestadt Lübeck: Farbt. XIV, XVII; Abb. 38, 46, 100; Fig. S. 100

Braun und Hogenberg, ›Civitates Orbis Terrarum‹: Fig. S. 2, 168, 224/25, 260

H. O. Cohrs, Helgoland: Abb. 1

Dankwerth, ›Landesbeschreibung Schleswig-Holstein‹, 1652: Fig. S. 192, 217, 218, 221, 264, 270

DuMont, Köln: Fig. S. 10, 25, 103, 105

Fremdenverkehrsverband: Farbt. XIX

Klaus Gallas, München: Abb. 13, 14, 33, 36, 70, 92

Germanisches Nationalmuseum, Nürnberg, aus: ›Hartmann Schedels Weltchronik‹, Nürnberg 1493: Fig. S. 74/75

Ruth Greve, Gütersloh: Farbt. III

Günter Haese, Düsseldorf: Abb. 120

Hans Hoffmann, Husum: Abb. 3

Industriephoto Schilling, Lübeck: Farbt. XII, XIII

Kieler Nachrichten, Kiel: Abb. 126, 129, 134

Karl Kirchner, Lübeck: Abb. 22

J. H. Koch, Neustadt: Farbt. XXV; Abb. 2, 91

Joh. Jürgen Koch, Neustadt: Abb. 125

Kreismuseum, Neustadt: Farbt. XXIV; Abb. 62; hintere Klappe (Wappen); Fig. S. 109

Hans Kripgans, Lübeck: Abb. 12

Angela Kroeker-Weidling: Abb. 127

Gerhard Kroeker, Lübeck: Abb. 99

E. Knoop, Eutin: Fig. S. 122, 124

Kurverwaltung Neustadt: Farbt. IV

Landesamt für Denkmalpflege Schleswig-Holstein, Kiel: Farbt. XV, XXIII; Abb. 32, 34, 37, 40–42, 47–51, 54, 57, 58, 60, 61, 67, 68, 71–78, 85, 86–90, 93–95, 97, 105, 106, 109, 111, 112; Fig. S. 76, 110, 111, 265

Wulf Ligges, Obsteig: Abb. 4, 55, 56, 104

Hans-Michael Möller, Kelkheim/Ts.: Abb. 124, 130–133

Museen für Kunst und Kulturgeschichte der Hansestadt Lübeck: Farbt. XVI; Abb. 39, 45, 52, 53, 59, 63–65, 83, 96, 98, 101

Museum für Hamburgische Geschichte, Hamburg: Abb. 44

Harm Paulsen, Schleswig: Fig. S. 26, 27, 31

Lieselotte Riis, Kiel: Abb. 66, 69, 107, 110

Klaus Rohmeyer, Fischerhude: Farbt. II, V, XI, XVIII, XX, XXI, XXVI; Umschlagvorderseite u. Rückseite

Henning v. Rumohr, Drült: Fig. S. 109

Schleswig-Holsteinisches Freilichtmuseum, Kiel: Fig. S. 121

Schleswig-Holsteinisches Landesmuseum, Schloß Gottorf, Schleswig: Abb. 79, 80–82, 84, 102, 103, 108

– (Bruno Topel): Abb. 117–119, 121, 122; Fig. S. 159

Schleswig-Holsteinisches Landesmuseum für Vor- u. Frühgeschichte, Schleswig: Farbt. VI, VII, IX, X; Abb. 9, 10, 15–20, 24–30; Fig. S. 9, 30, 32, 50, 52, 53, 103, 105, 107 (z. T. Vorlagen)

Günther Semrau, Neustadt: Abb. 123

Register

313

DuMont Kunst-Reiseführer

Ägypten – Geschichte, Kunst und Kultur im Niltal

Vom Reich der Pharaonen bis zur Gegenwart. Von Hans Strelocke

Äthiopien – Kunst im Verborgenen

Ein Reisebegleiter ins älteste Kulturland Afrikas. Von Hans Helfritz

Algerien – Kunst, Kultur und Landschaft

Von den Stätten der Römer zu den Tuaregs der zentralen Sahara. Von Hans Strelocke

Belgien – Spiegelbild Europas

Eine Einladung nach Brüssel, Gent, Brügge, Antwerpen, Lüttich und zu anderen Kunststätten. Von Ernst Günther Grimme

Deutsche Demokratische Republik

Geschichte und Kunst von der Romanik bis zur Gegenwart. Brandenburg, Mecklenburg, Sachsen-Anhalt, Sachsen, Thüringen. Von Gerd Baier, Elmar Faber und Eckhard Hollmann

Franken – Kunst, Geschichte und Landschaft

Entdeckungsfahrten in einem schönen Land – Würzburg, Rothenburg, Bamberg, Nürnberg und die Kunststätten der Umgebung. Von Werner Dettelbacher

Köln

Stadt zwischen Tradition und Fortschritt. Von Paul Willehad Eckert

Der Niederrhein

Das Land und seine Städte, Burgen und Kirchen. Von Willehad Paul Eckert (Neu Herbst '78)

Die Pfalz

Die Weinstraße – Der Pfälzer Wald – Wasgau und Westrich. Wanderungen im »Garten Deutschlands«. Von Peter Mayer

Zwischen Neckar und Donau

Kunst, Kultur und Landschaft von Heidelberg bis Heilbronn, im Hohenloher Land, Ries, Altmühltal und an der oberen Donau. Von Werner Dettelbacher

Schleswig-Holstein

Zwischen Nordsee und Ostsee: Kultur – Geschichte – Landschaft. Von Johannes Hugo Koch

Dänemark

Land zwischen den Meeren. Kunst – Kultur – Geschichte. Von Reinhold Dey

Süd-England

Von Kent bis Cornwall. Architektur und Landschaft, Literatur und Geschichte. Von Peter Sager

Die Bretagne

Im Land der Dolmen, Menhire und Calvaires. Von Frank und Almut Rother

Burgund

Kunst, Geschichte, Landschaft. Burgen, Klöster und Kathedralen im Herzen Frankreichs: Das Land um Dijon, Auxerre, Nevers, Autun und Tournus. Von Klaus Bußmann

Südwest-Frankreich

Vom Zentralmassiv zu den Pyrenäen – Kunst, Kultur und Geschichte. Von Rolf Legler

Das Tal der Loire

Schlösser, Kirchen und Städte im »Garten Frankreichs«. Von Wilfried Hansmann

DuMont Kunst-Reiseführer

Die Provence

Ein Reisebegleiter durch eine der schönsten Kulturlandschaften Europas. Von Ingeborg Tetzlaff

Athen

Geschichte, Kunst und Leben der ältesten europäischen Großstadt von der Antike bis zur Gegenwart. Von Evi Melas

Die griechischen Inseln

Ein Reisebegleiter zu den Inseln des Lichts. Kunst und Kultur. Hrsg. von Evi Melas

Kreta – Kunst aus fünf Jahrtausenden

Minoische Paläste – Byzantinische Kirchen – Venezianische Kastelle. Von Klaus Gallas

Alte Kirchen und Klöster Griechenlands

Ein Begleiter zu den byzantinischen Stätten. Hrsg. von Evi Melas

Tempel und Stätten der Götter Griechenlands

Ein Reisebegleiter zu den antiken Kultzentren der Griechen. Hrsg. von Evi Melas

Guatemala

Honduras – Belize. Die versunkene Welt der Maya. Von Hans Helfritz

Indien

Bauformen und Stadtgestalt einer beständigen Tradition. Von Niels Gutschow, Bernhard Kölver und Jan Pieper

Indonesien

Ein Reisebegleiter nach Java, Sumatra, Bali und Sulewesi (Celebes). Von Hans Helfritz

Iran

Kulturstätten Persiens zwischen Wüsten, Steppen und Bergen. Von Klaus Galles

Irland – Kunst, Kultur und Landschaft

Entdeckungsfahrten zu den Kunststätten der »Grünen Insel«. Von Wolfgang Ziegler

Rom

Kunst und Kultur der »Ewigen Stadt« in mehr als 1000 Bildern. Von Leonard von Matt und Franco Barelli

Von Pavia nach Rom

Ein Reisebegleiter entlang der mittelalterlichen Kaiserstraße Italiens. Von Werner Goez

Ober-Italien

Kunst, Kultur und Landschaft zwischen den oberitalienischen Seen und der Adria. Von Fritz Baumgart

Florenz und die Medici

Ein Begleiter durch das Florenz der Renaissance. Von My Heilmann

Das etruskische Italien

Entdeckungsfahrten zu den Kunststätten und Nekropolen der Etrusker. Von Robert Hess

Apulien – Kathedralen und Kastelle

Ein Begleiter durch das normannisch-staufische Apulien. Von Carl Arnold Willemsen

Venedig – Geschichte und Kunst

Erlebnis einer einzigartigen Stadt. Von Marianne Langewiesche

Sardinien

Geschichte, Kultur und Landschaft – Entdeckungsreisen auf einer der schönsten Inseln im Mittelmeer. Von Rainer Pauli

Sizilien

Insel zwischen Morgenland und Abendland. Sikaner/Sikuler, Karthager/Phönizier, Griechen, Römer, Araber, Normannen und Staufer. Von Klaus Gallas

DuMont Kunst-Reiseführer

Japan – Tempel, Gärten und Paläste

Einführung in Geschichte und Kultur und Begleiter zu den Kunststätten Japans. Von Thomas Immoos und Erwin Halpern

Jugoslawien

Geschichte, Kunst und Landschaft. Von Frank Rother

Malta und Gozo

Die goldenen Felseninseln – Urzeittempel und Malteserburgen. Von Ingeborg Tetzlaff

Marokko – Berberburgen und Königsstädte des Islam

Ein Reisebegleiter zur Kunst Marokkos. Von Hans Helfritz

Die Götterburgen Mexikos

Ein Reisebegleiter zur Kunst Alt-Mexikos. Von Hans Helfritz

Nepal – Königreich im Himalaja

Geschichte, Kunst und Kultur im Kathmandu-Tal. Von Ulrich Wiesner

Salzburg, Salzkammergut, Oberösterreich

Kunst und Kultur auf einer Alpenreise von Dachstein bis zum Böhmerwald. Von Werner Dettelbacher

Wien und Umgebung

Kunst, Kultur und Geschichte der Donaumetropole. Von Felix Czeike und Walther Brauneis

Portugal

Ein Begleiter zu den Kunststätten von Porto bis zur Algarve-Küste. Von Albert am Zehnhoff

Rumänien

Schwarzmeerküste – Donaudelta – Moldau – Walachei – Siebenbürgen: Kultur und Geschichte. Von Evi Melas

Kunst in Rußland

Ein Reisebegleiter zu russischen Kunststätten. Von Ewald Behrens

Die Schweiz

Zwischen Basel und Bodensee · Französische Schweiz · Das Tessin · Graubünden · Vierwaldstätter See · Berner Land · Die großen Städte. Von Gerhard Eckert (Herbst '78)

Skandinavien – Dänemark, Norwegen, Schweden, Finnland

Kultur, Geschichte, Landschaft. Von Reinhold Dey

Zentral-Spanien

Kunst und Kultur in Madrid, El Escorial, Toledo und Aranjuez, Avile, Segovia, Alcalá de Henares. Von Anton Dieterich

Südamerika: Präkolumbische Hochkulturen

Ein Reisebegleiter zu den indianischen Kunststätten in Peru, Bolivien und Kolumbien. Von Hans Helfritz

Tunesien

Karthager, Römer, Araber – Kunst, Kultur und Geschichte am Rande der Wüste. Von Hans Strelocke

Städte und Stätten der Türkei

Ein Begleiter zu den Kunstwerken Istanbuls und Kleinasiens. Von Kurt Wilhelm Blohm

---

Alle Bände mit vielen, zum Teil farbigen Abbildungen; dazu Zeichnungen, Karten, Grundrisse, praktische Reisehinweise

»Richtig reisen«

Die »Richtig reisen«-Führer wollen für Urlaub und Reise gegen das konfektionierte Tourismus-Angebot Möglichkeiten eines individuellen erlebnisreicheren und interessanteren Reisens aufzeigen. Unter solcher Zielsetzung erschließen sie neu Weltstädte – wie New York, Paris, Kopenhagen – oder größere Ziele des Fern-Tourismus.

»Richtig reisen«: Amsterdam

Von Eddy und Henriette Posthuma de Boer. 203 Seiten mit 12 farbigen und 130 einfarbigen Abbildungen, Stadtplänen, Karten, praktische Reisehinweise

»Richtig reisen«: Ferner Osten

Von Charlotte Peter und Margrit Sprecher. 302 Seiten mit 14 farbigen und 120 einfarbigen Abbildungen, Stadtplänen, Karten, praktische Reisehinweise

»Richtig reisen«: Ibiza/Formentera

Von Ursula von Kardorff und Helga Sittl. 248 Seiten mit 52 farbigen und 153 einfarbigen Abbildungen, Karten und Plänen, praktische Reisehinweise

»Richtig reisen«: Istanbul

Von Klaus und Lissi Barisch. 257 Seiten mit 28 farbigen und 173 einfarbigen Abbildungen, Zeichnungen, Karten und Plänen, praktische Reisehinweise

»Richtig reisen«: Kanada und Alaska

Von Ferdi Wenger. 332 Seiten mit 39 farbigen und 118 einfarbigen Abbildungen und Karten, 64 Seiten praktische Reisehinweise (Herbst '78)

»Richtig reisen«: Kopenhagen

Von Karl-Richard Könnecke. 200 Seiten mit 32 farbigen und 116 einfarbigen Abbildungen, Karten und Plänen, praktische Reisehinweise

»Richtig reisen«: London

Von Klaus Barisch und Peter Sahla. 251 Seiten mit 18 farbigen und 189 einfarbigen Abbildungen, Stadtplänen, Karten, praktische Reisehinweise

»Richtig reisen«: Mexiko und Zentralamerika

Von Thomas Binder. 330 Seiten mit 32 farbigen und 119 einfarbigen Abbildungen, Karten und Plänen, praktische Reisehinweise

»Richtig reisen«: Moskau

Von Wolfgang Kuballa. 268 Seiten mit 36 farbigen und 150 einfarbigen Abbildungen, Karten und Plänen, praktische Reisehinweise

»Richtig reisen«: Nepal

Kathmandu: Tor zum Nepal-Trekking, Von Dieter Bedenig. 288 Seiten mit 37 farbigen und 97 einfarbigen Abbildungen, Karten und Plänen, praktische Reisehinweise

»Richtig reisen«: New York

Von Gabriele von Arnim u. Bruni Mayor. 312 Seiten mit 61 farbigen und 182 einfarbigen Abbildungen, Plänen und praktische Reisehinweise

»Richtig reisen«: Paris

Von Ursula von Kardorff und Helga Sittl. 277 Seiten mit 34 farbigen und 172 einfarbigen Abbildungen, Karten und Plänen, praktische Reisehinweise

»Richtig reisen«: San Francisco

Von Hartmut Gerdes. 248 Seiten mit 33 farbigen und 155 einfarbigen Abbildungen, Karten und Plänen, praktische Reisehinweise

»Richtig reisen«: Südamerika

Kolumbien, Ekuador, Peru, Bolivien Von Thomas Binder. 252 Seiten mit 35 farbigen und 121 einfarbigen Abbildungen, Karten und Plänen, praktische Reisehinweise

»Richtig reisen«: Südamerika 2

Argentinien – Chile – Uruguay – Paraguay. Mit einer Beilage zur Fußball-Weltmeisterschaft 1978 Von Thomas Binder. 330 Seiten mit etwa 37 farbigen und 110 einfarbigen Abbildungen, Karten und Plänen, praktische Reisehinweise